項羽と劉邦

下巻

背水の陣

韓信《かんしん》は、転戦している。

かれは漢《かん》の上《じょう》将軍とはいえ、劉邦《りゅうほう》のそばにいるわけではない。つねに別働軍の将であった。当然ながら劉邦にはかれ自身の戦局がある。これに対し韓信はそれと同心円の戦局の中に身を置きつつ、劉邦の円よりもずっと外側で円をえがき、転々と戦場を動きながら勢力を増大していた。戦えばかならず勝った。

「異彩だ」

ひとびとはいった。弱い漢軍のなかで、例外的な光りを放っているのは韓信とその軍だったからである。

――韓信《あれ》は自立するのではないか。

と、劉邦側近のひとびとは、口にこそ出さなかったが、かすかに警戒の目をもってながめていた。

「酈生《れきせい》」と半ば敬せられ、半ば軽んじられている儒者《じゅしゃ》の酈食其《れきいき》老人も、そのひとりだったといっていい。人の姓や名に生《せい》をつけてよぶのは、後世、書生の生になるが、この時代は先生というにちかい。

酈生は、韓信がすきであった。

「木で鼻をくったようなあののっぽめが」

と酈生がいうときは、愛情をこめていた。あいつの目はわるくない、何を考えているのか知らないが、という。

たしかに韓信は目だけは子供っぽかった。長身で、頬はまだ果物のようなつややかさをうしなっていない。ただ手入れを怠《おこた》った黒いひげがごみのように顔の下半分に散らかっていて、放心すると垂れたひげを唇のはしで嚙《か》んでいたりする。そのあたり淮陰《わいいん》（江蘇《こうそ》省）城下の浮浪者の感じがぬけきっていない。

「お前さんは、とても儒者にはなれないね」

酈生がからかったことがある。

「その目だけでだめだよ」

酈生のいうには、儒者は大人びて深沈とした目を持っていなければならない、つねに自分の容儀にこまかく注意をはらい、人の前に出るときには威を内に秘めつつその外貌《がいぼう》は温雅、その態度は恭倹、なかなかむずかしいものだ、という。

むろん、韓信は淮陰の貧士だったころから、一度も儒者になりたいなどとはおもわなかった。儒者など、葬式、墓参のたぐいの儀礼をことごとしく言うだけの存在で、葬式屋の顧問のようなものではないかと思っている。

「酈老」

と、韓信はこの老人をよんでいた。

「たれも儒者にしてくれと頼んではいませんよ」

韓信もこの老人が好きであった。

「大きなまちがいだ」

すこし儒教を教わるほうがいい、と酈生はいった。

「たとえばお前さんには、規準というものがないよ」

「なんの規準です」

「人としての生き方の規準、物の考え方、あるいは行動の仕方についての規準だ」

「規準はないほうがいいんです」

韓信は、蠅《はえ》を追うようにいった。

酈生は、教えようとしている。

「規準を学問という。規準のない人間は、人から信用されない。美でもない。美でなければ人から敬愛されない」

敬愛とは、具体的には、王である人や上長や同僚から好もしく思われるということであろう。

「敬愛されるということは、要するに無害な人間として愛玩《あいがん》されるということではありませんか。お言葉を返すようですが、私の志《こころざし》とはちがいます」

「どういう志だ」

「それがわかれば、世話はない」

韓信は、笑うと、こどものような顔になった。


右の対話は、韓信がなにかのことで劉邦に拝謁《はいえつ》すべく前線からやってきたときの情景である。場所はかつて県庁の庁舎であった建物の前庭で、大きな槐《えんじゅ》が葉をしげらせていた。酈生はその木蔭《こかげ》に入り、石に腰をおろしていた。立っている韓信は背に熱い陽ざしをうけて、酈生のために蔭をつくってやっている。長剣を杖《つえ》がわりに突き、体の重みを半ば託していた。

「汚い剣だな」

酈生はからかった。

「しかも長すぎる」

たしかに韓信の剣は異様に長い。それに欛頭《つかがしら》の塗りが剝《は》げ、青銅の飾りの小さな怪獣が磨《ま》耗《もう》し、鞘《さや》は傷だらけになっていた。

「私にとって、大切な剣です」

かれが淮陰城下で、洗濯婆から食をめぐまれながらほっつき歩いていたころからの剣であることは酈生も知っていた。韓信が漢の上将軍になってからもなおその頃の腰のものを離さないというのは、この男の感傷なのかどうか。

「要するにその剣も、あんたの自己愛のあらわれにすぎないんじゃないか」

酈生は、韓信というつかみどころのない男の精神を、袋の中の物でもさがすように手探っている。

「私に自己愛などありませんよ」

「ではその剣はなんのしるしだ」

「淮陰の頃の自分の気分かな。志といえばそうもいえます」

「幼いことを言うわい。……しかしお前さんのは」

志じゃないよ、と酈生は言いかけて遠慮した。酈生は当節、士の志というべきものは天下の蒼生《そうせい》を戦乱からすくい、これに食をあたえ、しかるのちに儒教という人間が人間であるための規律を与えることだ、と思っている。それには天下を興《おこ》すに足る人を立て——劉邦のことだが——これを輔《たす》け、これに天下をとらしめることが先決だと考えているのだが、韓信の場合はどうであろう。

(こいつの正体はなんだ)

酈生は、考えた。この時代、乱世に身を投じた士卒のたれもが富貴を望んだ。しかし韓信は変わり者で、富貴を望まないに似ている。というより富貴とは何かが天性よくわからないのではないか。すくなくともそういう感覚に欠けるところがあり、たとえば一面、この男には貧窮のほうが似合っており、たとえ貧窮のまま生涯を送っても、他人の富貴をそねむところは全くないのではないか。

（この男の本質は、つまりは才能ということか）

酈生はおもった。才能だけが独立し、目も鼻も理性も抑制力ももたずにまるい物体として谷を越え、山をかけのぼり、どこまでもころがってゆくなにかではないか。

（せめて、忠誠心でもあれば）

酈生はおもっている。

俠客《きょうかく》あがりの諸将の多くは儒徒ではなかったが、忠誠心だけは持っていた。かれらはむしろそれを売り物にして劉邦とつよく結びつき、蝶《ちょう》が花に嘴《くちばし》をのばして蜜《みつ》を吸うように劉邦から利益を吸いあげようとしていた。

劉邦は、そういうエネルギーの上に浮上している。かつて劉邦は、

——お前たちはいい男だが、何の頼りにもならない。

と、左右をかえりみて言ったことがある。彭城《ほうじょう》（徐州《じょしゅう》）の大敗戦後、沼沢にさまよっていたときのことで、配下たちの頼りなさに劉邦自身、頭をかかえこんだ時期のことである。配下からいえば、無能であるために忠誠心だけで劉邦にぶらさがっていた。

韓信は、そのたぐいの男ではなかった。それだけに劉邦の忠誠な側近団に油断のならぬ男と見られている。酈生も時にそう思わぬでもない。

劉邦は、いそがしかった。

滎陽《けいよう》城から身一つで逃げだし、その根拠地の関中《かんちゅう》へむかった。そのあとを、項羽《こうう》は追わな

かった。

もし項羽が全力をあげて劉邦のあとを追えば、歴史に漢帝国というものはなかったろう。追うことを献言する者がいなかった。もはや范増《はんぞう》は去り、竜且《りゅうしょ》や鍾離昧《しょうりまい》など不世出ともいうべき猛将たちは前線にあり、しかも意見を差しひかえていた。かれらは項羽から疑われていた。この猜疑《さいぎ》は陳平《ちんぺい》が項羽にかけた魔術にすぎなかったし、項羽もほどなくそれが敵の詐略《さりゃく》だと気付くのだが、疑われた側の気分は晴れなかった。かれらが沈黙している以上、項羽の身辺には親類縁者しかおらず、策をたてる能力の者などいなかった。

それでも項羽とその楚《そ》軍は、漢軍を殲滅《せんめつ》できるほどに強大であった。であるのに、身一つで逃げた劉邦を追えなかったのは、ゲリラが項羽の足をひっぱったためでもあった。

「鉅野《きょや》(山東省)の漁師め、また出おったか」

項羽は、劉邦を追おうとしてそれを断念したとき、鞭《むち》をあげて地を打った。鉅野の漁師とは、彭越《ほうえつ》のことであった。かつて鉅野の沼沢で漁師をしつつ野盗の親分でもあったが、この乱世のなかで遅れて挙兵した。やがて漢王劉邦の傘下《さんか》に入り、諸方で楚軍と小さく戦い、小さく破った。盗賊あがりらしく敵の弱点を見つけることが上手で、敵が強いときは穴にもぐるようにして頭を出すことはなかった。項羽が滎陽城の劉邦をかこんでいたときも、彭越が遊軍を指揮して後方の補給路をおびやかし、これに対して項羽はいちいち応酬したため、滎陽城に対して打撃力を集中することができなかった。劉邦が滎陽城を逃げだしたときもそうであった。

「彭越など、虻《あぶ》のようなものではありませんか」

と、項羽の身辺にもそのようにいって黙殺することをすすめる者もいたが、項羽は鹿をにがしても額《ひたい》を刺す虻をゆるせなかった。

つい主力をひっさげて旋回し、彭越軍を大いに破った。彭越は奔《はし》り、その軍は四散した。このおかげで、劉邦は虎口《ここう》を脱し、関中にむかった。

劉邦は根拠地の関中へ帰ると、再び勢いをもりかえした。

関中はつねにかれの再起のための活力源になった。ここで新徴募《ちょうぼ》の兵を得、糧をあつめ、軍を新編成した。

「榮陽を救うのだ」

と、呼号した。むろん本気であった。この時期、かれが置きすてた榮陽城はなお健在で、残留の将の周苛《しゅうか》が、城壁一重《ひとえ》をたよりに楚軍と悪戦苦闘していた。

——かならず榮陽に再来して救援する。

ということを、劉邦は周苛にもいい、諸将にもいっていた。味方に対するこの約束をはたさねば、劉邦は信をうしなう。味方の忠誠心の上に浮上している劉邦としては信だけで立っている。ひとびとに信じられなくなれば、劉邦のように能も門地もない男はもとの塵芥《ちりあくた》にもどらざるをえない。

——出来そこないの田舎俠客、沼沢のなかの泥ぶなのような草賊の親分。

というのが、劉邦も自認しているかれの前半生であったが、その経験で学んだことといえば子分や兄弟分に対する信しかなかった。信が、めしを食わせてくれる。なんとか人が集まり、人が協《たす》けてくれた。

挙兵のときもそうであった。人望といい、吏才《りさい》といい、物事をふかく考える能力といい、蕭何《しょうか》のほうがはるかに上で、沛《はい》の父老《ふろう》たちも、

——蕭何さんを立てればどうか。

と、少年たちに説いていた。蕭何はそれを辞し、みずから劉邦を推戴《すいたい》して衆にもすすめ、自分はくだってその事務役にまわった。ひとびとは劉邦をいかがわしく思ったが、蕭何は動かなかった。劉邦には信がある、と蕭何は思っていたのである。

（……しかし、ここで）

周苛たちを救うべく再び滎陽へゆくということは項羽に再び敗《ま》け、こんどこそ殺されるということであった。

（虎《とら》の顎《あぎと》のなかにもどるということだ）

関中の咸陽《かんよう》での劉邦は、身の処すすべもないほどに苦しかった。

この時期、惑乱したこともある。

「たれか、いないか」

おれに代わりたいという者は——と、食事の途中、箸《はし》を投げだしてわめいたのである。

本気であった。それ以上に切迫した思いで、声は半ば泣いており、表情は運命にむかって哀願しているようであった。項羽にはとても勝てない、自分は巴蜀《はしょく》の山の中に退《ひ》いて百姓で

もしたい、巴蜀は遠い、沛のほうがいい、もし出来れば沛にわずかな土地でももらって老後を送りたい、と叫んだ。

劉邦は、天下に望みを持つなどという気持は捨てていた。捨てれば、気が楽になった。

「たれかいないか」

おれはその男に代わる、と叫びつづけた。さしあたっては、榮陽へゆくことがこわかった。しかしゆかねば、信をうしなう。

そのまわりには、食事の給仕人しかいない。かれらはあわててひとびとに連絡した。張良《ちょうりょう》らが入ってきた。

「張良、お前、どうだ」

劉邦はすくわれたように張良の袖《そで》をとり、自分がすわっていた場所にすわらせようとした。卓子の上には食い残しの料理が散乱していた。張良はしずかに劉邦をすわらせ、あなたしかいないのだ、ということを諄々《じゅんじゅん》と説ききかせた。

劉邦は顔をあげて、ぼう然としている。

(この陛下《ひと》は、榮陽へゆくことのみを怖《おそ》れているのだ。それだけで錯乱したのだ)

と、張良は劉邦の心事を察した。しかしどうすることもできない。

このとき末座から、

「策を申しあげてよろしゅうございますか」

と言った者がある。袁生《えんせい》という、平素めだたない男であった。

「袁生か」

劉邦は、ふしぎな顔をした。こんなつまらない男がおれに代わりたいというのか。

「直接滎陽へいらっしゃることは、かえって周苛たちを敗死させることになります。いったん南方の宛《えん》(南陽)へお出遊ばせば、滎陽城も息をつくことができ、項羽も奔命《ほんめい》に疲れる、ということにもなりましょう」

「お前はなにを言っているのだ」

劉邦の叫びに対する答えにはなっていない。

「くわしく申しあげます」

と、袁生はいった。

関中台地を自然の一大城廓《じょうかく》とすれば、その正門(東門)が函谷関《かんこくかん》にあたる。ほかに南門(正確には南東方面への門)として、武関《ぶかん》の開口部があった。袁生のいうのはこの函谷関から出ず、武関から打って出なさい、ということである。しかるのちに南方の宛の城に入り、付近の葉《しょう》(葉県)の城をもおさえてあらたに南方戦線を形成せよ、ということであった。この間《かん》、項羽は北方(黄河《こうが》沿岸)の滎陽城を攻囲している。南方の異変におどろき、項羽自身、あわてて主力をひきいて南方の宛にやってくるにちがいない。その間、滎陽城は息をつける、というのである。

「項羽はかならず宛にくるか」

と、劉邦は問うた。

来るにきまっています、と袁生はいう。

「項王のめあては、おそれながら陛下のお首級《しるし》しかないのでございますから」

「わしの首を餌《えさ》にするのか」

劉邦は、おびえた。平素こういう顔つきをする男ではなかった。

このとき張良がことさらに陽気な声を出して、袁生の策をほめ、それしかございませぬ、と言ったために劉邦の気持は落ちついてきた。

「しかしわしが宛へ行っただけでは、どうにもなるまい。項羽が南下してきてわしの首をとるだけではないか」

「南下した項羽の足を、また北方からひっぱるのです」

と、張良がいう。

「彭越《ほうえつ》に働かせるのか」

「彭越ではまだまだ力が足りませぬ」

「では、どうする」

「北方で韓信《かんしん》に働かせるのです」

韓信が、つねに主要戦局の圏外にいたことは、すでにふれた。

この男がもとめてそうなったからではなく、劉邦が命じたからであった。話は、すこし前後する。さきにまだ魏王《ぎおう》の豹《ひょう》という食わせ者の旧貴族が元気だったころのことである。豹は戦《いく》さによわい劉邦に見切りをつけ、項羽と結ぼうと思い、母親を看病したい、といって籠城《ろうじよう》中の榮陽《けいよう》を去った。河北《かほく》（黄河の北）へもどって、すぐさま河関《かかん》（黄河の渡し場）の交通を断ち切り、漢軍に敵対した。

このときも、劉邦は閉口してしまった。酈生《れきせい》を派遣して大いに説かせたが、豹の気持を変えることができず、酈生は頰の肉を落ちくぼませてもどってきた。

「先生をもってしてもだめか」

武を用いるしかなかった。ただささえ兵数が足りないときであった。

ともかく人数を割《さ》き、別働軍を組織した。この独立軍を指揮する能力をもつ者は、韓信しかいなかった。劉邦は韓信を上将《じよう》軍から左丞相《さじようしよう》に昇格させ、河北へ征《ゆ》かせた。

――大丈夫だろうか。

と、韓信に大きな独立軍をあたえることをあやぶむ側近もいた。

ついでながら、韓信が、この魏王豹を退治した作戦というのは独創的というほかなかった。

魏王豹は蒲坂《ほはん》城（山西省）に兵力を大集中し、韓信を待った。蒲坂城の南方に河が流れている。豹はこれを警戒し、この河に水軍その他の防禦《ぼうぎよ》を重厚にほどこした。これに対し、韓信は対岸の臨晋《りんしん》（陝西《せんせい》省）にあっておびただしく舟をうかべ、いまにも渡河《とか》して蒲坂城を攻める気勢を示したが、そのじつ、その兵力をこっそり別方面から渡河させてしまった。豹は、舟にとらわれていた。が、韓信は舟を用いなかった。木罌缻《もくおうふ》という、木製の瓶《かめ》（この時代、どの農家でもつかわれていた）を用いたのである。この瓶をおびただしく買い集め、なわでつなぎあわせ、その上に板をのせ、兵馬をのせて渡河させた。この隠密渡河軍は、蒲坂城など黙殺し、長駆、魏の首都である安邑《あんゆう》（山西省）を衝《つ》いた。魏王豹は首都をうばわれておどろき、蒲坂城を駈《か》け出て韓信を追った。魏軍は野戦軍になった。韓信は野戦が得意であった。これを大いに破り、魏王豹をとりこにした。

「殺さなかったか」

と、この報をきいたとき、酈生《れきせい》は自分のことのようによろこんだ。

「魏王豹をお殺しになってはいけませぬよ」

酈生は劉邦にいった。画工が絵を描き、鋳工《ちゅうこう》が銅器をつくるように、韓信の武は芸のようなものだ、その作品が生きている豹でございます、と老儒生はいうのである。

韓信は、かつて豹がいた魏の国の平定に時間をかけた。

余談だが、魏の地は古代の伝説の帝王舜《しゅん》や禹《う》がいたところで、黄河文明の発祥の地といっていい。魏よりもさらに北方に趙《ちょう》国がひろがり、その東北方に燕《えん》国がある。趙・燕はすでに華北であった。また魏のはるかに東方の山東半島の根もとあたりに斉《せい》国が横たわっている。

この大作戦は、韓信軍を増強してこれらの諸国を平定もしくは漢《かん》の同盟国にし、広大な反楚《そ》戦線を形成するにあった。

劉邦《りゅうほう》は、内心多少不安でなくもない。

(もし成功すれば、韓信の版図《はんと》はおれの版図よりも大きくなるのではないか)

と、劉邦は、ほんのわずかだが、思わぬでもなかった。

このあたり、計算の数式はむずかしかった。

韓信の勢力圏は大きくないと、絶対強ともいうべき項羽への牽制力《けんせい》になりえず、かといって韓信の版図を大きくしてしまえばいつかは韓信の心が変質し、劉邦と天下を争おうというようなことにならぬともかぎらない。

不安はあったが、劉邦に猜疑心がきざしたわけではない。

というより劉邦には猜疑するゆとりなどなかった。かれはつねに項羽という虎からねずみのように追われる身であり、逃げ道があるならどういう穴にでも飛びこみたかった。

張耳《ちょうじ》についても、そうであった。

「韓信に添えるに張耳どのをやるというのはいかがでしょう」

と、いう者があり、劉邦もこの案にとびつくように賛成した。韓信を牽制するというわけではなかった。逆に韓信のしごとが張耳によってもっとうまくゆくだろうと思ったのである。

張耳はふるくから趙や魏で大親分として知られていた。秦《しん》のさかんなころ、反秦運動を命がけでやった男で、そういう履歴と年季《ねんき》の古さだけで、この乱世に浮沈する俄《にわ》か豪傑どもが一目《いちもく》を置く存在であった。劉邦などはまだちんぴらのころ、張耳を慕って遠く外黄《がいこう》(河南省)までゆき、その屋敷の客として数カ月、遊んだことがある。

(張耳がいい、張耳がいい)

劉邦は、繰りかえし思った。

張耳は魏の人だけに、韓信の魏での工作もうまくゆくにちがいない。長く趙でも遊んでいたために、趙人でかれの徳を慕う者も多く、趙に対する工作もうまくゆくだろう。張耳にとっても故郷に錦《にしき》をかざるということになる。なによりも張耳の人柄の大きさが、韓信をおさえるのにうってつけであった。

劉邦は、袁生の献策どおり、この台地を南の武関から出、旧《もと》は韓《かん》の国だった野を東南方にすすみ、宛《えん》城と葉《しよう》城に入った。項羽に対し、南方からささやかながら刺激を試みたのである。

項羽はおどろき、

(蠅のようなやつだ)

と、おもった。

無視しておけばよかった。しかし項羽はおどりかかってたたきつぶさねば承知できず、いそぎ南下すべく滎陽《けいよう》城の囲みを解いた。作戦という冷厳な必要から項羽は行動しているのではなかった。性格といってよかった。

一方、韓信は魏をほぼ平定した。そのころ劉邦から「魏という国名を廃する」という命令がやってきた。韓信が魏王になりたがっているといううわさがあり、あるいは先んじてそれ

を封殺《ふうさつ》するためであったのかもしれない。これによって魏の全土が、

「河東郡《かとう》」

という名称に変えられた。

このことは単なる名称変更ではなく、劉邦の幕営での国家思想が、封建制から郡県制へかたむきつつあるという証拠でもあった。郡県制は秦の始皇帝《しこうてい》の創始した制度で、漢は秦をほろぼしながらもその遺制《いせい》を魏において踏襲《とうしゅう》したことになる。

この時期、韓信は河東郡の安邑《あんゆう》にいた。

そこへ老いた張耳が、新編成の軍をひきいてやってきた。張耳は、

(自分がゆくと、韓信は監視されるように思って、気分を悪くするのではないか)

と内心不安だったが、実際の韓信はうわさとはちがった男だった。

歓迎の小宴を張り、張耳を心からもてなした。

「これで、私の不安が消えました」

と、韓信のほうがいった。

(なんの不安だろう)

と、張耳は返事をせず用心ぶかく韓信の表情を読みとろうとした。

「仕事が出来ます」

と、磨きあげたような笑顔でいうのである。

「自分の徳はすくない」

とも、韓信はいった。このため魏の鎮撫《ちんぶ》にてこずったが、あなたが来てくだされば魏の人士は安んじて漢になびく気になるでしょう、ともいった。どうやら仕事だけがおもしろくてこの世にうまれてきた男のようでもあった。

すでに漢王劉邦から命令がとどいている。

「まず代《だい》を討て。さらには趙《ちょう》を。できれば燕《えん》も斉《せい》も併《あわ》せよ」

という欲深い内容のものであった。

代というのは、ごく小さな地域である。現在の地理でいえば、太原《タイユワン》市と大同《タートン》市とのあいだの代県、繁峙《はんじ》県というあたりをさす。代は春秋のころには晋《しん》に属し、戦国のころには趙に属したが、地理的に軍閥が割拠《かっきょ》しやすく、つねに半独立の体《てい》をとりつづけてきた。

「代は、匈奴《きょうど》の地に近く、ずいぶん遠征になります」

韓信は張耳に言い、給水のための樽《たる》を多く調製したり、兵糧《ひょうろう》をととのえたりした。兵站《へいたん》、補給という軍隊の暮らしを重視したあたり韓信は単なる奇術的な作戦家ではなかった。

韓信は、よく働いた。

閏《うるう》九月、北征して代をくつがえし、宰相の夏説《かえつ》（事実上の代の支配者。代王は趙王の輔佐者《ほさしゃ》である陳余《ちんよ》ということになっている）をとらえた。韓信はこれを殺さなかった。

「殺すな」

というのは、劉邦の方針でもあった。敵の首領を殺さなければ敵の士卒の恨みも買わず、かれらをすぐさま自軍の兵として繰り入れることができる。

韓信の軍は、膨《ふく》らんだ。

が、主戦場にあっては劉邦のほうがたえず兵員不足で悩んでいた。韓信の成功をきくと、すぐさま、

「兵を送れ」

と、要求してきた。韓信はそのとおりにしたが、なんだか劉邦の兵員を獲得するために韓信が働いているような観がないでもなかった。

次いで、韓信は趙に入った。

趙における趙王は、かざりものにすぎない。

事実上の趙のぬしは、陳余であった。陳余についてはかつてふれた。張耳のむかしの盟友で、その後、ともに趙の首領格になってからは仲違《なかたが》いし、張耳のほうは劉邦のもとに奔《はし》り、たがいに不倶戴天《ふぐたいてん》の敵になった。

陳余は、ふるい志士あがりらしく個人的な関係では小気味のいい魅力もあったが、一面、大局を決するときに思慮がまわりすぎ、果断に富まなかった。

「陳余は聡明《そうめい》な人だが、その智恵の多くは体面をまもることと、私欲をかためることにつかわれている。あれでは智恵のすくない人とかわらない」

と、批評する趙人もいる。また、

「陳余の柄《がら》は、所詮《しょせん》、里《り》で子弟を教えている村夫子《そんぷうし》というところだろう。しかし村夫子にな

るには欲が深すぎるから子供も集まって来ない」

という者もあるが、酷評かもしれない。

韓信軍の到来にあたって、陳余は用心ぶかかった。まず、

——韓信とは何者か。

ということから調べた。多くの報告のなかに、

——要するに、淮陰《わいいん》の小僧にすぎませぬ。

というのがあり、これが陳余に気に入った。陳余は安心したかった。秦時代から奔走し、秦末の乱では諸方に転戦した自分からみれば、たいていは小僧にすぎない。

韓信軍の人数についても、諸説があった。最初、十万と伝える者がいたが、諜報《ちょうほう》をあつめるにつれて、二万というところまで凋《しぼ》んだ。

(それだ。小僧が大軍をひきいてくるはずがない)

と、陳余は安堵《あんど》した。事実は二万でないにせよ、この数字は韓信軍の実情にやや近かった。劉邦が韓信の兵をとりあげすぎていたのである。

ふりかえってみると、韓信軍が旧魏《ぎ》の地から代《だい》、趙《ちょう》にむかって北進して行った道は、いまは鉄道（同蒲《どうほ》鉄道）が走っている。

現在の行政区でいえば山西省になる。ほぼ全体が黄土高原をなし、いくつかの山脈が南北に並行し、山も谷も黄土層をもってあつくおおわれており、樹木もすくない。そのなかを北

から南へ高原を斫《き》り裂くように汾河《ふんが》が流れている。汾河の両岸は黒っぽい断崖《だんがい》、灰色の段丘が多く、ときに水流が大きく地をひろげてひとびとに耕地をつくらせており、韓信とその軍が通って行った道路というのは、その汾河河谷《かこく》ぞいに延びている。

地名でいえば、曲沃《きょくよく》、平陽《へいよう》（現在、臨汾《リンフェン》）、介休《かいきゅう》をへて楡次《ゆじ》（太原市の南方）を通り、この楡次のあたりから道がはじめて東する。黄土高原は次第に降《くだ》りになり、やがて河北平野がひらけ、現在の地名でいえば、石家荘《シーチアチョワン》市あたりに出る。

ただ、河北平野へ出る行路は最後の難所というべきところで、道のゆくてには、北からつづいている太行《たいこう》山脈の南端がさえぎっている。

そのあたりの地形はじつに奇怪であった。天が庖丁《ほうちょう》をもって山地を縦横にきざんだように細長い谷ができている。それが自然の切通《きりどお》しや道路になっているのだが、そのほとんどは人馬が二列になって通ることができず、一列でもって長蛇《ちょうだ》の列をつくらねばならない。このあたりではそういう自然道のことを陘《けい》とよんでいる。

そのなかでも、井陘《せいけい》という自然道が有名で、韓信軍が河北平野に出るにはこの井陘の道を通らねばならない。平野に出る手前に、古来、関門があった。土門関《どもんかん》ともいい、井陘口《せいけいこう》ともよばれた。

「井陘口さえ扼《やく》すればどういう大敵でもふせぎうる」

と、古い時代からいわれていた。

趙の軍議でも、そういう結論になった。韓信が這《は》うように井陘口から野に出てきたところを、趙としては大軍を展開して待ち、捕捉《ほそく》する。

井陘口から出てきたあたりに、泜水《ていすい》がながれ、それを渉《わた》ると、町の名としての井陘という城市《まち》がある。

小さな町で、町をめぐる城壁はそのあたりの黄土をこね、日で干してざっと積みあげただけの粗末なものであった。

この時代、趙の国都は襄国《じょうこく》（旧称・信都《しんと》）にあったが、陳余は思いきった人数をこの予定戦場である井陘城付近に集結した。その人数は二十万と呼号し、陳余みずからが指揮し、かざりものの趙王も連れてきた。趙王は旧王族の裔《すえ》で、人のいい老人だった。

ときに、秋十月であった。陳余は井陘城に入って布陣を終えたとき、自軍の堂々たる軍容と陣形のうつくしさに、陶然としたといわれる。主要陣地は井陘城だが、付近にもさまざまの小塁をきずいて兵員を入れた。この大規模をさらに補強するように、陣前に泜水が流れ、自然の外堀をなしていた。

「自分は趙国をつくることに多年努力をしてきたが、それがようやく稔《みの》ったようだ。わが陣の美しさをみよ」

と、上将の李左車《りさしゃ》にもいった。陳余はいわゆる美男で、接する者に息苦しさを感じさせるほどに目鼻だちがととのっている。

陳余は若いころから儒徒であった。つねに容儀をととのえ、君子をよそおった。物事を思想的に考えることがすきで、この陣容のりっぱさも、陳余の目からみれば一個の美として映ったのであろう。

「広武《こうぶ》君《くん》よ」

と、李左車を尊称でよんだ。

「これが王者の軍というものだ」

（正気だろうか）

李左車はおもった。陳余は若いころずいぶんいい加減なことをしてきた。張耳《ちょうじ》とのあいだに刎頸《ふんけい》の交わりを結んでいながら、ある戦場でわが身をかばうあまり、張耳を見殺しにしかけたこともある。異常に栄達欲がつよく、そのために人を踏みつけにしたことも多かったが、趙の支配者になってからは心のひろやかな徳者をよそおうようになった。李左車はこの陳余にひろわれ、ひきたてられてきた男であったが、陳余のこの種の屁《へ》理屈、臭味《くさみ》のある説教にへきえきしていた。

「広武君よ、きみの作戦案がまちがっていたことが、この陣形のすばらしさをみてもわかるだろう」

と、陳余はいった。

じつはここに展開する以前、李左車は作戦案をたてて陳余にはねつけられているのである。

「韓信の不利は、井陘の難所を通ってくることです」

と、そのとき李左車がいった。せまい道を韓信の輜重《しちょう》部隊がやってくる。その輜重部隊と本軍とを断ちきってしまえば、ただでさえ孤軍のかれらは戦う前に枯れてしまわざるをえない。私に兵三万をください、間道づたいに韓信軍に近づき、かれらからまず食糧をうばい、ついで本軍をずたずたにして戦う気力をうしなわせましょう、といったのだが、陳余は、

「なにをいうのか」

と、たしなめた。かれがまずいったのは陳腐《ちんぷ》な基礎理論だった。兵書に、兵数が敵に十倍しておれば相手を包囲し、二倍ならば進んで戦う、とある、いまわれわれは敵に十倍している、その上敵は懸軍万里《けんぐんばんり》、疲労しきっているというのに、これに対し奇計を用いれば、近隣の諸国はわが国を臆病として軽んずるようになるだろう、と言い、

「大軍は正々堂々と戦うべきものなのだ」

といった。作戦というより思想というべきものであった。

李左車の名は、戦術家として他国にまできこえていたが、気象のおとなしい男で、陳余にさからったことがなかった。ただ、

(この人は、韓信のおそろしさを知らない)

と、不安におもった。李左車はいままでの韓信の戦いぶりを綿密にしらべていて、その尋常でないことを知っていたのである。

「韓信は侮《あなど》れません」

と、わずかにいった。

しかし陳余が顔色を変えてしまったために、それ以上はいえなかった。陳余という男はこういう場合、無用に傲岸《ごうがん》になるかたむきがあった。かれは何度か戦いを経験してきたが、軍事的才能がなく、そのことが精神のなかで赤剝《あかむ》けの薄い皮膚になっており、ひとに知られるのを怖れた。この場合もそうで、李左車が自分の隠蔽《いんぺい》部をはぎとるのではないかと身構えてしまったのである。李左車としてはだまらざるをえなかった。

一方、韓信は李左車を尊敬し、怖れてもいた。

韓信の作戦準備の基礎には、克明な情報あつめがあった。張耳がかつて趙国の要人であったために陳余の側近には旧縁の者が多い。韓信はこれらに利をくらわせて陣中の逐一《ちくいち》を諜報するように頼んであり、右の一件は早くもかれの耳に入っていた。

(井陘《せいけい》のこみちがぶじ通れるというなら、いくさは勝ったようなものだ)

とおもった。

これによってかれは安んじて井陘の道を通過した。やがて井陘口の手前二十キロの山中で軍をとどめ、宿営し、同時に最後の攻撃準備をした。

このとき、かれは後世に有名な「背水の陣」の作戦をことごとく準備し了《お》えるのである。まず奇計用の部隊二千人を編成し、その一人々々に漢軍のしるしである赤い幟《はた》をもたせ、

「敵にみつからずに山中の間道を縫い、山上から敵の井陘城を望見できる所まで行って埋伏《まいふく》しておれ」

と、命じた。

いま一つこの部隊に命じた。戦いの最中に私はいつわって軍を敗走させるつもりだ、敵はおそらく井陘城や諸塁をからにして追ってくるだろう、すかさずお前たちはからの敵の城塁に入り、漢の赤幟《せきし》を林立させよ、というものであった。

翌朝、韓信は全軍——といっても約二万人にすぎなかったが——を三段に分け、暗いうちに全軍に簡単な食事をとらせた。その上で諸隊長をよびあつめ、

「正規の朝食は、戦いがおわってから摂《と》ろう」

といった。諸将はおどろいた。朝食前にいくさが片づく、勝つ、ということであった。たれもが肚《はら》の中で嗤《わら》ったというから、韓信の才はこの時期では自軍においてすら十分には認識されていなかった。

かれは奇計用の部隊を前夜に出発させている。この日の未明以前に、主力軍一万人を先発させた。出発させるにあたって、

「私はあとから出てゆく」

と、先発する主力軍の諸将に言い、はじめて作戦を明かした。かれは枯枝でもって地面に敵陣の配置やその付近の地図をかき、最後に大きく線をひっぱって、

「これが、泜水《ていすい》の流れだ」

と、いった。諸君はこの泜水の流れの内側——敵陣の側——に入って陣を布《し》け、といった。泜水を背にするということであった。

「それでは背水になりますが」

諸将はおどろいた。背水の陣は凶であるとして兵家がいましめている。兵書にいう正しい布陣場所というのは、山稜《さんりょう》を右にし、水沢《すいたく》を前面あるいは左にする、ということで、敵の趙《ちょう》はそのとおりに布陣している。韓信の指定は、常識の逆であった。

「もし敵が仕かけてくればどうしますか」

「背水でいい。やがて私が最後の隊をひきいて出てゆく」

「将軍が来られる前に敵が仕掛けてくればどうなります」

背後の水にとびこんで溺死《できし》せざるをえないではないか。

「決して敵は仕掛けて来ない」

韓信は、敵を読みきっているように言った。敵が欲しいのは主将である韓信の首で、韓信さえ討ちとれば漢軍は四散する。先発軍が背水して布陣しても、これに仕かけて潰乱《かいらん》させれば、かんじんの韓信の本軍が戦わずに逃げてしまう。敵はそう思って自重する、と韓信はいうのである。

「繰りかえしいうが、敵は私の旌旗《せいき》が山の中から出てくるまで必ず待つ」

と、いった。

一万人の先発軍が井陘口《せいけいこう》から広闊《こうかつ》な野に出たときは、夜がまだつづいていた。趙軍は韓信軍の松明《たいまつ》のむれを見、物見を派遣し、舐《な》めるように動きをさぐりつづけたが、やがてかれら

が泜水を背にして布陣したのを見ると、走卒にいたるまで、

――韓信は兵法を知らない。

と、口々に言い、大笑した。韓信が買いたかったのはこの嘲笑《ちょうしょう》であった。

やがて夜が白みはじめるころ、韓信の本隊が井陘口からあらわれた。大将旗をひるがえし、鼓《こ》を鳴らして勢いよく趙軍にむかって進撃してきた。先着の主力軍は第二段になって泜水のほとりで動かない。進撃してくるのは、韓信と張耳の直率部隊だけであった。

「もう、よかろう」

陳余は、諸将に命じた。

どの城塁もいっせいに門をひらき、諸隊がさきをあらそって押し出した。大軍に戦法なしといわれる。勢いがあればよかった。李左車《りさしゃ》さえそういう気になった。趙軍は白波だつ海嘯《かいしょう》のようにひた押しに押してきて、やがて韓信軍におそいかかった。

韓信は、その部隊とともに囮《おとり》になった。この時代でも囮作戦はあったが、大将とその直率部隊が囮になるというのは前代未聞《みもん》のことであった。

矢が飛び、剣光が韓信の両眼をかすめた。直率部隊はよく戦ったが、やがて微塵《みじん》にやぶれてしまい、鼓も鉦《しょう》もなげすて、潰乱した。逃げて、第二陣になだれこんだ。それ以上に逃げようにも、河がはばんでいた。陽が昇って早々の河は鉛《なまり》を溶かしこんだように黒く音もなく流れていた。

韓信は敵のほうへ馬頭をひるがえした。

「死ね」

と、叫んだ。

逃げて溺死するほどなら、戦うほうがまだ生きのびる見込みがあった。生きようと思えば、敵を破ることしかなく、たれもが恐怖のなかでそう思った。

「死にたくなければ、戦え」

と、下級指揮官にいたるまで口々に叫び、直率部隊と第二陣とが一つになって敵にむかって突進した。しかし趙軍は多く、味方は寡《すくな》く、戦場にくりひろげられた戦いの渦《うず》はともすれば趙軍のほうが有利であった。

そのとき、戦場の一角で異変がおこった。韓信がかくしていた二千の部隊が山から出現し、疾走して趙軍の空《あ》き城《じろ》や塁に入り、城頭や塁頭に二千本の赤い幟《はた》を立てたのである。

趙軍に大恐慌がおこった。

「漢はすでに趙王や陳余を殺して城塁を奪った」

と、たれもが思い、兵は故郷へ帰るべく逃げはじめ、ついに大潰乱した。陳余もこのなかにいた。おれはここにいる、と叫びつづけたのだが、かれ自身、どこへなりとも逃げたかった。このころになると、空き城の占拠軍が打って出、背水軍とともに趙軍を挾撃《きょうげき》した。

やがて戦いがおわり、趙王、陳余、それに李左車がとらえられた。韓信は約束どおり全軍に休息を命じ、朝食を出した。

昼すぎ、韓信は趙王を劉邦のもとに送った。陳余についてはその生命を断つ以外になかった。泜水のほとりにひき出し、首を刎《は》ねた。首は冠《かんむり》をかぶったまま落ちた。

李左車は縛られたまま韓信の前にひきだされた。韓信はみずからその縛《いまし》めを解き、

「あなたに師事したい」

といって、自軍をも李左車をも驚かした。言葉どおり李左車を東向きにすわらせ、自分は低く西にむかってすわり、師弟の礼をとった。

(妙な男だ)

と、張耳はおもった。

夜、韓信は張耳の幕舎にやってきて、この新占領地の趙のおさめ方について相談した。再び、妙なことをいった。

「張耳さん、あなたが趙王になるべきです」

張耳が驚いたのは一介《いっかい》の将軍の韓信が帝王のようなことを言いだしたことであり、懼《おそ》れたのは、韓信と自分という吏僚《りりょう》同士がそういう勝手なことを話しあったということが漢王劉邦に知れれば――知れるのが当然だが――どんな疑いをうけるかということであった。

「当然でしょう」

韓信はいった。趙をおさめる徳と因縁を持った者は、天下に張耳《あなた》しかいないではありませんか。

「泰平《たいへい》の世ならべつです」

天子の決めることです、といった。しかしいまは非常のときである上に、劉邦自身が窮し

きっている。韓信はさきに魏《ぎ》を得てその兵を劉邦に送ったが、いままたあらたに趙の兵を送らねばならない。趙の父老《ふろう》たちを納得させるには、張耳が趙王になる以外にない、と韓信はいった。

「漢が勝つためには、あなたがただちに趙王になるしかないのです」

（たしかにそのとおりなのだが）

しかし世間というものは別だ、とこの老人はおもった。韓信は傲《おご》って王まで決めてきたか、と劉邦やその側近はおもうにちがいない。

「韓信さん、あなたの立場がわるくなりますよ」

張耳がいった。韓信にはその言葉の意味すら理解できなかった。かれはとりあえず趙人に対し、きょうからは張耳どのが王だ、と宣言した。同時に事後承諾を求めるようにその旨、建白書を劉邦のもとに送った。やがて、

「そのようにせよ」

という劉邦の簡潔な返事がとどき、趙王としての印璽《いんじ》も送られてきた。しかし劉邦の感情までは伝わって来ない。

（斉《せい》をどうするか）

ということについて、井陘口《せいけいこう》の戦勝の翌日から韓信は考えていた。この勢いを駆って北方の燕《えん》や東方の斉までくつがえしてしまいたい、と思った。が、必ずしも自信がなかった。

師父に相談した。李左車のことである。

李左車はしきりに遠慮をしたが、韓信がしつこくたずねたため、婦人のように優しい声で、

「兵の休養が大切です。それに、燕や斉へ遠征するにはよほど補給が整っていなければ失敗を喫するでしょう」

と、答えた。韓信は少年のような素直さで、その言葉に従った。

(韓信の性格には、欠けたものがあるのではないか)

張耳はおもった。捕虜の一人をしきりにあがめて師父とよび、その片言隻句《へんげんせっく》を聞いては素直にありがたがっているのである。

(孩子《こども》だ)

と、張耳はときに思い、ときに井陘口のあざやかな戦勝を思うと、ばかにもできない、と思ったりする。

本来、師父などというものを韓信は持つべきでない、と張耳は思っていた。韓信は将軍とはいえ、劉邦のレベルからみれば走狗《そうく》にすぎず、劉邦の政略や戦略に沿って一部分をまとめていればいい。師父とは、項羽が亜父《あほ》とまでよんで尊んでいた范増《はんぞう》こそその好例であろう。劉邦における張良も師父と見られなくはない。師父は政略や戦略を専門に考える存在で、a翩《へん》たる一将軍にそういうものが必要であろうか。もし必要とすれば韓信に何事か野心がある証拠ではないか。

(韓信とは、あまり親しくはなれない)

と、思った。後日、謀叛《むほん》の疑いでもおこった場合、巻きぞえを食いかねない、とおもうの

である。

そのうえ、張耳に滑稽だったことは、

(李左車など師父というたまか)

ということであった。兵卒あがりの将軍で、なるほど補給についてはくわしいが、天下の行末まで見通して大政略をたてる頭脳などありそうになかった。

その程度の男を、

「師父々々」

とあがめて、韓信はついてまわっている。

(よほど、ちぐはぐな男らしい)

巨大な天才が、最もこどもっぽい心に宿ってしまっているのだ、と張耳は韓信をそのように理解しようとした。

韓信は張耳と別れねばならない。この老人を趙の地に置き、自分は南下し、魏——河東郡——の南端の黄河に近いあたりまでくだって、はじめて駐《とど》まった。

かれがあらたに根拠地を置いたのは、修武《しゅうぶ》(河南省)という町である。

修武は県城規模の町である。周《しゅう》の時代、寧《ねい》といった邑《むら》で、黄河流域の文明がはやくひらけた土地だけに、地味は肥沃《ひよく》で、人口が多く、兵や糧を手に入れるのに格好の土地だった。

韓信はここで他日斉を攻撃するための準備をした。

李左車を気に入ること、日ごとに甚《はなは》だしくなった。

趙から修武までのながい帰還行軍のなかで、韓信は李左車から教わることが多かった。この師父は牛の皮を伸ばしたようにとりとめもない顔をしている。無口で、物を論じたりすることがほとんどなかった。

ただ、宿営地をきめること、その割当、食糧の輸送、あるいはその分配といった日々の軍隊業務を、李左車はたんねんに、要領よくやってゆくのである。韓信は補給を重視する男であったが、ただ書生あがりであるために実務に暗かった。どういう作戦も日々の実務の集積から離れては成立しないものであったが、韓信は李左車の身動きをながめているだけで、実務のあらゆることがわかった。

たとえばある日、兇暴《きようぼう》な兵がいて、人を傷つけた。檻《おり》に入れてもなお暴れていたが、いつのまにか静かでおだやかになった。

韓信が李左車にわけをきくと、

「食事から塩を次第に減らして行っただけです」

といった。塩分がすくなくなると、人間は元気がなくなるというあたりまえのことを李左車は兵士の統御の技術にしていた。狡猾《こうかつ》なほどの智恵であった。当人に元気がなくなったところへ、郷党の同僚に説諭させるのである。

修武では、李左車は兵の訓練に任ずる一方、食糧集めと、斉までの宿駅《しゆく》ごとにそれを集積してゆく業務に任じた。また兵食に油をふやす一方、料理を美味にする技術の普及まで組織的にやった。

——韓信どのの軍は、食べるものがみな旨《うま》い。

という評判ができたのは、李左車のおかげであった。

こういう男を、韓信は師父とよんでいるのである。兇暴な兵を塩抜きしておとなしくさせる技術をもっているような男を、韓信が天下を得るための師父として期待しているはずがなかった。張耳も韓信という人間がよく見えなかったといっていい。

また韓信が旧魏の南端の修武まで戻ってきてここを策源地にしたのは、旧魏を治める点でも不便であったし、つぎの攻撃目標の燕や斉を望むについても遠すぎた。

唯一の理由は、劉邦の戦線と地理的に近いということであった。劉邦からの命令や連絡をここならば受けやすいと思ったからだが、劉邦の本営ではそうは思っていなかった。

(斉を伐《う》てという命令をうけていながら、なぜ修武まで戻ってきたのか)

と、たれもが不審におもった。

(漢の幕将はみな無学だからいいが)

老酈生《れきせい》も、韓信の無配慮ぶりを心配した。修武は、むかし周の武王が、自分の王である殷《いん》の紂《ちゅう》を討つためにここで兵を練り、成功したあと寧邑《ねいゆう》を修武と改めた。いわば謀叛に因縁のある土地であった。

井陘口《せいけいこう》の一戦は韓信を英雄にした。旧魏のひとびとが韓信を神のように思っているという噂《うわさ》も、酈生の耳に入っていた。

(むずかしいところだ)

酈生は、韓信のためにおもった。

斉《せい》の七十余城

夜、劉邦《りゅうほう》は逃げた。六月の晦日《みそか》で、昨夜の雨気が、星をおおっていた。

(何度目だろう)

と、おもいつつ。

かつて彭城《ほうじょう》の大敗戦で逃げたときは、車だった。あのとき馭者《ぎょしゃ》の夏侯嬰《かこうえい》が二頭の馬の尻を血で赤くするほどに鞭打《むちう》ちつづけた。車上に劉邦の息子と娘が同乗していた。劉邦は車を軽くするためにその二人を何度も突きおとしたが、そのつど夏侯嬰がひろった。

(その後、何度逃げたろう)

いつの遁走《とんそう》のときも車輪が気ぜわしくまわっていたが、こんどばかりは徒歩だった。項羽《こうう》軍が西方からさかんに運動して成皋《せいこう》城を包囲し、劉邦を捕えようとしている。闇《やみ》の中で柏《かしわ》の若木を見ても楚《そ》兵かとおびやかされた。車輪の音さえはばかられたのである。

ついてくる者は、夏侯嬰しかいない。

「上《しょう》よ、上よ」

と、夏侯嬰がしばしば狼狽《ろうばい》した。闇が深く、劉邦が道かとおもって足を踏み入れるとそのまま水が顔まできた。

「そこは小川でございます」

夏侯嬰が猿臂《えんび》をのばしてひっぱりあげねばならなかった。

かれらは、黄河《こうが》の岸をめざしていた。いま置き捨ててきた成皐城のそばを黄河が東流しており、岸までの距離は遠くなかった。しかし星あかりがないために、しばしば道を見失った。

劉邦は、敗《ま》けてばかりいる。

とくにここ五十日ばかり、敗けることにいそがしかった。先月のはじめ、その最前線の大要塞《ようさい》である滎陽《けいよう》城（成皐城に隣接する）に周苛《しゅうか》ら留守部隊を残留させ、自分は小人数で逃げ出した。いったんは後方根拠地ともいうべき関中《かんちゅう》にもどり、新兵をつのって兵力を回復した。

この間、

——項羽に重囲されている滎陽城をかならず救援する。

と言いながら、滎陽へはゆかず、はるか南方へくだって宛《えん》城（河南省南陽）に入り、

——漢王劉邦は、宛城にいるぞ。

と、四方に宣伝させた。客分の袁生《えんせい》という凡庸な男の献策によるものであったが、この窮余の一策は劉邦が演じた戦略（といえるならば）のなかでも結果としてみごとに成功したものの一つであった。多分に反射的な行動癖のある項羽の性格を端的に刺激した。

——あの鼠《ねずみ》めが。

項羽はいそぎ滎陽の囲みを解き、地ひびきを立てるようないきおいで南下し、劉邦の宛城をかこんだ。このおかげで、周苛ら滎陽城守備隊は、息をつくことができた。

——項羽め、来よったわい。

と、劉邦は食事中、箸《はし》をおいて大笑いしてみせたが、内実怕《こわ》くもあった。この作戦は劉邦自身が自分の肉をえさにして項羽という虎を奔命《ほんめい》に疲れさせるというもので、餌《えさ》になっている劉邦のおびえは、当人でなければわからない。

劉邦の戦略は——張良《ちょうりょう》ら幕僚たちが立案するとはいえ——自己を弱者であると規定し、その恐怖感情から発想されたものばかりであった。

——子房《しぼう》（張良）よ、このあと、どうすればよいか。

項羽にまともに搏撃《はくげき》されれば宛城などひとたまりもない。

——大丈夫でございます。

項羽がふたたび他へ転じてゆくための仕掛けを張良はつくってあった。この時期、圏外にあって遊撃活動をしつづけているゲリラ隊長の彭越《ほうえつ》にすでに言いふくめてあり、遠く下邳《かひ》（江蘇《こうそ》省邳県）において楚軍の糧道を断ち切るべく行動させつつあった。

——ああ、彭越のやつがそれをやっているのだったな。

劉邦は、おもいだした。

彭越は盗賊あがりだけに、この種のしごとにかけては名人といえた。が、このときめずらしく組織的な軍隊をひきい、下邳で項羽の一族の項声《こうせい》を将とする楚軍と遭遇し、会戦した。

——彭越など、蠅《はえ》のようなものだ。

項羽はたかをくくっていた。

ところが劉邦が宛城にいるとき、彭越は項声の楚軍を大いにやぶったのである。

項羽は、度をうしなった。

項羽が天下に誇示するところは勇であった。それだけに敗けることを病的にいやがった。この場合も激怒して宛城の囲みを解き、彭越をみずから撃つべく北にむかって駈《か》けのぼった。勇というのは結局、戦術規模の行動しかとれないのであろうか。

これに対し、劉邦という弱者の場合、考えだすことは戦術ではなく、戦略しかなかった。劉邦は大きな網であり、項羽はするどい錐《きり》であったということがいえる。

——このすきに。

と、劉邦はおもった。宛城を脱《ぬ》け出し、間道づたいに北へ走った。やがて黄河の南岸（こんにちの隴海線《ろうかいせん》ぞい）の成皋《せいこう》城にもぐりこんでしまった。成皋城と滎陽城は——幾度もふれたように——隣接し、相連関《あいれんかん》しあっている。両城とも敖倉《ごうそう》の山の中の巨大な倉穴《くらあな》から穀物をえて城市《まち》としての生命を維持しているという点で、胎内《たいない》の双生児といっていい。

この両城については、かつて項羽の軍師の范増《はんぞう》が、

——蠅（劉邦）が、食物（敖倉を持つ滎陽城と成皋城）にたかるようなものです。食物を片づけてしまえば蠅はゆきどころをうしないます。両城を徹底的に覆滅《ふくめつ》し、敖倉をもおさえこんで

しまいなされ。

と、項羽に口を酸っぱくして説いたのだが、容《い》れられなかった。戦術的勇者である項羽にすれば食物を片づけるという迂遠《うえん》な——あるいは戦略的な——やり方よりも劉邦という蠅をたたき殺すというほうを好んだ。おれは項羽だ、という苛烈な——力ハ山ヲ抜キ気ハ世ヲ蓋《おお》フ、という後のかれの詩にもあらわれている——精神が、項羽の行動をつねに方向づけていた。かれは北上し、東進して、彭越軍をこっぱみじんにくだいた。ただし彭越その人はとり逃がした。

次いで、

——劉邦が成皐城に入った。

その報を得るや、項羽はいちはやく西へ翻転した。西進し、火を噴くように滎陽城を攻め、これを屠《ほふ》った。守将周苛がとらえられ、烹殺《にころ》されるのは、このときである。

その勢いを駆って、劉邦がもぐりこんでいる成皐城をかこんだ。

——項王、来《きた》る、項王、来る。

という注進が入るや、劉邦はもうこらえ性《しょう》がなくなっていた。成皐城の城内に将士を置きざりにし、城の玉門（北門）から逃げてしまったのである。

——項羽にかなうはずがない。

と、劉邦はもはや負け癖のついた犬のようなものであった。

ひとつには兵力不足もあった。北方にいる韓信《かんしん》から新占領地の降伏兵を送らせたとはいえ、それだけでは到底勝負にならなかった。

劉邦《りゅうほう》と夏《か》侯嬰《こうえい》は、ようやく黄河の岸にたどりついた。

葦《あし》のあいだに舟をみつけたとき、

「大王《だいおう》の御運尽きたまわず」

と、夏侯嬰はよろこび、劉邦を突きとばすようにしてのせてから水に入って舟を押し出し、やがて艫《とも》から飛びのって漕《こ》ぎだした。夏侯嬰は、油びかりするほどにすぐれた筋肉質の体をもっていた。

風が強くなった。

この風が雲を走らせはじめたらしく、雲の切れ間に星の光りがのぞくようになった。

劉邦は寝ころんで星の数をかぞえていた。生来のんきな性格ではあったが、不意に星が流れたのを見たとき、悲しみが胸を襲った。

暗い川波が、そのまま天につながっている。このまま星の世界に昇ってゆくような気がして、

「嬰よ、なさけないことだな」

といった。嬰とはいつの戦場離脱のときも一緒だった。このように敗けてばかりいて、あげくのはてはどうなるのだろう。

「このまま星の国へゆければどんなにいいだろう」

「いいじゃありませんか」

夏侯嬰も劉邦と似たことを思わぬでもない。しかし一方、沛《はい》の町の県庁の馭者《ぎょしゃ》だったことを思うと、どうなってももともとだと思っているし、劉邦もまたあの町のあぶれ者だったではないか。

「あなた様には、天運がついてまわっているのでございますから」

「五彩の雲のことか」

ばかばかしい、といった。劉邦のいるところには五彩の雲がかかっているなどと最初たれが宣伝したのか。

「あなた様ご自身がお疑いになっちゃ、いけませんよ」

夏侯嬰は、帆を張りながらいった。うまいぐあいに風むきが変わった。

「疑いもするわ。天運があればこうも敗けまい」

と、劉邦がいった。

「敗けるのは、陛下が」

夏侯嬰は、帆を張りおえた。

「お弱いからです。天運と何の関係もありません」

しかしこう敗けこんではどうにもならない。以前は敗走するにしてももうすこし配下がいた。

「それにしても韓信はひどいやつですな」

普通、信じられるだろうか。

この地域では黄河は東流している。その南岸は滎陽《けいよう》・成皐《せいこう》であり、そこでは主君である漢王劉邦が項羽に追いあげられて命の灯《ひ》がいつ吹っ消えるかわからないほどの凄惨《せいさん》な激闘をつづけているのに、韓信は悠然と北岸にあり、大軍を擁して知らぬ顔でいる、と夏侯嬰はいう。

「いかに黄河とはいえ、河一筋じゃありませんか」

「あいつは、ああいうやつなんだ」

会えば憎めないのである。

「それに、あいつからは、ずいぶん補充の兵を送ってもらっている」

劉邦は総帥《そうすい》だから配下の悪口はいえないのである。いえばその男の耳に入って、気骨ある者なら敵へ寝返ってしまう。

「送ってくるったって、魏《ぎ》兵など役に立ちませんよ」

韓信が平定して降伏させたばかりの兵だから、漢になじまず、死力をふるってたたかうということをしない。もっともこのことを夏侯嬰が怒るのはお門《かど》ちがいで、韓信にすれば、劉邦が兵を送れとばかり言うため、せっかく戦いに勝っても兵力の増加にならないのである。せっかく送った兵も劉邦が敗けてばかりいるために四散し、焼け石に水どころではなかった。

「むだだ、と韓信はいっているらしいですよ」

「嬰、お前は人の悪口をいわないのがいいところだったのだが」

「この為体《ていたらく》で」

夏侯嬰は足をあげ、舟板を一つ踏み鳴らして、

「韓信をほめていられるでしょうか」

夏侯嬰がいうていたらくとは、劉邦の敗運がきわまってついに二人っきりになってしまったことをさす。

「それに、陛下、私が韓信の悪口をいっても構わねえはずだ」

ついお里のことばが出た。

「あいつを陛下に取りなしたのはこのあっしだからね」

「おぼえているよ」

韓信がまだ無名のままで劉邦に属したばかりのころ、軍法に触れた者が十四人あり、斬刑《ざんけい》に処せられてその順が韓信まできた。夏侯嬰が通りかかって韓信の面魂《つらだましい》を見ておどろき、劉邦に、

主上《しゅじょう》よ、あなた様は天下の大業を遂《と》げようとは思われないのですか。あの壮士を喪《うしな》ってどうなさるのです。


といったため劉邦は韓信の縛を解かせ、治粟都尉《ちぞくとい》にした。

「あれは蜀《しょく》にいたころだ」

「あの糞《くそ》ったれ」

すこしばかりの才と手柄を鼻にかけて増長しやがってと夏侯嬰はいった。嬰は馭者ながら滕公《とうこう》と尊称されている男だが、言葉ばかりはどうにもならない。

「あいつもいそがしいのだ」

劉邦は、ねむそうな声で弁護した。

韓信ほどの奇跡を現出した天才はかつていたろうか。あっというまに魏《ぎ》を平定したかと思うと代《だい》を手に入れ、趙《ちょう》をほろぼし、燕《えん》をあわせてしまったのである。黄河以北の広大な大地のなかで韓信がまだ手をつけていないのは斉《せい》（山東省）だけではないか。斉については韓信は趙の降将広武君《こうぶくん》（李左車《りさしゃ》）の意見を容《い》れ、攻伐《こうばつ》を一時、休止した。広武君の意見というのは、

「将軍（韓信）は南から興《おこ》って疾風枯葉を巻くがごとき勢いで連戦連勝して広大な版図《はんと》を得られました。しかし兵は疲れています。疲労した兵をもって斉の堅城群を討つと無理が生じます」

というものであった。

その後、韓信ははるか南の黄河北岸にもどり、兵を休め、訓練し、東方の斉への補給路を建設している。

すくなくともそのように劉邦は報告をきいている。

「陛下よ」

夏侯嬰はいった。

「韓信が黄河北岸にもどってきて、どれほどになるとお思いですか」

「勘定はにが手だ」

「私もにが手です。しかしその程度ならできます。そろそろ八ヵ月ではありませんか」

「八ヵ月」

劉邦は、おどろいて起きあがった。

「ここに指が十本ありまさぁ」

夏侯嬰は劉邦の鼻先に拳《こぶし》をつきつけ、韓信が井陘《せいけい》で趙軍を大いに破ったのは去年の十月です、といって指を一本たてた。黄河北岸にもどってきたのが翌十一月で、その時期から指を折っても八ヵ月に数日欠けるだけです、このあいだ韓信は寝ていたのです。……

「寝ていた？」

「のも同然です」

その間、劉邦のほうはどうか。黥布《げいふ》を口説き、そのために黥布が敗れ、敗軍の黥布が劉邦の榮陽城に投じた。ときに去年の十二月である。すでに榮陽城は籠城《ろうじょう》の限界にきており、兵も民も餓えていた。今年の五月、劉邦は陳平《ちんぺい》の奇計によって榮陽城を脱出し、関中《かんちゅう》へのがれ、さらに南して宛《えん》城にいたった。この六月、劉邦が成皋《せいこう》城にもどるとほどなく榮陽城は項羽におとされ、さらに成皋城をかこまれ、この脱出行となったのである。

韓信が黄河北岸で寝ていたあいだに劉邦はこれだけひどい目に遭《あ》っている。

「なんというやつだ」

劉邦が、怒声をあげた。

「韓信は八カ月も黄河の水をながめていたのか」

水のむこうで劉邦が悪戦苦闘していた。風むきによってははるかに鯨波《とき》の声がきこえたであろうし、兵火が黒煙をあげて空を染めるのも見たであろう。

劉邦は、薄い被膜で韓信への感情のかたまりを包んでいたのだが、膿《のう》のふくろが破れるようにやぶれてしまったらしかった。

「曹司《ぼんぼん》のような顔をしやがって」

罵《ののし》りながら、劉邦は感情の根のほうで憎みきるということができない。劉邦の性分かもしれず、罵られている韓信の奇妙な人柄のせいかもしれなかった。

夏侯嬰が修正して、

「あいつは浮浪児のあがりですよ」

といったが、劉邦は、

「いや、あいつには気品がある。張良《ちようりよう》のほかたれも持っていないものだ」

「張子房《ちようしぼう》さんは韓《かん》の王族の出でしょう」

「生れではないよ。生れがよくても下品なやつが無数にいる。韓信は持って生まれた卓然とした気品がある」

「陛下よ」

あなたは怒っているのか、ほめているのか。

「韓信が、漢軍の諸将からどう言われているかご存じですか」

夏侯嬰は劉邦の身辺に侍《じ》する馭者だけに、かつてこの種の蔭口《かげぐち》を劉邦の耳に入れたことがない。近侍する者として最小限まもるべき心得を夏侯嬰ほどかたく守ってきた者はなかった。しかしいまは場合が場合だけに、劉邦の耳に入れておかねばならない。

「自立しようとしている、というのです」

(おれが韓信《かんしん》でも自立するだろう)

劉邦は、一方ではおのれのいまの境涯をあざ笑うように思い、一方では鼻の奥の粘膜が酢《す》になってゆくようななさけなさを感じた。

韓信の版図はすでに広大で、一方、主人の劉邦は黄河以南からたった二人で逃げだしている。劉邦がもし項羽に殺されれば項羽と天下を争うのは韓信であろう。韓信には項羽の勇はないが、その智は古今に比類ない。劉邦など、舞台から消えるのが、当然のなりゆきではないかと当の劉邦さえ思う。

「韓信は陛下の家来なのです。あなた様によって拾われ、あなた様の兵を借りて将となったのです」

(嬰め、わかりきったことをいう)

しかしいまは乱世なのだ。

たしかに韓信は劉邦の兵をひきいて黄河を北にわたり、魏、趙、代を攻めくだし、燕《えん》を威圧して傘下《さんか》に入れた。その間、現地の兵をあつめて大軍になり、最初の資本《もとで》だった漢兵はわずかしかいない。そのうえ、降伏兵を劉邦が催促するつど送ってきたから、もし商いならばとっくにもとでは返済したようなものである。

その間、あるじの劉邦は連戦連敗して逃げまわっている。

（自立しようと思わないほうがむしろおかしいのではないか）

「韓信は、囲碁《いご》を楽しんでいるようなものです」

と、韓信ずきの老儒生酈食其《れきいき》が劉邦にいったことがある。智能をかたむけて勝負をすることが目的で、勝負の結果が目的ではない、と酈生《れきせい》（酈食其）はいうのだが、劉邦は、

（だからこいつは儒者だ）

と、その甘さを内心あざわらっていた。たとえ韓信がそういう男であっても、勝ちをかさねてゆくにつれて側近が親玉の無欲をゆるさなくなるのである。

——漢王《かん》はみずからの非力で敗残しております。見て見ぬふりをしたところで、世はあなたを非難しないでしょう。

体《てい》よく見殺しに見すごしなされ、と側近のたれかが韓信に耳打ちしたところで、劉邦はおどろかない。

「公《おやぶん》よ」

夏侯嬰《かこうえい》は、沛《はい》時代のことばにもどった。

「韓信はおそろしいですぞ」

（あたりまえだ）

だからこいつは所詮《しょせん》は馭者だと劉邦は思った。

たしかにいまの韓信はおそろしい。このように舟板の上に寝ころがっていても劉邦は胴がふるえる思いであった。すでに彼我《ひが》の立場が逆転している。韓信は大軍のぬしであり、当方は漢王とはいえひきいる者は夏侯嬰だけではないか。

「人間はな」

言ってから、劉邦は言葉をとぎらせた。人が悲しんでいるときに顔をすり寄せてきて、お悲しいことでございましょう、とおっかぶせてくる奴ほどこまった手合はない、と言いたかった。

「こういうときにはな」

劉邦はまた黙った。何をいっていいのか、言葉がない。

風が、帆をゆさぶって鳴った。

「唄だ」

唄はこういうときのためにあるのだ、と劉邦はいった。嬰よ、うたえ。

嬰は、風にむかってうたった。

泗水《しすい》の湖に棲《す》む漁夫の唄であった。漁夫は越人《えつ》が多く、言葉も風俗もちがっている。漁夫たちは唄がうまかった。嬰がいまうたっているのは、漁民が風伯《ふうはく》（風の神）にむかって訴える風迎えの唄である。風のないときは風をおこせという。風が帆にさからうときは帆に順《したが》えと頼む。うたはときに嘯《うそぶ》くようであり、ときに風伯の機嫌をとって躁《はしや》ぐようでもあり、さらには風伯を恫喝《どうかつ》して波間をふるわせるように咆《ほ》えるのである。

舟は東へ流されながら、対岸をめざしている。

韓信《かんしん》は、修武《しゅうぶ》にいる。

こんにちも修武という地名があるが、この時代の修武はそれよりもわずかに東に所在する現在の獲嘉《ホーチャ》（河南省）に相当する。

修武はかつての魏《ぎ》の県城《まち》の一つだが、遠く殷《いん》の時代には寧邑《ねいゆう》とよばれていた。まことに青銅器時代から栄えてきためでたい町で、この町に一つの伝承がある。紀元前十一世紀、殷末の悪王とされる紂《ちゅう》が暴虐の政治をして人心をうしなったとき、それを周《しゅう》の武王が伐《う》つことになった。武王は慎重に北伐のための準備をし、兵をこの寧邑で訓練したというのである。『韓非子《かんびし》』にそのことが、「兵ヲ寧《ねい》ニ勒《ととの》フ」と出ている。やがて武王が勝ち、周朝を興したとき、記念して寧を修武に改称したというのだが、はるかな歴史をへだて、韓信もここを根拠地とし、斉《せい》を伐つために兵を訓練している。もっとも斉を伐つ気配もなく八カ月というながい時間を空費しているのだが。

韓信が修武に根拠地を置いたということがかつて劉邦の幕営にきこえてきたとき、老酈生《れきせい》などはひそかに気を揉《も》み、

（なんと無神経な男だ）

と、おもった。周の武王は『詩経《しきよう》』や『書経《しよきよう》』で英明の人といわれているが、要するに自分の主《しゆ》である紂王を伐ったわけであり、この点、韓信たる者は無用の疑いを避けるため修武などという因縁つきの町を避けるべきではなかったか。

劉邦たちは対岸についた。

「霽《は》れたわ」

劉邦は見あげて、つぶやいた。風が夜空を拭《ぬぐ》いきったらしく、満天の星がみがきこんだように美しい。もはや歩行に困難はなかった。

修武の城壁は、この時代、どの城壁もそうであるように日干《ひぼ》しの土でできている。大雨がふると崩れるために、壁上には草が植えられていた。

朝、城門がひらくとともに、入った。

市中はよく整頓《せいとん》され、道路にちりひとつ落ちていない。殷《いん》の法では市中の道路に灰をすてる者は手を切断されたという。さきの秦《しん》朝も厳格で、灰をすてれば黥《いれずみ》の刑に処せられた。が、この乱世でどの町もきたなくなった。ところが修武の場合、例外で、

(どうも、韓信の法がゆきとどいているらしい)

と、劉邦は思った。それだけに油断はならない。

二人は市中に旅館をもとめ、劉邦は部屋に入るなり、酒を啖《くら》ってねむってしまった。当然、宿の主人はあやしんだ。この時代、どの県城でもそうだが、他所《よそ》から入りこむ盗賊をふせぐ

ために不審の宿泊客があれば上《かみ》にとどけることになっている。しかし夏侯嬰《かこうえい》から多額の金をつかませられたために、様子を見守りつつも密告はひかえていた。

——滕《とう》の亭長《ていちょう》だ。

というのが、劉邦のふれこみである。滕は劉邦の故郷の沛の東北にある小さい町で、夏侯嬰の尊称（滕公）にもなっているのだが、亭長という卑職の者にすれば着ているものが奢《おご》りすぎているのである。宿の主人は、

（こいつは、盗賊の大親分にちがいない）

と、おもった。が、乱世に盗賊はつきもので、それらの大きなものが王侯になりかねない以上、うかつに密告してあとで仇《あだ》をされてもつまらない、と思った。

劉邦はすこし酔うと横になってねむり、醒《さ》めると酒食を注文した。

「大公は、ご立派なご人体《にんてい》でござりまするなあ」

この夜、料理を運んできて亭主はおもわずいった。顔が大きく、道具だてがいかつく、黒いひげが見惚《みと》れるほど美しい。

「顔だけだ」

劉邦は、苦笑した。

（まったく、顔だけだ）

自分でも、内心、おかしかった。

——ひょっとすると、盗賊ではないかもしれない。

亭主がおもったのは、ときに薄ぼんやりして、顔ぜんたいがあまくゆるみきったように見えることである。盗賊の顔ならもっとこすっからく緊張しているのではあるまいか。

「世が乱れて、百姓《ひゃくせい》の難渋《なんじゅう》は非常なものでございます。いつになればおさまるのでございましょうか」

「二人のうちどちらかが死ねばおさまるだろう」

劉邦は、農夫が秋の畑の出来のはなしでもするようなのびやかさで言った。

「二人とおおせられますと？」

「項羽と劉邦だ」

といったため、亭主は席から逃げてしまった。

このあと酒をさらに持ってきて、先刻のお話、私めが聞かなんだことにしてくださいませぬか、とたのんだ。後難をおそれてのことである。

「韓信を見たことがあるか」

「呼びすてはおそれ多うございます。淮陰《わいいん》（韓信の故郷の町）様のことなら、お車でお通り遊ばしたのを路傍でおがんだことが何度かございます。ごりっぱなお方で」

「税は高いか」

「安うございます」

「結構なことだ」

そのほか、韓信の日常についてもきいた。

亭主は劉邦に酒をすすめられて酔ってきた。つい口が軽くなり、韓信の日常は兵士のように質素であるという。

「それが、あれだけのお方にしては、玉にただ一つの瑕瑾《きず》のようで」

と、いった。王侯将相が、民の費《つい》えによって豪奢《ごうしゃ》なくらしをするというのはこの時代では当然なことで、農民はこまるものの、その身辺の者や都市の商人、工人をうるおすことにもなる。もし逆に質素ならかえって人に軽侮されたり、きらわれたりする、という傾向があった。

「韓信は、農民を大切にしているからだ」

農民から吸いあげた金で都市をうるおすということをしないのだ、という意味のことを劉邦はいった。

——そうでもないでしょう。

という笑いを、酔った亭主はうかべている。

「なにを言いたいのだ」

「いいえ、淮陰様は、まだ書生っ気が脱けないのではございますまいか」

「書生っ気？」

「夜、安酒を飲んで書生が街路を歌って歩くように、人のうわさでは淮陰様は二、三人の者と肩を組んでうたい歩いておられる、ということでございます」

（まさか）

劉邦は、吹きだしそうになった。

「お前、それを見たのか」

「とんでもない」

あくまでも噂《うわさ》で、根も葉もないことでございましょう、と亭主はいった。

以上のほかに、亭主はおそろしげな話もした。

韓信軍の主力はかつての魏《ぎ》や趙《ちょう》の兵だが、どの兵も以前とは顔つきまでちがうという。修《しゅう》武《ぶ》の郊外に沙《すな》の堆積《たいせき》した原野があるが、そこでおこなっている部隊訓練は進退ともに迅速《じんそく》で、軍威はかつてどの軍隊にも見られなかったほどに森厳《しんげん》であるという。

「淮陰様の軍の前には、楚《そ》も漢《かん》も屈せざるをえないでしょう」

亭主がいったとき、劉邦はぺろりと顔を撫《な》でおろした。楚はともかく、漢とは劉邦その人のことである。韓信軍も漢軍の傘下なのだが、修武の町の者は第三勢力だと思っているのか。

「韓信がそういっているのか」

「淮陰様のお声が、やつがれなどの耳にどうして入りましょう」

劉邦はその夜、わずかにまどろんで夜明けの半刻《はんとき》ほど前に起きた。

「嬰《えい》よ、いまから韓信の本営を襲うのだ」

宿の亭主もたたきおこし、

——案内せよ。

と、命じた。

韓信の本営がどこにあるかは、夏侯嬰《かこうえい》が偵察してよくわかっている。しかし夜の街衢《まち》は土地になじみのふかいこの亭主の案内がなければまずい。

どの県城にも城内に里《り》(町内)があって、里ごとに門があり、日没後はとざされる。古来、市中の夜歩きはどの町でも禁ぜられており、番人に撲殺《ぼくさつ》されても非は夜歩きの側にある。亭主はむろん土地の者だから番人どもと親しい。

――漢王様の御使者だ。

と、番人に言い、いくつかの里の門をくぐることができた。

韓信の本営は旧県庁にあり、篝火《かがりび》がたかれ、兵士が守衛していた。

「漢王陛下の御使者である。韓信に急用だ」

夏侯嬰がその雄偉な体格で兵士を圧倒した。兵士がさえぎろうとすると、

「ひかえろっ」

と大喝し、門を押し通った。劉邦は悠然と歩いている。寝所の前にも兵士がいた。夏侯嬰はその兵士をいきなり締めあげ、さるぐつわを噛《か》ませた。嬰は、兵士を両腕で羽交《はが》いこんでいる。そのあいだに劉邦は寝所にとびこんだ。

「信(韓信)、起きろ」

力をこめ、しかし声ばかりは低めて言った。が、韓信は大きな体をくねらせて眠りこけている。

――あれは、韓信の怠け癖でございますよ。

老酈生《れきせい》がいったことがある。あれとは、八カ月も韓信が軍事行動をやめてしまった状態をさしているのである。この淮陰《わいいん》うまれの男は周期的に気まぐれが出、ときに蛇が冬眠するように働かなくなる、と酈生はいう。このばかばかしいほどに呆《ほう》けた寝姿を見ると、老儒生がいったこともまんざら当てずっぽうではなさそうに思える。

劉邦はついに土間の器物を蹴《け》った。

「あっ」

と、韓信がとび起きた。

「なぜ斉《せい》へゆかぬ」

劉邦は浴びせた。

劉邦はすでに寝所にあった韓信の印符《いんぷ》の箱をとりあげていた。もともとは劉邦があたえたものである。この印符があればこそ漢の上《じょう》将軍として麾下《きか》の諸将に命令をくだすことができる。たとえば漢王劉邦を討つ、という命令さえ、ときと場合によってはくだすことができるのである。ただしとりあげれば、韓信はただの平人であった。同時にこの印符を手に入れた劉邦は、上将軍としての命令権のすべてを執行することができる。

「嬰、嬰」

劉邦は夏侯嬰をよび、

「韓信の麾下の諸将をいそぎあつめよ」

といった。

伝令たちが闇の中を四方へ飛んだ。

韓信は寝所の土間に呆然《ぼうぜん》とすわっている。寝床のそばに愛用の長剣がある。

(斬ろうか)

韓信が瞬時でも思わなかったとすればうそになる。が、どうにも体や心が動かない。

(劉邦はこんなやつだったのか)

韓信は劉邦の才を尊敬したことは一度もなかった。

しかしこのときほど劉邦のふしぎな大きさを感じたことはなく、膝《ひざ》を折って劉邦を見あげ、幼児が父親の言いつけを待っているような表情をばかのようにとりつづけていた。

「今日じゅうに斉へゆけ」

劉邦は韓信に命じた。

「ただし、つれてゆく兵は二千人だけだ」

二千人で大国の斉を攻伐せよ、というのか。

「あとの軍勢はわしが直接指揮をする」

もっともなことで、漢王劉邦は韓信の大軍を強奪しないかぎり、一兵もないのである。

韓信はうなだれながらも、考えはじめた。趙だけで五十余城ある。それに代《だい》、燕《えん》を通過して新兵を徴募《ちょうぼ》すればなんとか数万の軍勢はつくれるのではないか。兵の未熟はやむをえない。

それを補うのに戦術をもってすれば活路があるのではないか。

——劉邦を殺すことは考えなかった。

後日、韓信はこの場の自分をおもしろく感じた。

「では」

と、韓信はいった。

「……二千人をつれて今日斉へ発《た》ちます。二千人に下知《げち》するためにその印符をお返しくださいませんか」

「そうはいかぬわい」

劉邦はそっぽをむいた。二千人もまた劉邦自身が命ずる。韓信はただそれをひきいて出発せよ。出発する前に印符を返してやる、というのである。

「………………」

韓信は、劉邦を見つめている。

劉邦は韓信の眼前でただ一人寝所にいる。夏侯嬰は廊下にいる。この屋内にいるすべての士卒は韓信の麾下の者であり、劉邦を殺してその王権を簒奪《さんだつ》するのはきわめて容易なことであった。

が、韓信はなにか、呑まれてしまっていたのであろうか。というよりも、こういうとっさの場合、よほど憎んでいる相手でないかぎり非常の行動などはとれるものではなかった。韓信はつねづね劉邦をばかにしている。しかし憎んだことなど一度もなかった。

むろん、憎まずとも人は殺せる。欲望もまた人を非常の行動へ突きとばすことがあるが、韓信には元来そういうものが稀薄《きはく》すぎた。

夜が明けると、諸将があつまってきた。たれもが目の前に劉邦がいることに驚き、口々に言いさざめいたが、劉邦の一喝で静かになった。

「今日よりわしがお前たちの上将軍《じょう》を兼ねる。韓信もまた上将軍のままである。ただし韓信は今日より斉への征途にのぼる」

一同、口をあけた。事態が理解できず、従って劉邦がいまいったことが、容易に頭のなかに入らなかった。

劉邦は、そういう心理ばかりはよく心得ている。かれはだまった。人々が疲れてしまうほどながく沈黙した。

やがて言葉の意味が一同に浸透したところを見はからってから、

「曹参《そうしん》」

と、叫んだ。沛《はい》以来の手下である。

「韓信とともに斉へゆけ。軍令はすべて韓信に従え」

曹参が沛のころ、県の役人であったことはすでにふれた。牢屋《ろうや》をつかさどる事務官で、蕭《しょう》何《か》がつねにその上司だった。この両人は仲もよく、たがいに文吏としての能力を認めあっていたが、挙兵後、蕭何が後方の関中《かんちゅう》にあってその行政と漢《かん》軍の補給に任じ、いわば文官であることをつづけているのに対し、曹参は行政面ばかりではなかった。むろん左丞相《さじょうしょう》、右丞《う》相に任命されたりはしたが、しばしば将軍としても働き、この時期、韓信軍に属していたのである。

(曹参ならば、かどをたてずに韓信を掣肘《せいちゅう》するだろう)

同時に韓信の軍略の邪魔をすることもない、と劉邦はおもった。ほかに灌嬰《かんえい》をえらんだ。灌嬰はかつて滎陽《けいよう》の甬道防禦《ようどうぼうぎょ》戦で地味な働きをしつづけた男で、人柄も戦《いく》さぶりそのままであった。

右の韓信《かんしん》軍を強奪した一事は劉邦《りゅうほう》一代での唯一といっていいあざやかな芸で、劉邦の人間について考えるとき、ふしぎな印象がある。

劉邦は、かれ自身も自認しているところだが、元来、自分で何をするということもできない男であった。若いころから人々を連れて歩き、そういう連中がすべて事を運んできた。ただ人々の上に載《の》ってきただけという面もあり、載り方がうまかったということもある。

かといって、劉邦のふしぎさは、いつの場合でも敵の顔の見える前線に身を曝《さら》し、人々の背後に隠れるということはなかったことである。

項羽《こうう》に対してもそうであった。項羽という猛獣に対し、自分自身の肉を餌《えさ》に相手の眼前にぶらさげ、それを咬《か》もうとする項羽を奔命《ほんめい》に疲れさせてきた。豪胆というよりも、平気でそれができるところに配下の者たちが劉邦についてきた魅力というものがあるのかもしれない。この場合、餌自身がむき身で韓信の前にあらわれ、むき身のまま啗えた。劉邦がそういう絶望的な段階まで追いつめられたといえばそれまでだが、しかし韓信とその諸将がむき身のままの劉邦に気を呑まれてしまったというのは、劉邦が持っている何事かと無縁でなかったかもしれない。

劉邦は、黄河北岸に居つづけた。

修武《しゅうぶ》の東に小修武という町がある。そこへ補給基地を移し、町に兵糧《ひょうろう》を集積し、かれ自身の軍営は城内に置かず、その南の黄河の岸ちかくに置いた。

対岸の成皐《せいこう》城はすでに陥《お》ちている。

漢軍の将兵は四方に逃げ散っていたが、やがて劉邦が北岸にいることをきき、群れごとにあつまってきた。

「渉《わた》るか」

最初の軍議のとき、劉邦は威勢よくいった。黄河をわたってふたたび項羽と決戦しようというのである。冗談ではなかった。

郎中《ろうちゅう》（政務官の一つ）の鄭忠《ていちゅう》という者がすすみ出て、その不可を説いた。いまは塁を高くし、塹《ほり》を深くし、兵力の充実をはかるべきである、という。むろん劉邦もそう思っていたが、この場合、威勢のいいことをいわねば士気がふるわないという事情があった。

「鄭忠はそう思うか」

劉邦はもう一度きいた。

「命を賭《と》しても諫《いさ》めとうございます」

「ああ」

劉邦は辞色《じしょく》をあらため、酈忠のことばに順《したが》おう、といった。

ただし、この場合、何もせずに守勢をたもつことも危険だった。劉邦が北岸で逼塞《ひっそく》していることによって項羽軍はいよいよ肥り、いよいよ強勢になってしまう。

このため、劉邦は大規模な後方攪乱《かくらん》軍を出すことにした。

楚《そ》の後方の根拠地（揚子江《ようすこう》沿岸）を衝《つ》くのである。楚軍はその多湿な稲作地帯からはるかに兵糧を得ており、これが弱点といえばそういえた。それを攪乱し、遮断《しゃだん》し、項羽の注意をその方面にむけさせる。項羽は全力を第一線に展開しているため後方は空《から》っぽだった。

この長駆して南方の楚の地へゆく機動軍の将としては、有能でなくとも忠実な者をえらんだ。幼な友達の盧綰《ろわん》と、父方の従兄《いとこ》の劉賈《りゅうか》を任命し、すぐ出発させた。

一方、東の方面については、韓信とその二千人がすでにむかっている。


いまひとつ、秘密工作があった。

老儒者酈生《れきせい》を使うことであった。

酈生については、劉邦の幕営でも、とかくの批判がある。

張良《ちょうりょう》などは、

「あの爺さまは、生き急いでいるのではないか」

といったりした。

通称酈生——酈食其《れきいき》——が高陽《こうよう》（河南省）の町の門番だったことはすでにふれた。乱世に際会せねばまぎれもなく田舎《いなか》儒者で生涯をおえたにちがいない。当時、秦《しん》軍が強盛であった。劉邦は諸方の敗残兵をかきあつめては各地に転戦していた。劉邦が高陽の町を通過したとき、酈生が、

——いかにも沛公《はいこう》（劉邦）は大度量の長者だ。

と見て、その帷幕《いばく》に投じたのである。

「私の町を通過してゆく将軍が多く、見ていてどの男も大したことはなかった。あなただけが人の意見を容《い》れる度量があるとおもって投じたのです」

と、恩着せがましくいった。

こういう種類の人間は、ひろく「客」とよばれている。客は主将に対し、意見、情勢分析、政略、情報という無形のものをあたえる存在で、主将は客を「先生」として尊重し、かれらがあたえる無形のものを高く評価する。

酈生が最初に劉邦にあたえたのは意見ではなく情報であった。

「このさきに陳留《ちんりゅう》（河南省）がある、そこに秦が多量の穀物を貯えてきたが、将軍はかの城を攻め、穀物をおさえるべきです、その攻略にはこういう工夫があります」

といった。劉邦はその説によって陳留を攻め、食糧を得た。食糧を得たことで集まってくる兵がふえ、たちまち大軍になった。

——あいつはただの儒者じゃない。

と、劉邦がありがたがったのは、儒者というのは役にも立たぬ屁理屈をこねるものと思っていたからである。劉邦は、恩賞については気前がよかった。酈生をたちまちひきあげ、広《こう》野君《やくん》にした。

が、儒者ぎらいと無作法でとおった劉邦は、酈生をかならずしも尊んでいたわけではなく、

「おい、おしゃべり」

といったふうに、よびかけたりした。

酈生は、しばしば献策した。

「献策が多すぎる」

という評があり、そのとおりでもある。そのうえ三つに二つまでは愚にもつかぬ策であった。しかもこまったことにその愚案に劉邦が——酈生のすぐれた修辞の力のために——しばしば乗せられ、あとで張良が大苦労して尻ぬぐいせねばならぬことが多かった。

(酈生も、こまったものだ)

と張良は肚《はら》の中でおもっているが、しかし他の者のように愚案であるとは思っていなかった。つまりは酈生は劉邦の力を借りて儒教的理想を実現しようとしている。その下心《したごころ》が露骨に出た案の場合、つねに現実にあわず、宙に浮いたようなものになるだけのことで、それだけのことだ、と老荘家《ろうそうか》の張良はおもっている。

酈生は老来、その下心が露骨になってきているように思われる。生きいそいでいる、と張良がひそかに思っているのはそういう観察から出たものであった。

が、酈生自身は、そうはおもっていない。

(韓信が可哀《かわい》そうだ)

というのが、このたびの案の発想のもとなのである。

斉《せい》は、強国であった。

(わずか二千の兵で斉一国をとろうというのは、卵を投げて石垣をくずそうというにひとしい。韓信は斉の戦場で死ぬだろう)

斉は、田《でん》氏の国である。秦《しん》にほろぼされ、田姓の王族たちは庶民になった。このたびの乱に乗じ、田儋《でんたん》という者が詐略《さりやく》をもって狄《てき》県(山東省)の県令を殺し、

「私は旧王家の血をひいている。今日から斉王である」

といって自立し、四方を切りとった。が、この男は秦の章邯《しょうかん》将軍と戦って敗死した。以後、田氏の内部で権力闘争がはげしく、さまざまな田姓の者が王になったり宰相になったりした。いまは田儋のいとこの子の田広《でんこう》が斉王になり、田横《でんおう》という歴戦の武将が宰相になっている。

実権はこの田横にあった。

「田横は、人望のある男です」

酈生は、劉邦に説いたのである。

田横はよく賢者を用い、士を愛し、民を治めるのに手厚いために、斉はこの乱世にあってよくおさまっている。人望については後日譚《ごじつたん》がある。後年、かれは自分の名誉をまもるため

に旅先で自殺した。そのとき同行していたかれの二人の「客」は田横が死んだことを知ると、あとの始末をして二人ながら刎《くび》ねて死んだ。その時期、田横はいまの遼東《りようとう》半島にちかい島にかつての士をひきいて隠遁《いんとん》していたが、旅先での田横の死がつたわると、五百人の士のほとんどが自殺したといわれる。

「田横は儒徒です。私には多少の面識があり、ゆけば会ってくれるでしょう。陛下が私を使者にしてくださるなら、これに説くに不戦をもってします。漢に味方すれば兵の血を流さずに斉国は安泰だということをこの三寸の舌で説いてみましょう」

「お前の舌一枚で斉の七十余城が漢の味方になるというのか」

勢いのいい時期の劉邦なら一笑に付したろう。戦国のころ、合従策《がつしようさく》を説いた蘇秦《そしん》、連衡策《れんこうさく》を説いた張儀《ちようぎ》などがあらわれ、その雄弁と奇計をもって諸国の王に説き、おもうがままにころがした。この両人以後、この種のけいれんに富んだ外交技術を研究する学派を縦横家《じゆうおうか》という。舌一枚で国の方針が左や右にころぶというなど遠い戦国のころの昔ばなしで、こんにちに通用するはずがない。

「お前は儒者のくせに縦横家のまねをするのか」

「縦横家のように道義のないことは致しません。儒者として斉王と田横に説いてみようと思うのです」

（やらせてみるか）

とおもったのは、失策《しくじ》ってもともとであるし、この逼迫《ひつぱく》した状況下では一筋のわらでも手をのばしてつかみたかった。

斉が大変な国だということは、劉邦もわかっている。斉の七十余城が本気になって防戦すれば三十万の兵をもってしても平定に一年以上かかるだろう。

「行ってみろ」

と、劉邦は、思い切ったようにいった。すぐさま印璽《いんじ》を持って来させ、斉王への親書を書いた。

行軍中の韓信へはこの一件を告げなかった。韓信が、途々《みちみち》兵をふやして斉を伐《う》ち得るまでには、よほどの月日《つきひ》がかかると劉邦は見たのである。

酈生《れきせい》は老人のくせに足腰のかるい男であった。

翌々日、車馬と人数を仕立てて修武《しゅうぶ》を出発した。

一行は、護衛兵や人夫を入れて二百人を越えた。随員のなかに、田横と親しかった者や斉の事情通が数人ふくまれていたことは言うまでもない。

「聖人、賢人の国へゆくのだ」

と、儒者である酈生はよろこんでいた。いまの山東省は、陬《すう》において孔子《こうし》を生み、鄒《すう》において孟子《もうし》を生んだが、酈生はそれを指しているのである。

そのわりには、

——住民は権変《けんぺん》、詐《さ》謀《ぼう》にたけている。

　といわれる。田氏の王族間のあらそいを見ていると、政敵に対する憎しみは外敵よりもはなはだしく、血で血を洗う凄惨《せいさん》さは斉の特徴ともいえた。だからこそ酈生にとって一層やり甲《が》斐《い》があるといっていい。

　黄河《こうが》のながれ——とくに中流から下流にかけて——は、時代によって異なっている。以下、現在の地名でいう。潼関《トンコワン》から鄭州《チョンチョウ》・開封《カイフォン》のあたりまでは東流する。このあたりで曲がって東北方角にながれるのだが、この時代、現在よりもやや北のほうをながれて河口も異なっていた。いまの天津付近で渤海《ぼっかい》湾にそそいでいたのである。

　酈生の一行は、韓信《かんしん》が平定した趙《ちょう》の地を通り、徳州《とくしゅう》という町のあたりから河水を渉《わた》った。

斉は、黄河を天然の防禦《ぼうぎょ》線にしている。

対岸は、平原《へいげん》という大きな城廓《じょうかく》をもつ町である。平原城は斉にとって第一線の要塞《ようさい》で、兵士が城の内外に充満していた。

「漢《かん》王の使者酈食其《れきいき》」

　という名は、酈生が下交渉のために先発させた外交団によって斉の地によくつたわっている。斉王は、

「漢の広野君《こうやくん》（酈生）の車馬が見えれば、大切な使者であるから、鉾《ほこ》を横たえ、道をひらいてお通しせよ」

　と、黄河防衛の司令官たちに命じていた。酈生の見るところ、斉は臨戦気分に満ちていた。兵力のすべてを黄河の一線に展開しているらしく、軍容の密度は濃く、どの士卒の顔も緊張

していた。

「これは、なにごとですか」

酈生が平原城守備の将軍にきくと、漢の韓信が攻めてくるというのでこのように固めているのだ、貴殿は漢王の使者というのにそのことをご存じないのか、と切りかえしてきた。

（とげがある）

酈生は緊張したが、顔だけはのびやかに作って、

「知っている。しかしその情報《はなし》は古すぎる」

と、いった。

もっとも斉人にとっては古すぎない。韓信が修武で劉邦《りゅうほう》に叱られ、尻を蹴飛《けと》ばされるようにして斉にむかったという諜報《ちょうほう》が十日後には斉に入っている。以後、斉は全土が至厳の警戒態勢に入り、いつ韓信がきてもこれを殲滅《せんめつ》する準備ができていた。

「いや、全権は私にある。私は斉のために平和をもたらしにきたのだ」

酈生は平原城で言い、そのあと斉の護衛兵にまもられて首都にむかった。

次いで、第二線の要塞ともいうべき歴城《れきじょう》（山東省・いまの済南市）という巨大な城壁をもつ町を通過した。

ちなみにこんにちの黄河はこの町の北辺を洗うようにしてながれている。この当時、べつな川が流れていた。国名の斉にサンズイを加えた済という川で、黄河畔の平原城がやぶれると、この済水のほとりの歴城でふせぐというのが、斉の伝統的防衛法であった。

歴城は、高名な泰山山脈の北のふもとにある。この北麓《ほくろく》はゆたかに水が湧《わ》くため、この歴城――済南――一帯は、ひとびとが石器をつかっていたころからの居住地であった。

この城にも兵が充満しており、酈生の車騎が駈けすぎるとき、石を投げてくる者がいた。

酈生がふりかえると、こどもだった。

(斉人は国外の人間に対し悪がしこいというが、決してそうではない。国をまもる念がつよすぎるのだ。こういう国を相手に戦争すべきではない)

酈生はおもった。

ついに斉の国都臨淄《りんし》(山東省)にいたった。

道をいそいで遠望すると、ひくい丘陵の上の城壁が高く長く、中原《ちゅうげん》の東における最大の都市といわれる評判のとおりの威容が感じられた。

城外で斉《せい》王の使者の出むかえをうけ、互いに前後し、互いに旗をなびかせ、勢いよく城門を入った。城内は、なるほど繁華であった。

(臨淄の栄華は、蘇秦《そしん》のむかしからかわらないと見える)

酈生《れきせい》よりも百年ばかり前に縦横家《じゅうおうか》の祖である蘇秦が出、一介の遊士でありながら六国《りっこく》に遊説して秦に対する軍事同盟をむすばせたが、かれが当時の斉の臨淄をおとずれ、その国都のにぎやかさをのべて、その戸数を、

「七万戸」

といっている。五人家族として三十五万という都市人口で、しかもそのころすでに遊民が多かった。

臨淄ははなはだ富んで充実している。その民は笛を吹いたり、瑟《しつ》を鼓《こ》したり、筑《ちく》を撃ったり、琴を弾じたりして、よく遊ぶ。そのほか闘鶏、闘犬のたぐいに興じてばくちを打つ。街路は車や人でごったがえし、車は衝突しそうにして往来しているし、ひとびとは肩をすれあわせて往《ゆ》き交《か》い、見ているとおたがいの袂《たもと》で幕ができているようであるし、おたがいの汗でもって雨がふるようである。

一大消費都市としての当時の臨淄が目に見えるようであり、酈生の両眼が見ている臨淄は秦帝国の統制を経ているため経済も文化もややおとろえた観があるが、それでも戦国の割拠経済のころの代表的な消費都市であったにおいをうしなってはいない。

宮殿の前で、宰相田横《でんおう》の出迎えをうけた。

(おお、これが音にきく田横か)

酈生は、自分の使命と、その使命が刺激になってつくりあげた脳裏の大小の景色に酔うような気持になっていた。千里に使いして君命を辱《はずか》しめず、というが、一個の男子としてこれほど栄誉あるしごとをするというのは、歴史に照らしても稀有《けう》なことではないか。

その上、その君命の内容たるや、劉邦の思想でなく、酈生の思想でできあがっているのである。国家と国家のあいだは利益ではなく道義で結ぼうというものであり、利を廃し義に就《つ》くかぎり戦いというものはせずに済む、という儒教的理想が、この任務を仕遂げることによって成就《じょうじゅ》するのである。

その大芝居の相手が、宰相田横であった。田横に対し、酈生が、同志愛以上のおもいをこめて抱きつきたいほどの衝動におそわれたのは、それがためであった。

田横は、小肥りの男だった。

顔が大きく、目が小さく、大小のあばたがあるためにときにどこを見ているかわからない。笑うと、大きな口が、裂けたようにひろがった。口中に歯がなかった。田横も酈生に対し、全身で好意を示し、手をとって宮殿のなかに案内した。

すぐさま斉王に拝謁《はいえつ》した。

かつて田広《でんこう》とよばれていたこの青年は、白皙《はくせき》長身の上に眉目《びもく》が涼やかで、王としての威厳にはやや欠けるところがあったが、そのぶんだけ人懐っこく、

「酈先生」

とよびかけてくるとき、敬慕が目に宿って、酈生はあやうく涙ぐみそうになった。

(劉邦とは、大変なちがいだ)

かの漢王の儒者ぎらいは有名だが、儒者以外のたれに対しても態度がぞんざいで口ぎたなく、およそ気品というものがない男であったが、それにひきかえ、この斉王はどうであろう。

(これが王というものだ)

酈生はおもった。

「先生、まず宿館で旅塵《りょじん》をおとされよ」

田横はみずから宿所に案内した。

建物といい、調度といい、王宮のような感じがした。酈生はそこで旅塵をおとし、衣類を着かえた。

夜は、酒宴であった。

斉王は出なかったが、田横以下、斉の実力者が総出で接待をした。酈生がつれてきた随員、事務官、軍人、車駕《しゃが》の馭者《ぎょしゃ》から人夫にいたるまで、階級ごとに斉からそれに相応する階級の吏僚が出て各所で酒宴がもたれた。

酒宴は、三日つづいた。

この間《かん》に、酈生の意見だけでなく、各級の随行者の肚の中が、ことごとく斉側にわかった。四日目に、酈生が斉王に拝謁してその意見を開陳《かいちん》したときには、ほぼ斉のほうに、この同盟についての漢の考えの表裏がつかみとられていた。

「斉は、万世ののちまで栄えねばなりませぬ」

酈生はまず言い、以下、華麗な修辞と堅牢《けんろう》な論理をもって展開した。

「そのためには、天下の帰するところを知らねばなりませぬ。大王よ、ご存知でありますか」

「知らない」

斉王は、真剣な表情でいった。

「それはこまったことです。大王にして天下の帰するところをご存知ならば、斉国の安全は保たれます。そうでなければ、たとえ斉が百万の精鋭を保有していようとも安全は期しがたいことです」

「天下はどこに帰するのだろう」

「漢に帰します」

酈生が断言し、斉王は目におどろきをうかべた。

「先生、どうか斉のためにその理由をおきかせねがえまいか」

じつのところ、劉邦は弱く、項羽は強い。天下はもはや楚《そ》にさだまったようなものであり、いまさら漢が勝つなどといっても詭弁《きべん》のようなものである。

斉は、独立を保っている。

しばしば楚から脅威をうけてきたし、項羽自身が大軍をひきいて斉へなだれこんできたこともある。とうてい楚には敵しがたいという恐怖を斉の士民は骨がふるえるほどの実感で感じたが、その楚がどうして終局において漢に敗《ま》けるというのであろう。

酈生は、長広舌《ちょうこうぜつ》をふるった。

楚と漢の両者の優劣をこまかくあげつつ、楚の致命的欠陥を拡大してのべたてた。項羽が狭量で賢才を用いないこと、その性は残忍であまりにも多くの人間を殺してしまっていることと、とくにおのれがかつぎあげた懐王《かい》を殺して世間のひとびとに興醒《きょうざ》めさせてしまったことなどをあげた。

「漢王はそれに対し、まったく正反対の人格をもっております」

義を重んじ、賢才に対し海のように懐ろがひろく、しかも人を殺すということを好まない、と酈生はいう。このことは劉邦のもって生まれた性格なのかどうか。

多分にかれの世間像としての人格であろう。一方において項羽の個性とそれによる行為が際立《きわだ》ちすぎている。それがために、その対立者である劉邦の人格がその反対の性格として世間によってつくられはじめ、劉邦自身もその機微を察し、意識的にその世間像としての自分を演出してきたともいえる。もっとも劉邦は可塑《かそ》的な——細工するには粘土のようにどんな形にもなりやすい——性格をうまれつき持っていたということも、あわせて言えるが。


が、このような優劣論は項羽のほうに力点を置いても十分展開できることで、斉王も田横らも、ただ酈生《れきせい》のゆたかな修辞法を芸術として鑑賞するという態度をとりつづけていた。

ただ、酈生はその開陳のなかで、食糧にふれた。食糧において漢が圧倒的に有利であるという実証をして行ったとき、斉王も田横も、なるほど、という、陽が射したような表情になった。

すかさず酈生は、

「それにひきかえ、楚は、兵の食糧の補給に難渋しています」

と言い、遠く南方の楚の米作地から老人（壮者は兵としてかり出されているために）がえんえんと列をなして前線へ穀物を運んでいます、といった。

だいたい、項羽には補給の感覚がないのです、と酈生はつけ加えた。亡秦《しん》が貯えた天下第一の穀物倉である敖倉《ごうそう》を手に入れたときも、これを守るのに小人数の囚人部隊を置いただけでした、だから漢に奪還されたのです、というが、その後楚軍が滎陽《けいよう》・成皋《せいこう》を陥《お》としたときに敖倉もうばいかえしたという事実は、酈生は伏せた。

このあと酈生は宿舎にかえって休息した。その間《かん》、斉王と田横らは漢に味方することに決し、夕刻、酒宴を用意して酈生とその随員団をまねいた。

斉の美人が多数宴席にはべった。

「愉快だ。この世でこんな快事があろうか」

酈生はしたたかに酔いくらった。

斉王も田横もよほどうれしかったらしく、前線の守りを撤収し、兵の多くを故郷にかえし、将官は臨淄《りんし》にもどってきた。

酒宴は幾日もつづいた。斉の儒者がまねく宴もあり、前線からかえってきた将軍たちが主人役の宴まであって、宴の予定がいつ尽きるとも知れなかった。

その尽きぬうちに、酈生《れきせい》は斉《せい》王によって烹《に》られてしまった。

豚などを烹る料理用の大きな青銅製の鼎《かなえ》を臨淄《りんし》の町の広場に据え、水を張り、素裸の酈生をほうりこんで、下から火を焚《た》くのである。

「斉で食っただけの肉を斉に返すのか」

酈生は縛られて首だけを水から上に出しながら、あざわらった。

韓信の軍が黄河の西方にあらわれたという報が斉の宮廷に入ったのと、大挙して渉《わた》ったという報とが、相次いだ。無防備の平原《へいげん》城はたちまちに陥ち、歴《れき》城も半日で韓信の有《ゆう》になった。あとは潮のように臨淄にせまろうとしている。

斉王も田横も、これを関連した一つの詭計とみた。酈生がだましにきて斉人に油断させ、そのすきに韓信が攻めこむ、ということであり、結果としてはそうにちがいない。

が、酈生はそのつもりではなかった。

韓信にもそのつもりはなかった。

かれは行軍してきて斉に近づいたとき、かねて斉に放ってあった諜者たちが相次いでもどってきて酈生が臨淄にきていることを告げ、その用件が和平会談であること、その結果、和平に決した、ということなども、つぎつぎに報じた。

「では、軍を趙《ちよう》の地でとどめよう」

韓信はいったんはそのように決定し、そのあと気を変えさせられた。変えさせたのは韓信の幕営にあらたに加わった遊士で、蒯通《かいとう》という縦横家であった。かれはふるい戦国の世の詭弁や詭計がまだ通用するものと信じ、多年研究してそれに関する八十一編の文章を書いた。

ただそういう縦横術を劉邦や項羽は用いてくれず、混乱の世をさまよっていたが、ついに韓信を見出《みいだ》し、その謀士となった。

韓信という軍事的天才は、脳のその部分だけ白っぽいほどに政略の感覚に欠けていた。かれは蒯通の縦横術を政略術だとおもい、深く信じた。

「酈生は、腐れ儒者にすぎません」

と、蒯通はまず言い、

「なるほどかれは舌一枚でもって斉をくだしてしまいました。しかし、かれの成功を賞揚すれば軍事が軽んじられるようになります。すなわち将軍の功など、儒者の舌一枚にも劣るということになれば漢そのものが腐敗しましょう。いま斉を攻めれば漢の精はすくわれ、攻めねば漢におよぼす無形の災禍ははかり知れませぬ」

と、結んだ。韓信は蒯通の意見を容れ、平原の津《わたし》をわたってしまったのである。

斉《せい》王も田横《でんおう》も、ちりぢりに逃げるしかない。逃げるにあたり、斉王みずから鼎《かなえ》の前にきて、

「この嘘つきめ」

と、酈生《れきせい》を罵《ののし》ったあげく、嘘でないとするなら韓信の来襲を制止してみろ、制止できれば鼎から出してやる、といった。

「烹《に》ろ」

酈生はいった。

「わしがあんたの前で述べた言葉はことごとく真実だ。あんたはこの酈生のまなこを見、言

葉をきいた。それでもなおわしという人間がわからずに烹ようとしている。つまりは腐った人間ということだが、そういう男に命乞いをするためにわしは韓信の陣営へ行こうとは思わぬ。韓信はいいやつだ。それ以上に、このおれはいい士《おとこ》だ。士とは絶体絶命の境地にきてはじめて真価のわかるものだが、いま自分の命の惜しさに韓信のもとにゆけばわしは士でなくなる。烹ろ。烹られることによって士になりうるのだ」

といって、唾《つば》を吐きかけた。

酈生は、烹られた。

斉王も田横も戦わずして逃げ、斉は韓信によって占領された。

半ば渡る

蒯通《かいとう》の蒯など、文字としても姓としてもなじみが薄い。が、この当時、

「蒯の町の蒯だ」

といえば、黄河《こうが》ぞいに住む人なら、ああ あの河水にのぞんだ土地か、とうなずく。のちの洛陽《らくよう》（河南省）のそばにあった土地の名である。


蒯通はその地名を姓としているが、うまれはこんにちの河北省涿《たく》県――この当時の范陽《はんよう》――である。

この大陸は、春秋戦国期に諸子《しょし》百家《ひゃっか》がむらがり出て、一大思想時代を経験している。戦国がおわり、秦《しん》帝国に統一され、さらにその秦もほろんだこの時期においてもなお思想時代はつづいており、およそ知識人であっていずれかの学派に属しない者はない。

知識人のことを、

「生《せい》」

と尊称する。蒯通も、ふつうは蒯生《かいせい》とよばれている。儒家の酈《れき》食其《いき》老人が酈生とよばれて

いたようなものであった。

酈生の場合、その情熱のめあては劉邦《りゅうほう》という力をてこにして孔子《こうし》の理想社会をつくりだそうというところにあり、

「烹《に》殺《ころ》せ」

と、斉《せい》王にむかって最後のたんかを切ったのも、思想的情熱に憑《つ》かれた者の強味ともうけとれる。

蒯生の場合、儒や道《どう》のような大思想の学徒ではなく、戦国の縦横家《じゅうおうか》の末徒であり、いわば権謀学派というべきもので、思想上の底はあさい。その技術は権変《けんぺん》――政略的けれん――にあり、一国の膨脹《ぼうちょう》と自衛のために外交上の権謀術数のかぎりをつくそうというもので、思想上の理想社会は持たなかった。

「策士」

とよばれるものであった。

策士は、みずから王や帝になれないし、なろうともしない。この学派のひとびとは王や帝になれそうな素材をさがし出し、その者に食い入り、その者のために表裏の工作をし、権変のかぎりをつくしてその者を広大な領土の支配者に仕立てあげるという政治の魔術師のことである。

――韓信《かんしん》ほどみごとな素材はない。

と、蒯生はおもった。

その天才的な軍事能力によって韓信は趙《ちょう》をくだして先輩の張耳《ちょうじ》を趙王にし、次いで燕《えん》と代《だい》をあわせ、さらに斉に入ってその七十余城をくだし、斉の旧都臨淄《りんし》(山東省)に総司令部を置いた。その版図《はんと》を現代の省名でいえば古来中原《ちゅうげん》とよばれる河南省と河北省をあわせてさらに山東省を加えたもので、はるか南の、現在の隴海《ろうかい》鉄道ぞいに死闘をくりかえしている漢《かん》の劉邦や楚《そ》の項羽《こうう》よりも大きかった。

(当の韓信は自分の大《だい》に気づいていないのだ)

蒯生はそう思っている。韓信の立場は劉邦の一将軍であるにすぎず、これについて蒯生がこまったものだとあきれていることは、韓信自身が正直にそうおもっている、ということであった。

蒯生《かいせい》はあるとき韓信に謁《えつ》し、縦横学とはなにかということを弁じたことがある。

「国家——勢力といってもよろしいが——というものを考えられよ。国家には実態と虚態がありますす。彼我《ひが》の実態と虚態をさぐり、それを記号にしたり数式にしたりしてそれぞれの力を量《はか》ります。その上で相手国の意図を察し、意図に裏打ちされた力を量り、その力の出端《でばな》を執《と》って自国の意図や力に吸収させてしまう術もしくは学を縦横の学というのです」

「アア」

韓信はあごをあげて返事するだけで、興味を示さない。

「将軍よ」

蒯生は韓信を自覚させようとする。

「あなたの勢力の虚とはなにか、漢の一将軍にすぎぬということです」

「事実、そうではないか。わしが漢王劉邦の一将軍であることはまぎれもない事実で、あなたの用語でいう実というものだ」

「いや、私の学問ではそれは虚なのです。私のいう実とは、あなたが事実上、趙、燕、代、斉をあわせた大王で、劉邦どのや項羽どのに匹敵するということです」

「いやなことをいうわい」

韓信は乗って来ず、

「縦横の学とは要するに謀叛《むほん》学なのか」

といった。

「他の学派からみれば謀叛でしょう。しかし私の学派からいえばかならず成功する謀叛で、成功してしまった謀叛というのは謀叛にならないのです。亡秦からいえば項羽どのも劉邦どのも謀叛人ですが、それを罵《ののし》る主体である秦がほろぼされてしまっている以上、この両将は謀叛人にはならないのです。縦横とはそういうことをあつかう学問です」

「こわい学問だ」

「なぜですか」

「老儒の酈生は、あなたの縦横の法によって烹《に》殺《ころ》されてしまった」

酈生は劉邦の外交官として斉へゆき、斉王に説くに漢との同盟をもってした。斉王はよろこび、国境の武備を怠ったところ、おなじく劉邦から斉への武力進攻を命ぜられていた韓信によって無防備の国境を突破され、あっというまに斉の七十余城をおとされてしまった。斉王は怒り、酈生を烹殺したが、韓信が酈生を殺したともいえる。韓信は酈生の身を気づかって斉への武力進攻をためらったのだが、蒯生に説かれて決意し、結局は酈生を犠牲にした。

――酈生は、この世で私に好意的だった数すくない一人だったのだ。

と韓信はあとあとまで後悔したが、蒯生は意に介せず、

――それが権変というものです。その代わり将軍は斉という巨大な国を得られた。

何の不足があるか、と韓信の少年じみた感傷を嗤《わら》った。

蒯生は韓信の異能にたれよりも驚いている。しかし一面、

(書生にすぎないのではないか)

そういう韓信の白っぽい皮膚を多欲と権変できたえないかぎり、かえって功の大きさのために自滅するのではないか、とおもった。

蒯生が小蛾《しょうが》を韓信に仕えさせたのも、韓信に対する教育のつもりであったろう。

韓信は斉の旧都臨淄《りんし》の王宮を総司令官としての宿所につかっている。

「斉王広《こう》の栄華《えいが》のあとでございます」

と、かつての王の寝所に案内されたときもなんの感動ももたず、

「夜露をふせげればいいのだ」

といって重い長靴《ちょうか》のまま絹の夜具の上にあがり、長剣をひきよせて眠った。数日、夜も戎《じゅう》装《そう》を解かなかったのは、武骨を衒《てら》ってのことではなく、掃蕩《そうとう》戦にいそがしかったのである。

小蛾は、二十人ばかりの少女を指揮していた。

その服装は、小蛾も彼女の配下の少女たちも一様に白絹を用いた。白はこの当時忌《い》まれる色ではなかったが、それにしても女たちが白一色でいるというのは味気《あじき》がない。

——韓信に無用の淫欲《いんよく》をおこさせないためだ。

と、蒯生は小蛾に説明した。

小蛾は、即公《そくこう》という斉の二流の豪族の末娘である。即公というのは蒯生が斉に流浪《るろう》していたころ厄介《やっかい》になった人物で、田《でん》氏一族が秦《しん》末の乱に乗じて斉を牛耳《ぎゅうじ》ったとき、その風雲に乗じそこねた。というより田氏一族から白眼視されていたために野《や》にあってごく地方的な勢力を保っていたにすぎなかった。

韓信が斉王を追って臨淄のぬしになったとき、蒯生が他の豪族とともにこの即公を紹介し、あらたな斉の秩序形成のために役立たせようとした。

——ついては、あなたの末のお嬢さんを借りたい。

と蒯生がたのんだのは、小蛾の気のきき方が尋常でないのを見込んだためであった。

韓信は、妻をもたない。

妾《しょう》もなかった。

ひとがその理由をきくたびに、韓信は質問そのものがふしぎでならないように、

——淮陰《わいいん》城下の貧士に、娘をくれるような物好きがいたと思うか。

といった。

いまは逆に妻妾《さいしょう》を持ちにくくなっていた。斉の豪族の過半は韓信の将来を買い、その娘をあたえて外戚《がいせき》になりたいとおもっている。

(うかつな者が外戚になってはこまる)

と、蒯生《かいせい》はひとり気に病んでいた。斉での鎮撫《ちんぶ》工作のうえで、ひとに怨《うら》まれているような男が外戚になれば他の諸勢力は韓信から離れるのである。

——即公がいい。

と、蒯生がおもったのは、即公はかつての田氏一族から疎《うと》んぜられていただけで、他の諸勢力から憎まれているということがないためであった。

かといって即公が外戚になれば最上であるということにはならない。蒯生が思うに、韓信に大望があればより一層大きな勢力を外戚にもつべきであり、それには時機を待たねばならない。

その間、身のまわりの世話をする女を必要とする。

(韓信は変わり者だから、まだその必要を感じていないようだが)

蒯生の感覚では、舎人《とねり》のような連中に身のまわりの世話をさせていると、韓信の気がやすらがない。その上、もし韓信が妙な女でも拾ったりすると陣中の人事が乱れて来ないともかぎらない。ふつう女の一族が要職につくものであったが、もしそのなかに小才《こさい》の利《き》いた兄や従兄《いとこ》でもいればその者が韓信の帷幕《いばく》で重視され、蒯生のように才覚で立っている者ほど閨族《けいぞく》からうとんぜられ、ついには破滅させられてしまうことが多い。

(女が、敵だ)

と、蒯生はおもっている。とくに主人の女とその一族は蒯生のような仕事をする者にとって警戒すべき相手であるといってよく、この点、即公の娘ならたとえ韓信の妾になっても蒯生は即公の一族を制御してゆける自信があった。

もっともその即公の娘でも、蒯生は韓信の手がつくことを願ってはいなかった。手がつくことなく小娥が韓信から信頼されるようになれば、蒯生にとってこれほど——仕事がしやすいという上で——都合のいいことはない。

掃蕩《そうとう》戦からもどってきた韓信が、食事を了《お》え、戎装《じゅうそう》のまま寝所に入ったとき、

「なんだ」

思わず声をあげたほどにおどろいた。足もとから白い雲が湧《わ》き立つようにうごき、やがて前後に纏《まつ》わりついて韓信は長靴をぬがされ、足を湯のなかに浸《つ》けられてしまった。

「なんだ、お前たちは」

言ううちに、絹のようにしなやかな手がいくつも動いて戎服をぬがされ、こんどは体ごとたらいの湯のなかに沈められた。

(ああ、蒯生《かいせい》が言っていた女どもとは、この者たちか)

なぞが解けると、韓信は興味の半《なか》ばをうしなった。不意のことでもあり体をさわられるのがわずらわしく、とくに沐浴《ゆあみ》のあと絹の寝衣に着かえさせられたときは、これは私の習慣とちがう、と声をあらげて叱《しか》った。

「わたくしどものつとめでございます」

白衣の女どもの代表が毅然《きぜん》とした口調で言い、手をやすめずに事を運んでゆく。韓信の声が次第に無力になって、

「私は戦いがつづいているかぎり戎衣を脱がないのだ」

というと、白衣のなかのひとりが、

「わたくしどもは陛下の御寝《ぎょし》のおやすらぎのために仕えております」

「お前は、たれだ」

声のぬしへ見当をつけて言ったが、なにぶん部屋は薄暗く、まわりに白い群れがうごいているだけで、何者が声を出しているのかよくわからない。

「小蛾《しょうが》と申しまする。即公とよばれている者が父でございます」

「わしは陛下ではない」

さきに小蛾が陛下といったことをとがめたのである。

「まあ」

小蛾のほうが驚いた声をあげた。

「王のことを陛下と称《とな》え奉《たてまつ》るのが当然ではございませぬか」

「わしは斉《せい》王ではない」

「では、斉王はどなたでございます」

(たれだろう)

厳密にいえば、東方の高密《こうみつ》城（山東省）まで逃げて行ったといわれるかつての斉王広《こう》こそそうであろうが、この乱世ではどの王も自立の要素が濃く、その資格は武力に拠《よ》っている。いったん軍隊をうしなった王はひとびとも王とはみとめないのである。

「ともかくもわしは王ではないのだ。わしにとって王は漢王あるのみだ」

「しかしこの斉におきましては、ひとびとが将軍様を王とみなしてもよろしゅうございましょう」

「蒯生がそう言えといったのか」

その程度のことは韓信にもあたりをつけることができる。

「細工の多い男だ」

韓信は蒯生を必要としているが、あの縦横家が、へらで泥人形でもつくるように別の韓信像をつくりあげようとしているのはどうにもわずらわしい。

「無用のことだ」

韓信はいつのまにか幾本もの手で寝台の上に臥《ね》かされ、こころよい眠りにひきこまれそうになっていた。

翌朝も韓信は戎装し、部隊をひきいて城外へ出て行った。

かれは田氏《でん》一族が逃げ散ったあと、大きく掃蕩戦を展開している。韓信自身が身を動かしているのは前線視察のためであったが、毎日のように彼自身が手をくだす軽い戦闘もあった。

「首都臨淄《りんし》の繁華は旧《もと》のままだ」

と、多くの斉人はよろこんでいた。韓信の作戦指導が巧妙なために、臨淄のひとびとはいつ支配者がかわったのか数日で忘れてしまうほどにその賑《にぎ》わいはおとろえていない。

韓信はその配下の諸将をよく統御した。

とくに劉邦《りゅうほう》の直命によってその傘下《さんか》に入れられた曹参《そうしん》と灌嬰《かんえい》という二人の客将が、韓信に対していささかの苦情も持っていないことは驚くべき事象の一つといってよい。曹参は劉邦の旗揚げ以来の幕僚であり、灌嬰も韓信よりはるかに古参で、百戦を経た老練の将だが、

「すべて韓信の命令どおりにやっていればまちがいない」

と信じきっているようであった。

韓信軍は、いくつかの大枝を持っている。その一つの大枝の将である曹参は斉将の田既《でんき》を膠東《こうとう》（山東省・平慶）に追いつめており、いま一つの大枝の将である灌嬰は、斉の相であった田光《でんこう》、斉将田吸《でんきゅう》、それに斉の事実上のぬしであった田横を追いつめつつあった。

斉王広《こう》が高密城に逃げこんでいることは、すでに触れた。

「その広は、おそらく楚に対して援軍をもとめるでしょう。楚の項羽はかならずこれに応じます」

蒯生《かいせい》は、韓信にいった。

（そうだろうか）

韓信にはわからない。

もともと斉の田氏一族は楚を好まず、些細《ささい》な理由をたててさからってきた。かつて楚の総帥《そうすい》だった項梁《こうりよう》（項羽の叔父）に斉は援兵を送らず、このため項梁が秦《しん》軍にかこまれ敗死したという事態があった。以来、項羽は斉をこのまず、二年前の秋もかれは大いに北征軍をおこして斉軍を破ったこともある。要するに斉と楚ほどたがいに背をそむけあっている関係もめずらしく、宿敵といってよかった。

（だからこそ老儒生の酈生《れきせい》の入説《にゆうぜい》も成功したのだ。斉は漢も好まないが、しかし楚・漢のいずれかと握手せねばならぬということになると、斉は楚をすてて漢とむすぶ。亡き酈生の雄弁はさることながら、斉はそれほど楚をきらっていたということだ。いま斉王広はねずみのように田舎の城に逃げこんでいるが、楚の項羽たるものがそういう敗残の斉王に援軍を送るだろうか）

「儒者なら、こういう事態になれば予測がつかなくなるのです。国や世はかくあるべしという理想を最初にえがき、物事をそれへ当てはめてゆこうとしますから」

蒯生は、丸い、あぶらぎった顔に似合わず、つねに湖水のようにしずかな様子で物を言う。

「縦横家《じゆうおうか》ならわかるというのか」

「すくなくとも夢想しませんからな」

蒯生がいうのに、二つの国の関係というのは、双方危機にあり、しかも共同の敵を見出したとき、過去に何があろうとも一切を水に流し、兄弟《けいてい》以上の異常な親しさで結ばれるという。国家に理想などはない、あるのはエゴイズムだけだと蒯生はいい、縦横家は儒家とはちがい、国家がもつエゴイズムを重視し、分析するのだ、というのである。

楚の項羽にとって、斉は在来、第三勢力であった。

それが漢の有《ゆう》になり、韓信という小ざかしい（と楚軍では思っている）戦《いく》さ上手がその支配者になれば局面が一変してしまう。いまでも劉邦一人をもてあましているのに、北方に巨大な敵が出現したことになり、なにをさておいてもこのあらたな敵をつぶさねば項羽の存立があぶなくなる。さいわい敗王の広から救援をもとめてきた以上、一挙に大軍を急派し、短時日に韓信をつぶさねばならない。

「項羽が、割《さ》けるだけの軍勢のすべてをこの方面に持ってくるでしょう」

「項羽みずからが来るか」

「項王の気性としてはみずから率いてきたいところだと思います。しかし漢王との死闘ともいうべき対決がつづいており、いま手をぬくと情勢が漢王のほうへ有利に傾きましょう。このため、配下の将を派遣すると思いますが、それは必ず竜且《りゅうしょ》でしょう」

項羽の小型ともいうべき猛将が竜且で、名のとおり鍾離昧《しょうりまい》とともに楚軍の竜虎《りゅうこ》ともいうべき将である。かつて漢の謀士陳平《ちんぺい》の反間《はんかん》苦肉《くにく》の策によって項羽から疑われ、一時意気消沈していたが、項羽自身が敵の策だったことに気づいて詫《わ》びたために、竜且は従前以上の迫力を戦線に展開しはじめている。

（なるほど、竜且か）

もし彼だとすれば、かれの猛攻に耐えられる将は漢には一人もいない。

（わしぐらいのものか）

と思うが、竜且はそうは認めないだろう。韓信はかつて楚軍に一下級士官として籍を置いたが、当時、竜且といえば雲の上の人だった。楚軍のころ、脱走する直前の職は郎中《ろうちゅう》（軍営のなかの事務局の属官）だったから、竜且の顔をしばしば見た。竜且のほうも韓信をおぼえているにちがいなく、憶《おぼ》えているとすれば、おそらく、

——あの郎中の職にいて、いつも気がきかずにおろおろしていた男か。

と、ばかにしているにちがいない。

「よくわかった」

韓信は、蒯生に謝した。この縦横家をありがたいと思うのは分析と見通しが正確で、あすの情勢を具体的に示してくれることであった。

「戦いのことは、蒯生にはわかりませぬ」

「それは、私がやる」

韓信は、しずかにいった。

「竜且に勝てるでしょうか」

こと、軍事になると、蒯生の智恵は乳をまぜたようににごってしまう。

「やって見ねばわからない。ともかく竜且という男を考えてみる」

「ところで、御寝《ぎょし》のぐあいはいかがでしょうか」

蒯生は、急に話題を変えた。

韓信は何のことか言葉の意味がわからず、蒯生の顔をじっと見つめていたが、やがて気づき、

「ばか」

といった。わけもなく、顔が赤くなった。

韓信《かんしん》は、臨淄《りんし》の宮殿に帰陣するのが楽しみになっていた。

この宮殿の寝室は斉風《せいふう》の建築で、木と竹と土でできている。壁は細竹の網代《あじろ》をしんにし、それへ枯草をまぜた赤土を塗り、その上に蛤《はまぐり》の殻を焼いた白い灰を上塗《うわぬ》りにつかっている。この上塗りを堊《あ》という。

床《ゆか》は、後世のような土もしくは磚《せん》（れんが）ではない。

地面より高くして床板が張られ、その上に繊細に編まれた席《むしろ》がびっしり敷かれている。従って室に入るには靴をぬがねばならないが、韓信は女たちがこの寝室を管理するまでつねに土足で上下していた。

やわらかい絹の帳《とばり》はふんだんにつかわれている。

（ここは山野だ）

韓信は最初、自分にそう言いきかせて、露営でもするような気分でこの部屋をつかっていた。

しかし、いまはちがってしまった。

小蛾《しょうが》に指揮された白い衣《きぬ》の女たちが、韓信を寝台にねかしつけるまで手をうごかすことをやめないのである。十基ばかりの燭台《しょくだい》が、韓信が寝入るまでのあいだ、一基ずつ焰《ほのお》が消されて行って、最後に一基だけがともりつづける。

(これでは、わしの身によくない)

一方では、韓信は考えている。

書生であればこそよく物が見えるのだ、というのが韓信の信仰であった。人々から介抱されて自分自身の起居まで自分の意志と力を用いないというのは赤ン坊か衰えた老人ではないか。王侯の暮らしというのはそういうものだが、敵味方の兵士が何を考えているかということにつき、たえず透きとおすように見ぬいてゆく感覚が、介抱されている身にあっては鈍《どん》磨《ま》してゆくばかりなのである。

(わしがわしでなくなる)

韓信が、そういう韓信でなくなればただの人ではないか。

(蒯生《かいせい》という男には、そういうことがわからない)

蒯生はいまの韓信が気にくわず、書生っぽすぎると思っている。彼は韓信を王侯の暮らしを甘受する人間に仕立ててゆきたいらしいが、そういう人間になったころには韓信は韓信でなくなっているだろう。

(蒯生の半分はすぐれている。しかしあとの半分は、腐れ瓜《うり》の半分のように切ってすてたいくらいだ)

思いつつも、この暮らしになじんでしまえば、えもいえない。

ある夜、疲れて帰ってきて習慣どおり戎装《じゅうそう》のままで食事を済ませた。食事は男どもが給仕する。

そのあと、寝所に入って、沐浴《ゆあみ》をさせられた。

「なんと、男は無力なものだ」

体のあちこちを洗われながら、韓信は、つぶやいた。赤ン坊のようにすべてをゆだねてしまう気になるのである。

「無力におなりあそばせばよいのでございます」

女は、ひどく断定的にいう。

(小蛾だろう)

声でわかる。衣装が斉《ひと》しく白いために、どの女も個別的に韓信の目でとらえられておらず、単に女のむれというにすぎない。

うけ答えは、この即公《そくこう》の末むすめだけがする。だからこのむすめだけは韓信も個別的に認識しているのだが、その容姿となると、手が機敏にうごくことと、あごがとがっているらしいことと、身動きがしなやかであるということのほかはよくわからない。

「たれもが白い衣《きぬ》を着ていてはよくわからない。小蛾、そこもとだけでも、その白衣のえりと袖口《そでぐち》を黒く縁《ふち》どればどうか」

「殿さまのおおせどおりにいたします」

(その、殿様はよせ)

と言いたかった。小蛾は機敏に察して、

「殿さまもいけないのでございますか」

賢い女だと韓信は目をみはる思いがした。

「どうおよびすればよろしゅうございましょう」

小蛾は、しつこい。

「まさか、兄貴ともよべまい」

韓信がいうと、かれの足もとを洗っている女が、くっと笑いをこらえて背を低めた。小蛾であるようだった。

「小蛾、そこにいたのか」

「どこにいたとおぼしめし遊ばす」

他の女と間違えていたのではないか、といったふうに、小蛾は声を可愛ゆくとがらせるのである。


朝、帳《とばり》をとおしてわずかに入ってくる陽のひかりのなかで韓信は目をさました。

帳をあけて半身をそとへ出すと、小蛾がうずくまっていて、含嗽《うがい》のための小さなたらいを用意していた。

「もう黒いえりをつけたのか」

韓信は、小蛾を見つめた。

えりと袖口に黒いふちをつけたというだけで、他の白い女たちとはきわだって違ってみえた。衣装とか意匠とかというものがこれほどまでに人間を個別的にするものかと韓信は驚歎《きょうたん》してしまった。韓信は思想の徒ではなかったが、諸子《しょし》百家《ひゃっか》のなかで強《し》いていえば老荘《ろうそう》の無《む》という無差別の抽象的世界にあこがれている。しかし人間は所詮《しょせん》は個別的存在ではないかと目を洗われるような思いで小蛾の姿を見たのである。

「あざやかなものだ」

「そうでございましょうか」

小蛾は、仲間の白たちのあいだで、ほんのわずかに黒を置いてしまったという自分の個別性をひどくはずかしがっている。そのことは、仲間離れをして際立《きわだ》ってしまったということへの羞《はず》かしさであり、際立った以上はいっそ自分を押し出したいという衝動と、その衝動を懸命にこらえようとしている心の中の背反もまた、彼女の緊張の一因になっているのにちがいない。

「人間というのは、大変なものだな」

口をゆすぎ了《お》えて、韓信はかえりみた。小蛾の白い胸もとが、かがやいてみえた。

「小蛾、今夜はそこもとも沐浴《ゆあみ》をせよ」

この場合の沐浴は、韓信のゆあみとはまったく内容が異なっていて、今夜のふしどを共にせよ、という意味であった。小蛾はえりもとまで真っ赤になり、白衣の女たちにたらいを片づけさせると、逃げるように去ってしまった。

項羽は、竜且《りゅうしょ》にすぐ出発させた。

「ほしいだけの人数をあたえよ」

といったために、北上してゆく竜且の軍容は、楚の主力軍であるかのようにさかんであった。

「二十万」

と、みちみち呼号させてゆく。

一方、亡斉《せい》の王広《こう》は、敗残しつつも天下の耳目《じもく》をあつめている。

こんにちの呼称でいう山東半島は亀の首のように大海に突き出、海を渤海《ぼっかい》と黄海《こうかい》に分けている。

その亀の首のつけ根を、頸輪《くびわ》でもするように濰水《いすい》がながれている。その濰水から頭部にかけてが、この高名な半島の尖端部《せんたんぶ》といっていいだろう。斉王広がいる高密《こうみつ》城は、その濰水の内側（半島側）にある。濰水を天然の巨大な要害として、西方の平野地方からの敵（この場合は韓信）を十分にふせぐことができるのである。

それに、高密は孤城ではない。

おなじく濰水と半島の要害に守られつつ高密の東南に城陽《せいよう》があって、斉の相の田光《でんこう》が籠《こも》っていた。


韓信のなやみは、濰水西方の山野を十分に掃蕩《そうとう》して後顧《こうこ》の憂いを絶っておかねば半島の尖端に大兵を集結することができないというところにあった。

この点、竜且には自由がある。

――韓信の臨淄《りんし》城を攻めるか、それとも斉王広の籠る高密城へ行ってこれと合するか。

という選択においては、後者を選んだ。半島と濰水にまもられた高密城のほうが敵をふせぐのに便利であったからにちがいない。とすると、竜且らしくもなく防禦《ぼうぎょ》をえらんだということになるが、別の見方でいえば、防禦にも突出《とっしゅつ》にも有利である高密のほうを選んだということであった。他の場合――臨淄攻めを選んだ場合――攻囲軍の背後を衝《つ》かれるおそれがあるが、高密にはそれがない。竜且は韓信のような小僧に対し、一《いち》か八《ばち》かの決戦を挑《いど》まねばならぬ理由がなかったのである。

竜且とその麾下《きか》二十万は、韓信の来着に先んじて山東半島の尖端に達し、高密城に入って、斉王広とその無傷の直衛軍の大歓迎をうけた。

竜且にも、客がいる。

客とは厳密な主従関係を結ばずに智謀でつかえている幕僚といっていい。その客が竜且にすすめた戦略方針はこの大陸古来のもので、現代史にまでその思想がつらぬかれているといっていい。

要するに一ヵ所（この場合は山東半島の尖端）を堅守し、他はゲリラ戦を大展開して韓信軍の後方や足もとをさわがせ、農民と協同してその糧道を断ち、飢餓によって降伏せざるをえない窮地に追いこむ、というものであった。

韓信軍の弱点は、はるか遠方から斉にきている、ということであった。客の表現では、

「漢の兵は、二千里の外に客居しています」

ということである。

「それは弱点ではありますが、強味でもあります。遠来の兵は土地になじまず、このため一会戦のために必死に戦う性質を帯びているということです」

「でありますから、楚としては二千里の外からきた漢の兵を強からしめる形態の戦いを避けねばなりませぬ。会戦を避け、濰水の守りをかたくし、一方、濰水西方の山野に点々とちらばっている斉の残兵を鼓舞し、これらにたえず兵と兵器、糧食を補給し、漢兵を餓えさせてゆく方法をとれば必ず勝ちます」

「さらにいえば」

と、客はいう。

「味方の楚・斉連合軍のうち、斉の兵は自国の内で戦うために、地理にあかるく、農村に知

人が多く、言葉も相通じますから、ついそれにもたれて――決戦方式の場合――散走しやすい、という弱点をもちます」


韓信がおそれていたのも、敵が守勢をとるということであった。

(斉王広が作戦を主導すればきっとそのようにやるだろう)

しかし人数において楚軍は圧倒的に多く、このため慣例によって大軍の将――この場合、竜且《りゅうしょ》――が総帥《そうすい》になり、作戦を主導する。

(つまりは、竜且の性格だけを考えていればよい)

竜且の性格は、楚人そのものであった。剽悍《ひょうかん》で進むを知って退くを知らず、激しく決戦して敵の芝を踏むということに戦いの価値を置いている。過去の戦例からみてもそのやり方は項羽そのままであり、みずから鉾《ほこ》を舞わし、全軍を火の玉のようにして前へ前へと駆りたててゆくという式であった。

(おそらく決戦するだろう)

韓信としては、激しく決戦してもらわねばならない。

決戦を採択させるためには、竜且に慢心をおこさせねばならなかった。つまりは韓信をあなどらせねばならず、このため韓信は大金をつかって多数の諜者《ちょうじゃ》を濰水の内側（東方）にばらまき、

「楚軍は百戦の常勝軍である。これにひきかえ漢軍は趙《ちょう》兵、燕《えん》兵、代《だい》兵、それに斉《せい》の降参兵

をあわせた雑軍である」

といわせた。右は詭弁《きべん》ではなく、万人が認識しうる事実あるいは実情といっていい。

「韓信はもともと白面の書生にすぎない。淮陰《わいいん》城下で長剣を鳴らして歩いているころは臆病者として有名であり、肉屋におどされてその股《また》をくぐったこともある」

これも、事実である。

事実ほど宣伝しやすいものはなかった。

「だから韓信は竜且将軍の到来におびえきっている」

これだけは、事実でなかった。

韓信という臆病者は自らの臆病を愉《たの》しむところがあり、その臆病をたねに恐怖からまぬがれるあらゆる方法と段取りを考えることに熱中していた。

竜且はそこまで韓信を知らない。

「私はあなたの策をとらない」

と、客の説をしりぞけた。

「大いに韓信と会戦するつもりだ。いま守勢を保って韓信とその兵を餓え死にさせる手を用いれば私の功は現われない。せっかく大軍をひきいて斉の地を踏んだというのに敵をみて戦わないというのは怯《きょう》するに似ている。天下の耳目が斉の地にあつまっているのに、客よ、あなたのいうとおりにすれば楚もまた天下の信をうしなう。それに韓信はかつて楚軍にいた。かれの臆病は世人も知っているが、わしが最もよく知っている」

十一月になった。

韓信《かんしん》は全軍に東進を命じた。

「濉水《いすい》の線でとどまれ」

と、曹参《そうしん》にも灌嬰《かんえい》にも命じた。

すでに山々の樹々は枝のみになり、大地の見とおしはいい。松柏《しょうはく》のみが点々と霜のなかで緑をのこしている。韓信の麾下は諸道を踏み、東にむかって静かに動いた。

韓信は先鋒《せんぽう》の出発より一日遅れた。

「小蛾《しょうが》よ」

寝床のなかでたのんだ。

「もう一度、沐浴《ゆあみ》してくれぬか」

見たいのだ、という。

さきに小蛾が別室で沐浴していたとき、韓信が不意に入った。女たちがさわいだが、韓信はかまわずに見た。明りが暗かったためによく見えなかったが、沐浴のあと彼女は拭《ぬぐ》わなかったように思える。

「ご覧あそばすのでございますか」

身をまかせてしまった男とはいえ、裸形《らぎょう》を人にみせる風習はこの大陸の文化にはない。

韓信は、好色よりも好奇心のほうがつよかった。

「たのむ」

「ひとのいやがることをなさるというなら、殿様も多少はいやなことでもお堪《た》え遊ばせ」

「たとえば？」

「陛下とよび奉ってもよろしゅうございますか」

「それとこれとはちがう」

「同じことでございます」

衣《きぬ》によって肌が隠れればこそ陛下もわたくしに何事かをお感じあそばすのでございましょう、裸を御覧あそばしてしまえば浅間《あさま》しいのみでもはや何事もお感じにならぬようにおなり遊ばすのをおそれます、と小蛾はいったが、韓信は、一度だけ、と頼んだ。

「そなたは二度も陛下とよんだではないか」

結局、小蛾はいわれるとおりにした。

黒漆《くろうるし》を塗られた大きなたらいが持ちこまれ、そのまわりを燭台でかこませた。韓信は女どもをさがらせ、小蛾に衣服をぬがせた。

「陛下」

あちらをおむき遊ばして、と言いつつ小蛾は湯のなかにうずくまった。

湯は小蛾の腰のくびれまで満ちている。小蛾は両の乳房を両の手でかかえてうつむいた。

韓信は黒塗りのひしゃくをもって湯をすくい、小蛾の肩、くびすじなどにかけていったが、肌は湯をはじいてとどまらない。

（なんとふしぎな肌だ）

とあきれるうち、身をすくめてうつむいている小蛾が仙女のように見えてきた。

「そなたも、祈ってほしい」

韓信はいった。

「わしの心がそなたに奪われることがないように、ということだ。たとえばそなたはぬけぬけと陛下とよぶ。いまはいい。衣装を身につけたあとなおそなたが陛下とよぶようなことがあればわしはきびしく咎《とが》める。そういうわしであることを続けたいのだ」

（奇妙なお人だ）

と小蛾はおもったが、桃色のうなじをのばして一つだけ点頭《うなず》いた。

「小蛾よ」

韓信がふたたびよんだときは、ともに寝床のなかにいた。

「あすは戦場へゆく。わしが首になって竜且《りゅうしょ》の前に据《す》えられるかどうかは、濰水の水が決めてくれそうな気がする」

その翌々日、韓信は濰水の堤《つつみ》の上に馬を立て、対岸の敵とそのうしろの高密《こうみつ》城をのぞんだ。

（竜且は、やる気だ）

そのことは対岸の旗風や兵気の旺《さか》んな様子を見てよくわかった。このぶんでは竜且も、城を飛び出して前線に出ているだろうとおもわれた。

大そうな幅をもった川ではないが、ここ数日霖雨《りんう》が降ったために水嵩《みずかさ》があがっており、場所によっては水が揉《も》みあうようにして流れていた。

（とても渉《わた》れぬ）

韓信は、かねて思案していた条項の一つを命令に移した。

全軍のうち二万人に対して一個ずつ土嚢《どのう》をつくらせることであった。さらに麾下《きか》のすべての将軍をあつめ、自分の作戦を繰りかえし説明した。

「要は竜且をとらえて斬ることだ」

楚軍は竜且の勇に依存している。竜且が死ねばたれも斉《せい》にとどまることを欲せず、さきを争って項羽のもとに帰るだろう。

「あの対岸に竜且がいる」

鞭《むち》をあげながらいった。旗の数をみれば、竜且が居る場所までわかる。

「――竜且はわれわれを攻撃するにあたって」

後陣に居るようなことはすまい、かならず先鋒を指揮して駈《か》けてくる、先鋒を捕《ほ》捉《そく》すればそこに竜且がいる、と韓信はいった。

「しかし竜且はこの河を渉れるでしょうか」

この水量では、人馬ともに押し流されてしまう。

「水量を半分にすれば渉れる」

と、韓信はこたえた。ひとびとは不審がり、

「竜且がその作業をするのでしょうか」

「まさか」

韓信は笑い、

「われわれが竜且のためにしてやるのだ」

といった。


韓信は河川戦闘がおはこのようになっていた。

黄河《こうが》の渡河戦《とかせん》では舟を用いず、木製の瓶《かめ》を無数にあつめて舟艇《しゅうてい》がわりにし、それによって敵の計算外の場所から渡河して意表をついた。井陘口《せいけいこう》の戦いでは泜水《ていすい》という流れを背にしていわゆる背水の陣を布《し》き、烏合《うごう》の衆にすぎなかった自軍の士卒に前進する以外逃げようもないという死に狂いの決意をさせた。

「韓信は水をつかう」

という重要な一条が、竜且の韓信研究からぬけおちていたのは、楚《そ》・斉《せい》連合軍の不幸であったといっていい。

この夜、韓信は上流の狭隘《きょうあい》部を土嚢でせきとめさせた。二万個の土嚢が川底から川面へずっしりと積まれたが、むろん水勢によって土が溶け、もしくは土嚢と土嚢の間隙《かんげき》から水が溢《いっ》出《しゅつ》した。しかし一晩保《も》つ程度であるにせよ、下流へ流れる水量が半減した。

下流の一点に、韓信が立っている。

夜明けとともに韓信は戦鼓《せんこ》をたたかせ、減水した河中に兵を入れた。韓信みずからが先頭を切ってすすんだ。

「韓信みずからが寄せてきた」

という報が、対岸の楚・斉連合軍のあいだを走った。竜且はべつの場所にいたが、すぐ手兵をひきいて駈け、此岸《しがん》にのぼりきっている韓信軍の横腹を衝《つ》くと、韓信は馬上で驚倒した。もしくはそのふりをした。

「おどろけ。おびえよ」

韓信は自分のまわりの親衛軍に命じた。数十本の旗竿《はたざお》がみるみる乱れ、傾《かし》ぎ、ふたたび河にむかって崩れるようにして退却しはじめた。切所《せっしょ》に至って敗走するまねをするというのは韓信がかつて井陘口の戦いで趙《ちょう》軍に対して演じた芸であったが、韓信をあなどりきっていた竜且は簡単にかかった。

「客よ」

と、馬を駈けさせつつ幕僚に誇ったぐらいであった。

「わしがいったとおりではないか。韓信の臆病はいまにはじまったことではないのだ。追え」

鼓を鳴らして追撃を開始した。

十一月の水はつめたかったが、竜且とその人馬はしぶきをあげて水に入り、腰のあたりを水に押されながら渉《わた》りはじめた。

「一挙に韓信を討ちとれ」

竜且はふりかえり、全軍に渡河を命じた。しかし河の淵《ふち》を避けるためにこの大軍も十列か十五列の縦隊にならざるをえず、押してゆく厚味に欠けるところがあった。

韓信は味方の岸辺に這《は》いあがると、ふりかえった。追ってくる楚・斉連合軍のなかに竜且がいた。

韓信はさらに逃げ、敵を上陸させた。敵が半ば上陸したあたりで、狼煙《のろし》をあげさせた。

上流では、この合図を待っていた。かれらは土嚢の壁を一時に断ちきって水を奔流《ほんりゅう》させるとともに戦場へ駈けた。

戦場付近に埋伏していた韓信の他の軍も、いっせいに起《た》ちあがった。

竜且とその部隊は、孤軍になった。

——韓信は敵の「半渡《はんと》」に乗じた。

と、のち兵法用語になったが、この時期、むろん半渡という熟語はできておらず、半バ渡ルニ乗ジタ、と表現されるべきものであった。あとの半ばは、にわかにふえた水量のためにすすめず、溺《おぼ》れる者、流される者、甲冑《かっちゅう》をぬいで自軍の岸へ泳ぎかえる者など混乱をきわめた。

竜且とその部隊を韓信軍のありったけの兵がかこみ、けものを狩るようにして遠矢《とおや》を射、近矢《ちかや》を射、射すくめつつ包囲環《わ》を小さくし、ついに竜且その人を囲んだ。竜且は岩のような肩と精気のみなぎったふとい頸《くび》を持っていたが、矢に射すくめられて血みどろになり、ついに馬もうしない、地に伏したまま漢の雑兵《ぞうひょう》の鉾先《ほこさき》にかかって果てた。

楚軍の一方をつねに支えてきた勇将の最期としては、みじめであった。竜且がなぶり殺されるようにして死んでゆくのを対岸から楚・斉連合軍の半ばが手をつかねて眺め、同盟者である斉王広《こう》にいたっては口をあけてなすことがなかった。戦いではなく奇術ではないかというのが実感ではなかったか。


この戦勝は、韓信の世間像を巨大にした。

韓信自身の本質は変わらなかったが、蒯通《かいとう》のように韓信を自分の縦横学《じゅうおうがく》の素材であると思っている男にとっては、

(もはや、楚・漢以上の存在ではないか)

と思えた。韓信さえその気になってくれれば項羽・劉邦に対する第三勢力として対等に覇《は》を争うこともできるのである。

もっとも蒯生の望みは、そのようなものではない。

(韓信の帝国をつくることだ)

と思っている。せっかく自分が韓信を見込んだ以上、かれをたかが項羽や劉邦づれに比肩《ひけん》させたところで仕方のないことであった。帝国をつくらせてはじめて縦横家のしごとのおもしろみが出ようというものであった。

それには、かれらと形式上同資格である王という身分だけは獲得しておかねばならない。

（斉王がいい）

と思った。

残敵の掃蕩《そうとう》戦で、韓信の主力軍は斉王広を城陽《せいよう》まで追ってこれをいけどりにし、灌嬰《かんえい》は亡斉の相である田光《でんこう》を追ってこれをとらえ、田横《でんおう》についてはこれをとりにがしたが、その軍を嬴下《えいか》（山東省）にやぶり、戦闘力をまったく消滅させた。さらに亡斉の将田吸《でんきゅう》は千乗《せんじょう》（山東省）において灌嬰に殺されている。

斉は、滅亡した。

あとは斉人を鎮撫《ちんぶ》することだが、この古代文明の栄えた土地は人もまた老熟して御《ぎょ》しにくく、詐《いつわ》りに満ち、心が変わりやすく、反覆つねない、といわれている。

「漢の将軍というだけでは、おさまりますまい」

蒯生が韓信に献言した。

漢の将軍という資格では、治められる斉人にとってはつねに自分が敗者であるということが忘れられず、勝利者が駐留して軍政を布《し》くほど腹のたつことはない。いっそ斉王になってしまえば、斉人にとって他郷人といえども王は王であり、臣民として王に忠誠であらねばならぬという倫理は古来積みあげられて出来上がっている。その伝統の倫理の上に乗っかって王として統治するという以外、斉をまとめてゆくことができないのではないか。

「それはわかるが、私が斉王になるのはこまる」

韓信がいった。

「かといってあなた様以外にたれが斉王になります」

「このままでよいではないか」

韓信における矛盾といっていい。大望のぬしのくせに、物事がこのようにさしせまってくると、どうにもはにかんでしまう。というより漢王の軍をもちいて戦いに勝ったということの負《お》い目《め》はどう仕様もなく、もし自立して王になればそのまま謀叛《むほん》ということになるのではないか。韓信には倫理的潔癖さがあり、このあたりの調整はかれ一個の内部ではどうにもならないものらしい。

（よく考えてみると、大望などといっても儚《はかな》いものだ。わしの場合、大がかりな戦《いく》さをして自分の才能をためしてみたいという甚《はなは》だ子供っぽいものにすぎなかった）

戦いはことごとく勝った。もっとも勝つたびに韓信の実像とはべつにその世間像が膨脹《ぼうちょう》してひとり歩きしはじめている。蒯生はその世間像のほうを利用したいという学派であった。

「わしは一介の書生でいたかった」

「それはうそでしょう」

蒯生が、韓信への好意をこめつつも、わずかにあざ笑った。蒯生のような男には、人間の精神がもつ微妙な陰翳《いんえい》がわからない。

「いや、半ばは本当だ。あとの半ばというのは野心だが、それも自分の異能を世間でためしてみたいということだけだったように思う」

韓信は、真顔でものを言っている。

「痴ごとを」

酈生は笑った。

「いまさらもとの書生に戻れますまい。いまあなた様が斉王におなり遊ばさないというのなら、斉はかならずみだれます。みだれた斉はあなた様のおためにもならず、また漢王のおためにもなりません。そのことはあなた様もお認めになりましょう」

「認める」

韓信は微妙にわらった。

「それならば、せめて仮りの王ということではいかがでございますか」

(仮りの王ならば、私の真意を漢王も理解してくれるのではないか)

韓信は、このことにつき、蒯生が実行に移すことを承知した。

韓信から劉邦のもとへ使いの者が派遣された。楊《よう》という者がその長《おさ》で、この者は劉邦に謁《えつ》したことがあり、顔を知られている。蒯生も随行したが、かれは劉邦を知らず、その身分は韓信一個の客(私的幕僚)であるため、正使にはなっていない。ただ正使の楊をかげで動かすためにこの一団にまじっている。

東流する黄河《こうが》沿岸では、劉邦と項羽の死闘がつづいていた。

かつて劉邦は成皋《せいこう》城を夏侯嬰《かこうえい》ひとりをつれて脱出し、黄河の北岸へわたって韓信の兵をうばい、それをもってかろうじて戦いを維持した。

その後、項羽の後方を攪乱《かくらん》した。

項羽は蠅《はえ》を追う猛獣のように身をいそがしくしたため、劉邦は相手のすきを見て黄河を南渡し、成皋城とならぶ滎陽《けいよう》城を手に入れ、かつ敖倉《ごうそう》の穀物をおさえた。

この点がわずかに劉邦に利しているだけで、戦況はつねに項羽の側に有利であった。項羽は大軍をもって滎陽城をかこみ、火を噴くように攻めたてて劉邦の息の根をとめようとしていた。

この時期、劉邦は負傷もしていた。

「もうだめだ」

と、日に何度、張良《ちょうりょう》をつかまえて泣き声をあげたかわからない。

韓信の使いが入城したのは、そういう時期の夕刻であった。

戦況をわずかでも好転させる方法はないかということで、本営の一室で張良と陳平《ちんぺい》を相手に策を練っていた。策といえるようなものはなかった。

「夕食になさいますか」

行儀のいい張良が、何度か劉邦に優《やさ》しく声をかけたが、劉邦は返事をせず、息をわすれたように考えこみ、ときに頭をかかえたりした。

韓信から使いがきた、というので通させると、仮りに斉王になりたい、という口上《こうじょう》であった。劉邦は足もとの壺《つぼ》を蹴《け》り、

「わしはこのように苦戦している。いつ韓信の援軍がくるかと待ちのぞんでおるのに、口上

というのはそれか。自立して王になりたいというのか」

と、どなった。

卓子のむこうに張良と陳平がいる。

（まずい）

と、この稀代《きたい》の謀臣たちは、同時におもった。韓信は劉邦の一将軍にすぎないがその実力は劉邦を上廻り、その功は劉邦をしのぎ、しかも遠方にあって大軍を擁している。自立どころか、楚について劉邦を一挙にくつがえすこともできるのである。

張良と陳平は、こもごも劉邦の足を踏み、「御立腹なさってはなりませぬ」という意味の合図をした。しかし劉邦にはその意味が通ぜず、さらに怒鳴ろうとしたとき、張良はそのしなやかな上体をのばしてきて、劉邦の耳に口をつけた。

「いま漢の形勢は不利でございます。お怒り遊ばして韓信を反撥《はんぱつ》させると、大変なことになります。韓信は榮陽まで援《たす》けにくるに及びませぬ。ただかれには斉を守らせておくということで、陛下は満足なさるべきだと思います」

「わかった」

と、使者に顔をねじむけたときは、劉邦はすでに大きく笑い、陽気な声をあげていた。

「韓信に伝えよ。仮王《かおう》などということはけちくさい。なんといっても大丈夫たる者が強斉を屈服させたのだ。遠慮なく真王になれ」

張良と陳平は劉邦の豹変《ひょうへん》にあきれた。

さらに劉邦は立ちあがって使者の肩をたたき、一方、郎中《ろうちゅう》をよび、韓信のために斉王の印《いん》璽《じ》をいそぎつくることを命じた。

次いで張良にむかい、

「子房《しぼう》（張良）よ、あなたが印璽をとどける使者になってくれるか」

と、いった。ただしその顔にもとの憤《いきどお》りがよみがえっていた。目が暗く燃え、片頬が削《そ》げたようにひきつっている。あるいは憤りというより韓信という新勢力への恐怖というものであるかもしれず、すくなくとも張良は立ちあがって劉邦の口頭の命令に応《こた》えつつ、

（韓信はゆくすえ無事でありうるだろうか）

と、ひそかにおもった。

虞《ぐ》姫《き》

虞姫、二月、春草いまだ萌《も》えるにいたらない。

彼女が項羽に識《し》られたのはこの時期から一年半前、項羽のもっとも多忙なときであった。項羽はその首都彭城《ほうじょう》(いまの徐州)を留守にし、北方の斉《せい》の討伐にむかっていたころで、斉の地では大いに田《でん》氏の軍をやぶり、斉の山も野も削りおとすような勢いで平定しつつあったときに、路傍にうずくまる少女を見た。

項羽は馬をとめ、

「父は、無きか」

と、問うたが、かれの楚《そ》音は斉では通じない。少女は機織《はたお》り小屋の横の草のかげにいて、青い布を一枚かぶってふるえていた。ふたつの大きな瞳《ひとみ》が空の色のように青かったのを項羽はおぼえている。

「この娘に車をあたえよ」

と配下に言いすてて駈《か》け去り、数日後に討伐を了《お》えて宿所でこの娘をみたときは意外にも瞳が黒く、瞼《まぶた》のふちが萱《かや》で切りさいたようにあざやかで、あのときの印象とは別人のようであった。

「竦《すく》んでみよ」

にわかに命じた。と同時にかたわらの布を投げた。

女孺《めわらべ》が二人、その布をとって少女にかぶせた。少女は愕《おび》えてしまい、いわれずとも身を小さくし、項羽ののぞむ姿勢になった。ただ、顔を伏せている。

「わしを見よ」

というと、白いひたいを上げた。瞼があがり、みるみる目が大きくなって、瞳に暗い青さが宿った。あのときの娘だった。

「胡女《こじょ》か」

ときくと、少女はかぶりを振った。もう瞼がさがって、柳の葉のように細い目にもどっている。

事情をきくと、彼女の一族は斉の田氏の反対派で、項羽の楚軍が入ってきたとき、これと内応するつもりでいたのが露顕し、両親とも田氏の軍に連れ去られて斬られてしまったらしい。

「姓は」

「虞《ぐ》と申しまする」

少女は布を女孺にもどしたが、そのとき伸ばした細い腕がひどく長いように思われた。背も高く、唇が黒ずんでいるせいもあって、齢《とし》はたけているように見えた。

「虞よ」

項羽はよんだ。女の場合、姓が名前として使われる時がしばしばある。

「以後、わしのふしどの世話をせよ」

そのあと、首都の彭城が劉邦《りゅうほう》によって攻めとられたとき、項羽は手勢をひきい疾風のように南下して漢《かん》軍を撃滅し、劉邦を走らせ、彭城を回復した。このとき項羽は逃げおくれた劉邦の妻の呂氏《りょし》と父の太公《たいこう》をとりこにした。

項羽はこの電撃戦のとき、虞姫を後方に置きすてた。その後追撃戦の先頭に立ったりして、項羽は露営をかさね、翠《みどり》の帳《とばり》の垂れた寝室に臥《ね》たことがない。

やがて作戦が一段落してある町の殿舎にとまったとき、宦官《かんがん》が寝所をととのえて虞姫をそのなかに入れた。項羽はひさしぶりでこの少女を見た。

「まだそなたの名を知っただけで、他は何も知らない」

このときの項羽は、彼女のこれまでの先入主《せんにゅうしゅ》や印象を洗いながしてしまうほどにやさしかった。

項羽のおかしさは、知らない人間に対しては古家の土壁でも掻《か》きおとすような無造作さで殺してしまえるのだが、名を知り、顔を知り、一度でも言葉をかわせば別人のように情誼《じょうぎ》があつくなってしまうことであった。このことはかれの諸将、謀臣、士卒がすべてかれによって愛されていることでもわかるし、その情愛は劉邦のその配下に対するそれの比ではなかった。虞姫に対して次第にやさしくなり、いま、声までが物柔らかになってしまっているのは、項羽の好色によるものではなかった。なべて色を好むということでは、むしろ劉邦のほうがそうであったろう。

虞姫は首筋がほそくしなやかで、青く血すじが透《す》けてみえるほどに皮膚が薄かったが、臥《ふし》床《ど》のなかで触れてみると、項羽の掌にほのかに脂がしみてゆくようなぬめりがあった。そのくせ胸が少年のように薄く、さらにはいのちを湛《たた》えたようなその腰も意外に小さかった。

「いくつだ」

あらためて虞姫の目を見つめつつ齢をきいた。

「十四でございます」

虞姫の瞳に涙があふれ、光りが青くなった。まさか涙が青いはずはあるまいと思いつつ項羽は虞姫の皐《おか》に触れつづけていた。虞姫のそのあたりはみずみずしく脹《ふく》らんでいたが、しかしその素絹《しろぎぬ》のような皮膚を飾るべきものがまだ与えられていないようであった。

「虞よ」

項羽は立ちあがってこのしなやかないきものを抱きあげると、別な臥床のなかに移してやった。虞姫はおどろき、しばらく声も出ぬ様子で項羽を見つめた。目が柳の葉のように細くなっている。白眼のほうがまつ毛の翳《かげ》を黒く帯びて光り、そのあまりの妖《あや》しさに、

(こどもではないか)

とおもいつつも、項羽は狼狽《ろうばい》した。

「陛下。――」

虞姫が、叫ぶような声でいった。

「陛下にきらわれたくはありませぬ」

というと、一気に衾《ふすま》をかぶり、はげしく歔《な》きはじめた。虞姫は素肌を項羽に見せたとき、すでに殻《から》が割れて果汁があふれ出るように別の人格がうまれてしまった。項羽への愛が出発したともいえるし、わが身を頼らせる人は天涯にこの人しかないという、せきあげるような感情が、血のにおいとともにうまれたともいえる。

「虞よ」

項羽はもどってきて、衾の上から掌の体温を伝えるようにしてたたいてやった。

「桃の蕾《つぼみ》が陽に向かううちに自然にほころびるように、むすめもほころびを待たねばならぬ」

(この人は、鬼神というではないか)

虞姫は、楚の士卒たちが項羽に対して感じていることをこのとき思い、鬼神のような力をもっているならなぜ自分をこの人にふさわしい体に変えてくれないのか、と思ったりした。

「陛下のお力ならば」

なんとかなるはずではないか、とせがむようにして歔いた。

「わしができるのは戦《いく》さだけだ。劉邦というずるがしこいやつをこなごなに砕いて天下を獲《と》ることならばできるが、そちのこのあたりは」

項羽はうまれたての仔兎《こうさぎ》のようなそのふくらみを掌でつつみつつ、

「陽にまかせよう」

といった。


劉邦は、弱かった。

（あの弱いやつが、なぜわしに屈しないのか）

項羽はふしぎでならない。

項羽のみるところ、劉邦は食物に執着《しゅうじゃく》している。敖倉《ごうそう》という秦《しん》帝国の遺産である巨大な穀物倉が大すきで、自然、その敖倉の付近にある滎陽《けいよう》城と成皋《せいこう》城という黄河南岸の城市《まち》に執着していた。

（劉邦のあたまは、わしと戦うよりもおのれの兵を養うことしか考えていない）

武人でなく、つまりは野盗の親分にすぎないのだ、と項羽は見ていた。劉邦も漢軍も蠅《はえ》のようにさえ見えるときがある。

項羽は虞姫を得たあとも、その蠅を追うのにいそがしかった。

虞姫を得て一年二カ月のちに項羽は劉邦を成皋城にかこんで締めあげたところ、劉邦は夏《か》侯嬰《こうえい》とただ二人で黄河を北へわたって逃げてしまった。

（蠅は、敖倉の食物をうしなったわい）

と項羽はおかしかったが、しかし対岸へわたった劉邦はしつこかった。兵力がちりぢりになって主力決戦をする能力などうしなってしまっているのに、広域作戦を考えだして項羽の領域の隣接地や補給線を攪乱《かくらん》しつづけた。韓信を遠く斉の地へやってそこを征服させたり、彭越《ほうえつ》という老獪《ろうかい》な盗賊あがりの親分に楚軍の食糧を供給している農業地を襲わせたりしていた。

とくに彭越がわずらわしかった。

——いったい、彭越とはなんだ。

と、項羽は卓をたたいてうめいたことがある。鉅野《きょや》（山東省）の鼠賊《そぞく》だった男ではないか。若いころは鉅野の沼沢《しょうたく》でかわうそのように魚をとって暮らし、長じては沼沢に隠《かく》れ家《が》を持って盗賊になった。秦帝国のころは煮ても焼いても食えないお尋ね者で、郡やの下級吏員を抱きこんで地下《じげ》の県令のような一種の勢威を張っていた悪党であったが、秦の乱に乗じ、郷党の少年をひきいて挙兵した。

（あの老賊め）

項羽は彭越の人相を聞き知っている。髪は二束ほどもぬけ落ちて、顔の皮膚は岩のようにざらつき、厚ぼったいまぶたがいつも垂れていて、年中眠っているような顔つきが、行動の機敏さは若い項羽でもおよばない。

火の粉を飛びちらすようなゲリラ戦が巧みなだけでなく、軍規については手きびしく、このためその軍隊は一見組織的ではないようにみえて、彭越の命令はすみずみまでゆきわたるようにできている。

劉邦は、この彭越をうまくつかっていた。

というより、彭越が劉邦をつかっていたといえるかもしれない。彭越は挙兵後ほどなく劉邦に属したが、劉邦を見こんでのことではなく、もののはずみというべきものだった。秦がほろび、一時期、懐《かい》王、項羽が天下の流民団の総代表になって大いに論功行賞したとき、彭越だけは外《はず》した。

――ただの盗賊ではないか。

と、当時、謀臣の范増《はんぞう》らがいったためだが、しかし現実の彭越は配下一万人という大きな勢力で、侯として封《ほう》ぜられてもおかしくなかった。

「あの男に滅秦の功があったわけではない」

まして項羽のもとに顔も出したことのない男だから、項羽はこのひとことと范増らのいうとおり黙殺した。

彭越にとってこれほどの不名誉はなく、項羽に対し根にもった。この種の怨恨《えんこん》のつよさは、病的なものといっていい。

ただ彭越がこまったのは、項羽のもとをはなれたために、兵や流民を食せることができなくなったことであった。

幸い、斉の田栄《でんえい》が項羽にそむいたので、かれはさっそく斉に属し、その将軍になった。彭越とその配下にとっては餓えることからまぬがれた。それだけによく働き、楚の将軍蕭公《しょうこう》角《かく》の軍を大いにやぶった。

以後、彭越は楚とたたかうならたれの下に属してもよかった。かれは三万余人にふくれあがった兵力をひきいて劉邦に属し、戦国のころに梁《りょう》（現在の河南省開封《かいほう》をふくめた一円の地方）とよばれていた地方を平定し、外黄《がいこう》城（河南省）を奪った。項羽の直轄地というべき地である。ちょうど、項羽が斉へ遠征して虞姫を得たころのことで、項羽はその首都彭城《ほうじょう》およびその領地を留守にしていた時期であった。彭越の作戦はつねに敵の弱点を衝《つ》くにある。漢王劉邦も項羽の留守中の彭城に乗りこんできたばかりの時期で、彭越の外黄占領をよろこび、

「外黄だけでなく、梁の地ぜんたいは、君の斬りとり次第にまかせる」

と、ゆるした。

が、斉の地から軍をかえして南下してきた項羽によって漢軍は微塵《みじん》にくだかれ、劉邦は逃げた。このときの遁走《とんそう》で劉邦は何度か車から息子と娘を突きおとしたということは、すでにふれた。彭越も泡《あわ》をくって外黄から逃げだし、北へ走り、わずかな手兵をあつめて黄河のほとりに身をひそめた。

そのあたりを、黄河は東流している。

現在はその南岸に沿って隴海《ろうかい》鉄道が走っている。劉邦や項羽は何度この線を西へゆき東へ往《い》ったことであろう。とくにその線上の榮陽・成皐を中心に項羽と劉邦がはてしもない死闘のくりかえしに入るのは、前記の段階のあとである。

隴海線上での死闘中、彭越はゲリラとして項羽の後方をおびやかすのだが、その狙うとこ

ろは梁の地であった。かれが肥沃《ひよく》な梁地方に固執したのはこの地方で食糧を得て自前《じまえ》で兵を食わせたかったためであった。自前で食うということは自立への道であり、彭越のように天性不羈《ふき》の男にとってはこれ以外になく、かれは楚はむろんのこと、漢にも属したくはなかった。

（項羽や劉邦が何であろう。この彭越こそ天下のぬしになるのだ）

ということは、むろん、この初老の男は口外したことがない。

が、たれにも属したくないという以上、結局そういう肚《はら》とみられても仕方がないのだが、ただこの男はゲリラ戦で自前の地を持とうとする以外に天下取りのために必要な手や小細工はすこしもやらなかった。

どうやら彭越は、自分の天運についての信仰がつよすぎるようであった。

――すでに漢楚が死闘している。いずれは劉邦も項羽もともに斃《たお》れ、天下は、このおれか、あるいは斉にいる韓信のどちらかの手に落ちる。

とおもっていたし、その証拠に、将来そのようになったときの立脚地として梁の地に執着したのである。それが劉邦にとって結果的に漢を救いつづけるゲリラ活動になった。

もっとも彭越の存在についての評価は、項羽の側ではすこしちがっていた。

――ああいう人間がいるというのは、漢軍の弱点とみていい。

――劉邦の配下など、猥雑《わいざつ》なものだ。犬がいるかとおもえば虎も狐もいる。寄りあい所帯ではないか。

と、項羽の幕僚は口をひらけば言う。項羽もそうおもっている。これにひきかえ項羽の楚軍は項羽の武に対して信仰的な安心感をもつ組織で、一将といえども天下に野心をもつ者はおらず、みがきあげられたような統制のもとにうごいている。

彭越《ほうえつ》が三たび梁の地に出てきたのは、劉邦が黄河北岸に逃げたあとの段階である。さらにいえば劉邦が韓信《かんしん》を叱咤《しった》して斉《せい》へゆかせた段階よりあとで、北岸に敗兵や新徴募《ちょうぼ》の兵をあつめて相当にふくらんだ時期であった。食糧もあつまり、兵たちの胃袋も充《み》ちた。

一方、項羽は、劉邦からうばった滎陽《けいよう》・成皐《せいこう》にいて、主力を集結させていた。その後方(東方)はるか三百キロの地点に、楚の首都であり、大兵站《へいたん》基地でもある彭城《ほうじょう》が位置している。この三百キロのあいだを、徴用した老人たちが前線へ食糧を運びつづけていた。項羽の補給線は伸びきっていた。

――補給難こそ項羽の弱点だ。

と、劉邦は見ている。しかも項羽軍の補給線上の中間に梁という小地域が、置きわすれられたようにころがっているのである。梁はむろん楚領である。しかし警備の人数もすくなく、つねに敵に対して無防備な腹をつき出していた。

――またも彭越が梁にあらわれております。

という急報をうけたのは、項羽が成皋城にいるときであった。この時期、黄河対岸では同時に劉邦も動いた。むろん彭越と呼応してのことであったが、黄河北岸からふたたび南渡して、滎陽城外に陣を布《し》いたのである。最初、項羽は前面の劉邦にとらわれた。項羽は前面の劉邦を攻めようとしたが、しかし後方の彭越の様子がいつもとはちがっていた。勢いがさかんで、第二報では彭越がたちまち梁の十七城を陥《お》としてしまったというのである。

(まさか)

と、おもった。いつもの彭越なら兵をちらばらせて補給部隊を襲ったり、食糧の集積地を急襲してこれをうばうばかりで、城を陥とすなどはあまりなかったのだが、こんどは大洪水が寄せてくるようないきおいで梁の地そのものをおさえた。報告によると、漢《かん》の正規軍が加わっているという。劉邦の従兄《いとこ》の劉賈《りゅうか》と幼な友達の盧綰《ろわん》のふたりがこの遊撃軍の将軍になり、漢兵二万をひきい、彭越を応援していた。かれらは白馬《はくば》の津《わたし》(河南省滑《かつ》県)から黄河を南渡し、付近の楚軍を延津《えんしん》(河南省)でやぶってたちまち梁の地にあふれた、というのである。

これによって成皋城にある項羽の主力は、糧道を断たれた。だけでなく、前面の劉邦軍とのあいだにはさまった以上、挾撃《きょうげき》されるおそれもあった。

(劉邦め。——)

項羽は、ほとほと自分の敵がうとましくなった。こんどこそ劉邦の息の根をとめたとおもったのに、冬を越したうじ虫が五月蠅《さばえ》なしてむらがり出てくるように南岸の野に羽音をたてはじめたのである。

「彭越からたたきつぶす。わしみずからがゆく」

項羽は幕僚たちに宣言した。成皐城の留守として曹咎《そうきゅう》をのこすことにした。

「わしが後方へ去っても前面の劉邦には城壁をよじのぼってくるほどの力はあるまい」

と、曹咎にいった。

「劉邦がいかに挑発してきても、決して乗るな。城門をかたく閉じて城のみを守っておれ。十五日間だ。いまから往き、彭越の生首をもぎとって、十五日後にもどってくる。それまで自重せよ」

と言い、虞姫《ぐき》も成皐城内の殿舎にのこした。

虞姫は先々月の真夏に女になった。侍女が項羽にそのように報告したとき、項羽は三十にもなって顔を赤くした。侍女はおどろき、顔を伏せ、やがて小さな声で、すぐお召しあそばされますか、ときいたが、項羽はこの侍女にまでやさしく、早春の芽は風に傷みやすいものだ、と言った。つつしむというのである。

項羽は諸事火のように烈しいという男でもなかった。虞姫に対して見せたそのような含羞《がんしゅう》と行儀のよさは、しばしば諸将に対しても見せた。一種のあどけなさというのに似ていた。

項羽は侍女が去ったあと、虞姫をよばせた。虞姫がくると、衣《きぬ》をとおしてそっと体にふれ、熱いものに触れたように掌を離して、

「秋になって天が高くなれば、わが寝所に来《こ》よ」

と、ささやいた。

他の者に対しては、

「以後、虞姫を美人とよべ」

とふれを出した。美人とはよき人という意味で男につかわれる場合もあり、この時代はまだ性別として不確定なことばで、この場合は項羽の後宮《こうきゅう》の一階級ということであったろう。ただし項羽には正室がいなかった。後宮の女も制度をととのえるほどの人数はおらず、その意味では美人とは上下の位置づけではなく、ただ一人の寵姫《ちょうき》ということを項羽が制度めかしい呼称でよばせたのかもしれなかった。

まずいことに、楚軍の後方を彭越が擾乱《じょうらん》したのは、項羽が虞姫にそういった時期であった。天が高くなろうとしていた。項羽の幕営は昼夜をとわず人が出入りした。項羽は虞姫をわすれたように日をすごした。

出陣の朝、陽がまだのぼらぬ刻限に項羽は虞姫をよび、いきなり抱きあげた。十五日待て、帰城したその夜に、といったあと、はげしい息づかいとともに、卑猥なことばを虞姫の耳のなかに襲い込ませた。

虞姫は楚音に馴《な》れはじめていたが、項羽がいった言葉はわからなかった。が、意味を体のほうがさとって身を痙《ひきつ》らせた。そのふるえが、戎装《じゅうそう》している項羽の腕にまでつたわった。項羽はたまりかねて寝所に運ぼうとしたが、かろうじて慎《つつ》しみ、虞姫の体をおろした。出陣にあたって女に触れるとおもわぬ不覚をとるといわれ、どれほど好色な武将でも婦人には接しない。

すでに夜が明け、成皐城の城外は、出陣の楚兵で満ちていた。項羽は近衛《このえ》の騎馬隊とかれらがもつその華やかな旌旗《せいき》とともに城門から突出《とっしゅつ》した。その砂塵が、はるか郊野の東方に消えてゆくまで虞姫は城頭から見送った。

梁《りょう》の地まで、二百キロをこえるだろう。

往復十四日はかかる。項羽の見つもりでは到着するや一日で敵を撃破し、宿営もせず、その足で成皐にひっかえして来ようというものであった。かれの武力のすさまじさが、この無造作な予定からもうかがうことができる。

彭越《ほうえつ》とかれを応援する漢軍が梁地方の十七城を奪ったとはいえ、その主たる城市は外黄《がいこう》と睢陽《すいよう》であった。

項羽が得た情報では、

「彭越軍は外黄と睢陽に入って、楚軍が集積していた兵糧《ひょうろう》を焼きはらった」

ということであった。兵糧は焼かれたが、その両城が敵にとられたとはきいていなかった。しかし、梁に入ると、この両城に漢軍の旗が林立し、意外なことに、項羽がきても城兵は逃げなかった。

予定が、狂った。

項羽は攻城戦をやらざるをえず、城をかこんで火を噴くように攻めたてた。城攻めは長期に攻囲する以外にないのだが、短兵急を好む項羽の気象にあわなかった。項羽は外黄城の周囲に城攻めの高櫓《たかやぐら》を組みあげる一方、城壁をくずす作業をさせた。かれにとってこれほどいやな手間ひまはなかったが、何よりも腹のたつことは外黄の市民が漢軍に味方して城壁から石などを降らせてくることだった。

市民にとっては漢軍が強制するためやむをえなかった。

が、項羽の感情は、

——裏切って、敵になりおった。

ということで煮えたぎった。世界を敵味方の黒白でしか分けることができないというのが項羽の性癖で、これに対し劉邦《りゅうほう》は世界は灰色であり、ときに黒になり、ときに白になるとおもっていた。

外黄で、思わぬ日数がすぎた。

やがて城が陥ち、漢兵が逃げ、市民がのこったとき、項羽は生き残った市民のうち十五歳以上の男子のすべてを繫《つな》がせ、かつ城外に阬《あな》を掘らせた。

「阬《こう》してしまえ」

それも百人阬、千人阬ではなく、万人阬であった。その作業も、やがてそこに生き埋めにされる市民自身にやらせた。項羽の常套《じょうとう》の法であり、これまでにかれはどれだけの人間を阬してきたかわからない。

「当然の罰だ」

と項羽はおもい、この決定と遂行にいささかのひるみもなかった。

ところが、作業を巡視中に、少年を見た。少年は他の者と同様、両足に縄をひきずって鍬《くわ》を打ちおろしていたが、手をとめて項羽を見た。目が、虞姫《ぐき》に似ていた。

「大王《だいおう》、外黄の者はただ漢軍におどされて戦っただけなのです。たれもが大王を慕い、大王の来られるのを待っていました」

少年の目は奇妙なほどに怒りを宿さず、むしろその表情に項羽へのあこがれがあった。

「であるのに、このように阬されるという。あまりにも外黄のひとびとが可哀《かわい》そうでございます。慕って殺されるというなら、人々はもはや大王を慕わなくなりましょう。……梁には」

少年は、泣きだしてしまった。

「梁には、外黄だけがあるわけではありません。あの十幾つの城のひとびとも、このような目に遭《あ》うなら、死をおそれて懸命に戦うことになりましょう」

項羽は最初、眉をしかめていたが、やがてこどものような顔になり、唇をあけて聴き、聴きおわるとすばらしい道理だとおもった。

「小僧」

と、項羽の本質の一面をそのように見て、しばしばかげでののしっていたのは死んだ范増《はんぞう》であったが、項羽にはたしかにその面があった。もっともただの小僧ではなく、天才という雷電のような働きを内蔵した小僧ではあったが。

「解いてやれ」

と、兵に命じ、すべての市民を自由にした。少年の足の縄も解きすてられた。項羽は馬を往かせながらふりかえって少年をほめた。ひるがえっていえば、項羽の幕僚にはこの少年程度の者もいなくなっていたのである。項羽は武においてたれよりもすぐれていたことと、性格や価値判断において黒白が鮮明すぎるために、ひとびとは項羽に畏伏《いふく》するのみで、その言葉にさからわなくなっていた。楚軍のみごとな統制の一面、病的な欠陥があらわれはじめていた。

項羽は梁の地を平定すると、馬首を西へめぐらせて成皋《せいこう》城にもどるべく急行軍した。楚軍の兵士は、項羽の旺盛《おうせい》な行動力によってつねに疲労していた。

その反転行軍の途中、西方から使者が走ってきて、おどろくべき報告を項羽にした。

成皋城は、劉邦にとられたという。

「曹咎《そうきゅう》はどうした」

項羽はいそがしく馬を立てなおしつつ、鞍《くら》の上からどなった。使者はふるえながら、

「愧《は》じて、自刎《じふん》して死にましてござりまする」

といった。

項羽はたたみこんで、

「司馬欣《しばきん》や董翳《とうえい》は。――」

かれらは、曹咎につけてやった諸将である。

「両将軍とも敗戦の責めを負って自殺いたしましてござりまする」

使者はいった。

「虞姫《ぐき》は」

ときこうとしたが、項羽はだまった。

事情をきくと、劉邦は項羽のいない楚軍というものをなめきっていて、成皐城をかこむと、曹咎を城外にひっぱりだすべくさんざん悪口雑言をあびせた、というのである。

「弱虫、腰抜け」

からはじまって、あらゆることを言いつのった。

曹咎は、かつて秦《しん》の役人であった。

かれが櫟陽《れきよう》県（陝西《せんせい》省）の獄の管理主任をつとめているとき、項羽の叔父の項梁《こうりよう》が事に坐して投獄された。項梁は曹咎と顔見知りの仲だったから、釈放方《かた》をたのみ、曹咎も一肌ぬいで、獄吏の司馬欣に書を送り、項梁を逃がすようにたのんだ。項梁も項羽もこれを恩に着た。

その後、項羽が関中《かんちゅう》に入ったとき、曹咎と司馬欣をまねいてそれぞれ将軍にした。

漢軍のなかにはそれを知っている者がいる。

「獄で手心を加えることは知っておろうが、いくさは知るまい」

とまで言った。

曹咎はついに出撃してしまった。

漢軍はいつわって逃げ、やがて曹咎が城壁上の弩弓《どきゅう》の射程外まで離れたとき、漢軍はその退路を遮断《しゃだん》し、包みこんで殲滅《せんめつ》した。曹咎は項羽の言いつけを守らずに出戦して敗れたことを悔い、汜水《しすい》のほとりで自殺した。

「成皋城は」

項羽は、きいた。

「漢軍の有《ゆう》になりましてござりまする」

「城内の者は？」

ときいたのは、虞姫の身を案じてのことであったが、使者は市民たちであると思い、殺されはしませなんだ、といった。

「張逸《ちょういつ》は？」

宦官《かんがん》の名である。水死した豚のようにふくらんでいた。項羽はこの男の安否さえきけば、虞姫らのことも見当がつくと思った。

「申し上げることが遅れました。司馬欣将軍は虞美人や張逸らを落としてから自害なされましてござります る」

「無事だったか」

項羽は、目の表情がやわらいだ。

「はい。張逸はあのような体のくせに脚が速く」

「張逸のことをきいているのではない」

項羽は、曹咎らの復仇《ふっきゅう》をするのだ、と全軍に自分の忿《いか》りをつたえ、行軍をさらに急にした。

ほどなく虞姫らを護送した一隊がやってきた。もはや拠《よ》るべき城がない以上、婦人たちは彭城《ほうじょう》までひきあげたほうがよいのではないかとひとびとが項羽にすすめたが、項羽はきかず、虞姫の車に馬をよせ、

「前線へ来い。劉邦の首をみせてやる」

と言いすて、甲冑《かっちゅう》を輝かせながら通りすぎた。

ともかくも、漢軍の士気はあがっていた。汜水の河原でめずらしくも楚軍に勝ったということは、劉邦の気分をも浮き立たせていた。

――この勢いに乗ることだ。

劉邦は言い、大いに士卒をはげましてさらに滎陽に軍をすすめ、その付近の城市《まち》にこもっていた楚将鍾離昧《しょうりまい》をかこんだ。

鍾離昧は竜且《りゅうしょ》とならんで項羽の配下の二大名将ともいうべき存在で、士卒のなかにはその名をきくだけでおびえる者がいる。

「すでに曹咎《そうきゅう》の首をあげた。鍾離昧ごときがなんであろう」

ということばを全軍につたえさせ、それによって士卒の恐楚感情をのぞこうとした。

が、事態が一変した。項羽が黒煙りをあげるようにして成皐城にちかづいているという。

漢軍は恐慌《パニック》におちいり、

「項王来《シアンワンライ》」

「シアンワン・ライ」

「シアンワン・ライ」

という声が地《じ》辷《すべ》りのとどろきのように駈けめぐって全軍を動揺させ、勝手に軍を離れて逃げだす群れさえあった。

劉邦も、逃げだしたかった。しかしそれ以上に音をたてて崩れようとする全軍をなんとかまとめざるを得なかった。滎陽城か成皋城に逃げこんで城壁をたよりに項王の猛攻をふせぐということもあったが、そういう籠城《ろうじょう》では糧食が尽きるときがくる。

(どうすればよいか)

劉邦は、地《じ》を踏みしだいて泣きたかった。

劉邦は食糧に敏感な男だった。このことは才能といえるものではなかった。かれは泗水《しすい》郡の沼沢地で野盗を働いていたときも、つねに餓え、餓えればいくさも何もあったものではないという経験だけは、いやというほど積んでいた。一軍の将になったあともつねに食糧を漁《あさ》りあるき、兵を食わせることを第一に置き、余力があれば作戦をやった。

補給の感覚ばかりは劉邦は項羽にまさっていた。

「滎陽や成皋の城の壁土が食えるはずがない」

劉邦はこの追いつめられた状況のなかで、窮した者のみが持ちうる飛躍をした。防禦《ぼうぎょ》は城、という観念からとびこえて、いっそ食糧庫を抱きかかえて防戦しようとおもった。

「どうだろう」

張良《ちょうりょう》に相談したとき、張良は最初、この案の突っ拍子のなさにおどろいたが、やがて百年に一度の妙案であるようにおもえてきた。つねにどの状況でも応用できるという案ではなかったが、この状況下の彼我《ひが》の士気、主将の優劣、さらには項羽の楚軍が勢い猛《もう》であるとはいえ、後方の外黄《がいこう》・睢陽《すいよう》の兵糧集積所を彭越《ほうえつ》に焼きはらわれて補給が困難になっていること、などを勘考してゆくと、劉邦の飯櫃をかかえて飯櫃を守るという防禦戦が、あるいは採《と》るべき唯一の案かもしれないと思いはじめた。

「陛下にしては、おめずらしく」

よい案を思いつかれましたな、と云うと、劉邦は真顔で、おれは本来そういう男なのだ、といった。本来そういう男とは、本来作戦能力があるということなのか、地《じ》は食い物にいやしい男だ、という意味なのか、よくからない。

張良がめずらしく爆《はじ》けるように笑ったのは、かれはすくなくとも後者の意味として受けとったのだろう。笑われて劉邦はさすがにいい顔はしなかった。

以下、このあたりの地形について触る。

北方に黄河《こうが》の水が西からきて東へ去っている。南のほうに丘陵が多く、黄河にむかって迫っているが、しかし太古以来、氾濫《はんらん》をつけてきた黄河の水のために丘陵の北端は削られ、野はほぼ夷《たいら》になっている。その平地の黄河（南岸）寄りに成皋《せいこう》城があり、その東南に滎陽《けいよう》城がある。成皋城と滎陽城のあいだ——というよりやや黄河南岸寄りに錯綜《さくそう》した地形で隆起しているのが広武山《こうぶさん》である。この広武山の西《せい》の高地に巨大な大穴をいくつも穿《うが》ち、それぞれに屋根をかぶせて穴倉《あなぐら》群をなしているのが、秦《しん》帝国の官営穀倉《こくそう》であった敖倉《ごうそう》である。

「広武山へ入るのだ」

という命令が、潮の声のように全軍にゆきわたり、部隊それぞれが防禦と逃亡に屈強の地形を占拠すべくあらそって登りはじめた。

登りおわると、部隊それぞれが気狂《きぐる》したように杭《くい》を打ち、柵《さく》を設け、空堀《からぼり》を穿つなど、防禦工事をほどこしはじめた。

陣地は、項羽軍が来るであろう東方にむかって翼をひろげている。陣地が占めている長大な一峰の前面（東方）は大きく澗《たに》になって落ちこみ、谷底には水が流れている。この小渓谷を土地の者は広武澗《こうぶかん》とよぶ。

その澗むこうに、一峰がある。東方からやってくる項羽はおそらくこの峰に陣地を設けるであろう。

やがて、項羽がきた。

「劉邦めは、山にのぼりおったか」

項羽は、意にも介せず、まず成皋城と滎陽城の占拠を確実なものにした。広武山のまわりにあるこの二大城市を楚《そ》軍がおさえた以上、漢《かん》軍は山を降りるに降りられず、酔狂にも上へのぼりっきりのかたちになった。野には楚軍が満ちている。古来、こういう作戦をとった軍はなかったのではないか。

「降りねばひきずりおろすまでだ」

項羽は漢軍の背後（広武山の西麓）を弱点とみて軍の一部をまわし、ふもとから攻めあげた。が、高地に柵を設けている側は強く、ふもとから鹿砦《ろくさい》を排除しながらのぼらざるをえない楚兵には不利であった。

項羽はその方面にはおさえの部隊のみを置き、あらためて正面にまわり、劉邦が敵の予定陣地として想定した一峰にのぼり、正攻法をとることにした。前に広武澗が地の底をえぐったように落ちこんでいる。

そのむこうの峰は、よく短時日のあいだにこれだけの工事をほどこせたものだと思えるほどの堅城で、木をすきまなく並べた城壁があるかと思えば、無数の城楼が立ちならび、楼上には射撃兵が詰め、澗を越える者があればねずみ一匹でも射殺できる態勢をとっている。

「漢城」

と、のちに土地ではこの遺跡をよぶようになった。それに対し、澗をへだてた項羽の峰は、

「楚城」

とよばれた。

項羽は、防禦主義者ではなかった。

しかし敵が人工の構造でもって手出しをこばんでいる以上、こちらも築城し、敵の奇襲、急襲をふせがねばならなかった。やがて峰を蔽《おお》って巨大な城塞《じょうさい》ができあがった。

げこんだ。

この間、項羽はしばしば強襲を仕掛けた。漢兵はつねに弱く、そのつど大小の構造物に逃げこんだ。

漢城、楚城というふたつの峰に築城上の優劣はないが、ただ決定的なちがいは漢城の峰はメシツブのかたまりであるのに対し、楚城の峰はどこを掘っても穀物のかけらも出て来ないということであった。

項羽は、劉邦より馬鹿であるという証拠はひとつもない。

ただ一点、項羽のおかしさは、めしというものは侍童が持ってくるものだと思いこんでいたことであった。楚軍の補給は、その部署に立つたれかがやってきたが、項羽自身が頭をなやましたことはなかった。というより、将たる者がそういうことに心をわずらわすのは愚だということが物の考えの底にあったといえるかもしれない。

ひと月も経つと、楚城の峰の兵は餓えはじめた。

漢城の峰の兵は、血ぶくれするほどに肥っている。

（劉邦のやつ、卑怯《ひきよう》な。……）

と、項羽はようやく劉邦の魂胆がわかった。あの意地ぎたない男が広武山にのぼったことも、登っただけでなく、あの峰を占拠したことも、さらには倉のないこちらの峰を残して項羽を誘導し、築城させたことも、すべてわかった。この峰に居ればいるほど項羽の軍は痩《や》せてゆく、という仕掛けになっていた。

後方の梁《りょう》の地が、楚軍の糧秣《りょうまつ》集積地である。それも彭越《ほうえつ》老人に焼かれてしまった。さきの外黄《がいこう》・睢陽《すいよう》戦で項羽は彭越をとりにがしたが、その彭越がまたも息を吹きかえして梁に出没している。楚都彭城《ほうじょう》から糧秣が運ばれてくると、風のように彭越の兵がやってきてそれを奪うのである。

(彭越を王侯にしておくべきであった)

いまさらながら、項羽にはくやまれることであった。

彭越には元来、義も誠もない。そういう男が劉邦に忠誠心をもっているわけでないことは、項羽もわかりかけていた。彭越にとっては単に梁の地と兵を養う食糧がほしいだけのことであったが、そういう悪党をなぜ懐柔しておけなかったか。もっとも項羽の性格においてはその種の悪を憎むことがはなはだしいために彭越のような男が項羽の傘下《さんか》で棲息《せいそく》できるはずがない。

(劉邦のようなえたいの知れぬやつの下でこそ、彭越がごとき糞土《ふんど》を練りあげてつくったような男でも息がつけるのだ)

ということを、項羽はちかごろわかりはじめてきた。

王侯にしておけばよかった、と思いつつも、項羽はいま彭越が降参してかれの前にやってきたところで、その顔を見ただけで嘔吐《おうと》するにちがいない。

ついでながら、彭越には後日の運命がある。かれは高祖《こうそ》(劉邦)によって梁王になったが、高祖の妻呂后《りょこう》に嫌われ、謀叛《むほん》のうたがいをうけて誅殺《ちゅうさつ》された。その肉は塩漬けにされ、ハムのように切りきざまれて、諸侯に洩れなく贈られた。憎しみを共にせよ、という寓意《ぐうい》であったが、この塩漬けとそれを啖《くら》うという形式にはこの大陸に食人の習俗があったことを想像させる。大正十三年、桑原隲蔵《じつぞう》博士が史学上の立場からこの大陸における食人習俗《カニバリズム》を論考しているが、いずれにせよ彭越の場合、その末路は食われてしまう。この滑稽とも悲痛とも言いようのない終局によって、かれの人間と人生そのものが痛烈な演劇にされてしまった。

項羽の楚軍は、衰弱しはじめた。

補給の難というのは、兵だけが餓えるのではなかった。付近の城市の民も農村の民もすべて餓えはじめた。数十万の兵がせまい滎陽《けいよう》・成皐《せいこう》・広武《こうぶ》の間にひしめき、しかも後方からの糧《かて》がわずかしか来ない以上、土地の者が保有している食糧を奪わざるをえない。ひとびとは壺に穀物を入れて土中にうずめたが、兵たちはたくみに嗅《か》ぎつけて掘りかえしては食った。

一昨年以来、滎陽・成皐のぬしは、しばしば交代した。漢軍の場合、劉邦が兵を餓えさせぬように心を配ったし、餓えれば遠く関中や黄河北岸から食糧を運ばせたが、楚軍の場合、野に満ちているのは楚兵ばかりという強盛を誇りつつ、食糧については平気で民のものをうばった。自然、項羽に対してひとびとの心がつめたくなり、

——項王が天下のぬしになれば餓えるのではないか。

とおもいはじめた。

地下《じげ》の者の同情は、山上にのぼりっきりの劉邦に集中し、このため漢軍の諜者《ちょうじゃ》が野に降り

てきて楚軍の情報をさぐるときも、ひとびとはすすんで協力するようになった。

たとえば、

「虞姫《ぐき》という項羽の寵姫が成皋城にいる」

ということを、広武山の山上に釘付《くぎづ》けされている劉邦が知ったのも、地元からの諜報のおかげであった。

「項羽は、虞姫に会うために広武山と成皋のあいだを通っているのか」

と調べさせると、そういう形跡はなかった。項羽は峰の上の本営にのみいる。

(そこが、項羽だ)

劉邦は、おびえとともにおもった。項羽が武というものにすべてを賭《か》けていることを劉邦は知っている。戦いをかさねるにつれ、項羽はいよいよその傾向をつよくした。自分自身の人格を、錬鉄《ねりがね》でも打つように、武そのものに打ち鍛えてしまっているようなところがあり、劉邦にとってはそれがはなはだ迷惑なことであった。

(項羽の決意は、よほどのものらしい)

とも、劉邦は右の虞姫に関する諜報でおもった。それほど愛しているなら、虞姫を山上によべばよい。それをしないというあたりに、この戦いに賭ける項羽の気魄《きはく》がうかがえるようでもある。

事実、項羽はこの一戦をもって、楚漢争覇《そうは》という果てしない戦いの最後のものにしたかった。

げんに、澗《たに》をへだてて数百メートルむこうに劉邦がいる。あの捕捉《ほそく》しがたかった劉邦が、眼前――呼ばわれば声のとどきそうな近く――にいる。しかも劉邦が得意としてきた脱出と遁走《とんそう》はこんどばかりは不可能で、広武山のまわりは洪水のように楚の兵がひたしているのである。劉邦は楚の海にうかぶ島の上にのっかっているだけではないか。

が、劉邦は応じて来ない。

「それでも汝《なんじ》は武人か」

と、項羽は毎日のように澗《たに》越しに罵声《ばせい》をあびせている。

武の思想が、劉邦と項羽ではちがうようであった。

対峙《たいじ》して二カ月経ち、項羽はいらだった。

劉邦に手出しをさせるだけでいい。劉邦が出戦してくれればこれをたたきつぶすのに造作はない。

彭城《ほうじょう》の町に、かつてとらえた劉邦の老父太公《たいこう》と劉邦の妻呂氏《りょし》を保護してある。

この二人を広武山につれて来させた。

項羽は、呂氏のそばに寄ってみた。幽閉中、沐浴《ゆあみ》しないせいか、垢《あか》のにおいがし、皮膚は黄土を塗ったように黄色かった。

「なにかご不満がありますか。あれば、おっしゃってください」

項羽は本気でたずねたのだが、呂氏は目を鷹《たか》のようにするどくし、逆毛《さかげ》を立てるような表情でもって、返事に代えた。項羽はだまって離れた。

その点、老父の太公のほうはあわれであった。項羽がそばに立つと、地に額《ひたい》をこすりつけて拝跪《はいき》し、しきりに掻《か》きくどいて憐《あわ》れみを乞うた。本来、沛《はい》県の豊邑中陽里《ほうゆうちゅうようり》の農夫にすぎないこの老父にとってこれほど迷惑なことはなかった。末っ子の劉邦さえまじめに百姓をして兄の劉伯《りゅうはく》の手伝いをしておればこういう理不尽な目に遭《あ》わずにすんだ。

「あなたも漢《かん》王の父君である以上は、覚悟のよさを見せてもらわねばなりませぬ」

項羽は、ごく自然に言葉を鄭重《ていちょう》にした。

一方で、大きな俎《まないた》をつくらせた。

翌朝、夜があけるとともに太公は素裸にされ、俎にしばりつけられて楚城の前面にかつぎ出された。

劉邦は、注進を受けた。

かれの老父が俎にしばりつけられ、楚城の陣前にかかげられているという。そのまわりに楚兵がむらがり、そのうちの二人が大きな庖丁《ほうちょう》をかまえてこの犠牲《いけにえ》の料理にとりかかろうとしていた。

(父を殺すというのか)

劉邦は、動転した。かれは故郷の中陽里では親不孝者で通っていたし、第一、かれを邪魔者あつかいにしつづけ、顔をみれば罵倒《ばとう》していたこの老父を、好きかといわれれば、そうだとは言いがたかった。が、殺されるとなるとまったく事態の質はちがってしまう。劉邦はいまにも泣きだしそうになったが、しかしこの感情の発作はかならずしも孝心から素直に出たものとはおもえなかった。

儒教は孝をもって倫理の基本としている。倫理だけでなく、社会がよく統治されるための中核の思想ともされていた。

劉邦の時代には、志士的な儒徒もしくは職業的儒徒が多くなっている。しかし一般が儒教で統治されているということはむろんなく、そのことはかれより七世あとの武帝《ぶてい》の出現を待たねばならない。

とはいえ、儒教は、この大陸の原形的な倫理習俗としては孔子《こうし》の出現以前から存在した。というより民間の習俗を集成し濾過《ろか》し、規範化したのが孔子の儒教といってよく、この点、儒徒ぎらいの劉邦といえども習俗の正義としての孝の思想は持っていた。ひるがえっていえば孝でなければひとびとの反撥をくらい、人心をうしなうのである。

劉邦が窮して泣きだしそうになったのは、この点の板挾《いたばさ》みによるもので、むしろ泣くほうが、人心の収攬者《しゅうらんしゃ》としてのかれにとって必要であった。

劉邦は漢城の前へ前へと歩いた。柵をくぐったり、板橋をわたったり、櫓《やぐら》の下を通ったりして、ついに崖《がけ》にのぞんだ台上に立った。足もとには、ふかく澗《たに》がえぐれている。目の前に、父親が、俎に張りつけられて、ややかしいで立たされていた。

項羽も、楚城の台上にいる。

（案の定、劉邦が、出てきおったわ）

項羽は、この巨大なえものをみて、とびあがるほどにうれしかった。

「見たか、劉邦。――」

思わず、潤が割れるほどの声をあげた。

「降伏しろ」

降伏せねばこの太公《たいこう》を烹殺《にころ》す、というのである。項羽の要求は子供じみていたが、かといって戦わない劉邦に対してこれ以外にどんな方法があるというのか。

劉邦は、だまっていた。やがて、

「項羽よ、わすれたか、わしがお前さんとともに懐王《かい》に仕えていたころ、兄弟の義を盟《ちか》ったことを。である以上、わしの父はお前さんにとっても父である。その父をお前はいま烹殺すという」

と、いった。

この論理によって、劉邦は父を見殺すというそしりをまぬがれた。逆に項羽のほうに不孝の悪評を立てさせようというのである。

「りっぱなものだ」

劉邦は嘲笑《ちょうしょう》し、そのあと調子に乗って、

「烹殺したあと、その烹汁《スープ》を一杯わけてもらおうじゃないか」

と、ほえた。項羽は言葉をうしない、うしなったぶんだけ怒りが噴きあげ、顔も頭も破裂しそうになっている。剣だ、とおもった。剣外にどんな解決の法があるというのか。項羽は剣欛《けんぱ》に手をかけ、いまにも太公を斬り殺そうとした。

が、項伯《こうはく》がとめた。

項羽に近侍しているこの人物が項羽のおじであることはすでにふれた。項伯は劉邦の幕僚の張良《ちょうりょう》と旧知の間柄であるだけでなく、秦《しん》末、ともに漂泊しているとき、張良にかくまわれて一命を救われたことがある。この恩にむくいるという倫理的習慣は、他のどの文明にもないほどに濃厚であった。項伯はかつて張良にたのまれ鴻門《こうもん》の会《かい》で劉邦の一命をすくった。

「天下を志す者は、一個の狂人です。家族をかえりみるということがありません。この老父を殺しても劉邦は何の痛痒《つうよう》も感じないでしょう。逆に大王は非難されます。殺すことに利がなく、大王が失うことのほうが大きいのです」

と静かにいったので、項羽はあきらめた。ちなみに項伯はのちに漢の射陽《しゃよう》侯に封《ほう》ぜられ、劉氏の姓をあたえられる。といってこの時期すでに漢に通じていたということではない。

この日の行事は項羽があきらめることでおわったが、かれの焦燥はいよいよ募《つの》った。

――要は、武ではないか。

と、項羽はおもう。武の極は個人に帰せられる。刀槍《とうそう》を舞い、相手と一騎打ちすることだが、項羽はこれを劉邦にもとめようとし、口述して側近の者に帛《きぬ》に書かせ、矢に結んで漢城へ射こんだ。

「戦乱のために天下が餓え、たれもが恟々《きょうきょう》として安らがないのは、要するにわれら二人がいるためである」

と、項羽がいう。どちらかが死ねば世は安らぐ。によって余人をまじえず、一騎打ちによって勝負をつけようではないか、と項羽はいうのである。

「如何《いかん》」

最後に、劉邦の返事をもとめている。劉邦はごくそっけなく、

「私は、智恵でたたかいたい」

とのみ返事を書き送った。項羽の申し出が素朴すぎるために、これ以外に返事の仕様もなかった。

項羽はなおもこの素朴な挑戦法をやめようとはしなかった。

しばしば澗《たに》へ選《え》りぬきの壮士を降りさせ、漢軍に挑《いど》ませた。

「降りて来い」

楚の壮士が、漢城を見あげてどなるのである。

その背後の城楼には楚兵がひしめき、対抗の壮士を選出しない劉邦の臆病を合唱してからかった。項羽にすれば、この種の壮士仕合をかさねているうちに項羽がとびだし、劉邦をさしまねき、その首を捻《ね》じ切ってしまうという心づもりであった。

「相手になるな」

劉邦は最初のうちは一笑に付していたが、楚兵の嘲罵《ちょうば》がはげしくなるにつれて、これ以上

の黙殺は士気にかかわるという状況になった。

「たれか、出よ」

といったときに、軍中で「ローファン」とよばれている男がとび出した。

この男にも名があるはずだが、みな種族の名称でよんでいた。いまの山西省に、記録的には春秋《しゅんじゅう》のころにすでにいたとされる北狄《ほくてき》の一派で、楼煩《ろうはん》という漢字があてられる。遊牧をし、騎射に長じていたが、この漢軍のなかのローファンはどういう事情で漢族の軍にまぎれこんでいたのであろう。

峰の上の漢城から澗までのあいだ、犬がいっぴきやっと上下できる道がつけられている。ローファンが手綱を左右しつつ騎馬で降りはじめた。降りること自体が、曲芸であった。ローファンをみて、楚軍のなかからおなじみの壮士があらわれ、これもローファンにならい、騎馬で楚城を降りはじめた。首筋のたくましさが遠目にもわかる巨漢で、右手に弓を持ち、鞍《くら》わきに鉾《ほこ》を横たえ、腰にとびきり長い剣を佩《は》いている。

楚のほうの径《こみち》は、岩が多い。あと十メートルで澗の底というあたりに大きな岩が突起しており、それより下は騎馬のままではむりであった。楚の男はここまできたとき、漢のローファンを見た。

ローファンもさすがに馬をすすめかねていた。つぎの一歩のために馬の蹄《ひづめ》をどこに立てるべきか一瞬迷ったとき、向う側の楚人は巨体に似合わぬすばやさで矢を番《つが》え、つがえざまに放った。

矢は澗をみじかく越えてローファンの頸《くび》に中《あた》ろうとしたが、この北狄は飛ぶ矢の息を体で知っていた。身をひねって避け、避けたときは独特の短弓を機敏にひきしぼった。矢が飛び、楚人が鞍壺から落ちた。岩の上に落ちて弾《はず》み、おどろいた馬に巻きこまれ、人馬もろとも澗の底へ落ちて水声をあげた。

が、つぎの瞬間、ローファンは鞍の上であわてざるをえなかった。

ほんの先刻、楚の壮士がそこにいた岩の上に別の巨漢が立ちはだかっていたのである。広武山《こうぶさん》は全体に赤茶けていて樹木がすくなかったが、その岩のまわりだけひよわい灌木《かんぼく》が密生していた。巨漢はその灌木を腰のあたりに巻きつかせて立ちはだかっている。

ローファンは夢中でつぎの矢を番えた。

巨漢は弓さえ持っていない。両者はせいぜい四十メートルの距離であり、ローファンの腕なら敵の体のどの部分でも射ぬくことができた。

が、敵は肉体ではなかった。

気が凝《こ》って渦を巻き、そのまわりが炎《ほむら》のように燃えている一個のおそるべきなにかだった。甲冑《かっちゅう》の金鋲《きんびょう》がかがやき、朱が燃え、盔《かぶと》の目庇《まびさし》の銀が陽をするどく挑《は》ねかえしていたが、それよりもすさまじかったのは、炬《きょ》のような両眼であった。両眼が瞋《いか》り、数千の矢のたばをローファンの細い目に射注《いそそ》ぎこんでくるようで、ローファンは正視する能力を喪《うしな》った。それでもなお弓をひきしぼろうとしたとき、巨漢が真っ赤な口蓋《こうがい》をみせて叱咤《しった》した。声はすさまじい殺気になってローファンを圧倒し、体中の腱《けん》が溶けるように萎《な》えてしまった。ローファンは馬から凋《しお》れるように降りてしまい、馬を置きすて、あとは病み犬のような足どりで径をよじのぼり、付近の楼に逃げこんだ。楼のなかでふるえ、二度と凋むこうを見ることをせず、

「項《こう》王だ。項王が出た」

と、うわごとのようにつぶやきつづけた。

劉邦《りゅうほう》は峰の上でその様子を見ていたが、なぜローファンが逃げこんだかわからない。人をやって様子をきかせると、楚《そ》城の崖《がけ》の中腹の岩上にいる男は項王であるという。

「どうする」

劉邦は、かたわらの張良にきいた。張良は相変わらず水のようにしずかだったが、劉邦はさすがに血の気をうしなっていた。この男の性格が臆病であるとは決していえない。劉邦は戦えばかならず負けてきたが、しかしつねに身を陣頭にさらし、かつての多くの王侯のように後方にあって士卒だけを前線で戦わせるというようなことをしたことがなく、このことが、漢兵が劉邦についてきた理由の大部分であったといえた。

が、劉邦には剣戟《けんげき》を打ちあう膂力《りょりょく》もなく、射芸もない。項羽はすでに単身で岩上に出ている。これを避ければ漢軍の士気は一日で崩れるだろう。劉邦は方途に迷った。挙兵当時からみれば劉邦の老いはめだっていた。血の気のひいた頰のあたりは、枯木の皮を貼《は》りつけたようで、かつてのこの男のとりえだった美々しさからは程遠いものであった。

「降りて、相対《あいむか》われるしかないでしょう」

たとえ殺されようとも、天下を得るにはこの場合、その選択しかないのだ、という意味を張良は含めた。項羽はまことに素朴な——智者にとっては愚かすぎるような——対決を強いている。しかし士卒というものはむしろそういう項羽にこそ魅《ひ》かれるものだ。楚兵はこれによって項羽をいよいよ武神のように思い、漢兵は逆に項羽への怖《おそ》れをいよいよ強くする。もし劉邦が避けて後ろへさがれば、漢兵の項羽への恐怖は畏敬《いけい》に変わり、劉邦をうとましくおもうようになるだろう。あなたは死を賭《か》けるべきだ、という意味のことを張良の表情は語っている。劉邦もまた張良と同じことを感じている。

ただ救いは、項羽が弓矢をもっていないことであった。劉邦がその場所まで降りて行ったところで、両者の距離は多少はある。声はとどく。しかし項羽がいかに化物じみた男であろうと、跳びこえるには翼が必要であった。

「項王を圧倒するしかありません」

と、張良がいった。

「わしに出来るか」

「それはもう、十分に。——項王の罪をお鳴らしになることです。数えれば十はありましょう」

劉邦の頰に、血の気がよみがえった。

この男の勇怯智鈍《ゆうきょうちどん》ばかりはえたいが知れない。

目的が鮮明になった場合に別人のように勇気が出るたちらしかった。

かれは長い体をかがめて峰の上の楼を降り、いくつも柵や関門をくぐった。やがて崖の径《こみち》に出、さきほどローファンが立っていた岩の上に立ち、澗《たに》をへだてて項羽とむかいあったとき、両軍が文字どおりかたずをのんだ。太古のようなしずけさが澗と峰を支配しきったとき、

「項羽、聴け」

劉邦は、手にもった小枝で地をはげしくたたいた。

「世にお前ほどに悪虐《あくぎゃく》の者がいようか」

一は、懐《かい》王の勅命にそむき、劉邦が関中《かんちゅう》王たるべきところを矯《た》めて蜀漢《しょくかん》の地に追いやったこと、二は楚軍の主席の将であった宋義《そうぎ》を殺してみずから上《じょう》将軍の尊位についたこと、三は懐王の命をまたずにほしいままに関中に入ったこと、四は関中にあって秦《しん》の宮殿を焼き、始《し》皇帝《こうてい》の塚をあばき、その財物を私有したこと、五は懐王の命なくして秦の降王《こうおう》の子《し》嬰《えい》を殺したこと、六はいつわって秦の降兵二十万を新安において阬《あなうめ》にしたこと、七は自分の好む諸将を各地の王にし、もともとその土地の王であった者を放逐《ほうちく》したこと、八は主君である義《ぎ》帝（懐王）を彭城《ほうじょう》より放逐したこと、九はその義帝をひそかに江南《こうなん》で弑殺《しいさつ》したこと、十はすでに降伏した者まで殺し、政治において公平でないこと、等々を、あるいは低く、あるいは高く、ときに峰々にこだまするほどの声でとなえた。

最初は、劉邦は対《むか》いあう項羽の姿が巨大に見えたが、糾弾《きゅうだん》してゆくうちにその姿が小さくなり、ついには声を朗《ほがら》にあげていることの気持よさに酔ってしまい、なにやら踊りたくなるほどの気分が舞いあがってきて、

「漢軍は正義の師《し》である。しかしながらお前のような無道の者を伐《う》つのに常人ではもったいない。まして当方から挑《いど》む必要もない。お前のような者を殺すには、刑余の罪人こそ似つかわしいわい」

といってしまった。刑余ノ罪人ヲシテ項羽ヲ撃殺セシメン、という刑余者とは入墨《いれずみ》（黥《げい》）をさす。漢軍の陣中にはかつて項羽を裏切っていまは劉邦の将である英布《えいふ》がいる。英布は入墨者であるため黥布《げいふ》とよばれているのだが、このあたりの意味は「黥布にでもやらせるわい」ということであろうか。この劉邦の大演説はひろく語りつたえられ、各地を綿密に取材してまわった司馬遷《しばせん》によって『史記』に採録された。この一句を黥布がきいたとき、劉邦に対する感情がどう屈折したか、多少の想像がゆるされていい。

この間、項羽は劉邦のいい気な演説をさえぎろうともせず、仁王立ちになったまま聴いていた。この激しやすい男にとってめずらしいことであったが、ただかれはこのあいだに別な作業を進行させていた。かれの腰まわりを、灌木の枝葉がつつんでいる。その茂みにかくれて、数人の男が、一個の器械にとりついていた。

弩《ど》であった。

弩機は一種の銃とも見られなくはない。全体が銅製で、矢を置き走らせるやや細長い台座（長さ六〇センチぐらい）には矢走りの溝《みぞ》がきざまれている。さきに強靱《きょうじん》な弓が装置されていて、その弦《つる》に牙《が》（かぎ）をひっかけ、力いっぱいうしろに引き、懸刀《けんとう》とよばれる突起物にひっかける。そののち、矢を溝に置く。懸刀は同時に銃の引鉄《ひきがね》の役をなし、狙いをさだめると同時に懸刀をひき、矢を飛ばすのである。この器械はこの大陸で発明され、普及した。秦以前から存在するが、『呉越春秋《ごえつしゅんじゅう》』（後漢の人趙曄《ちょうよう》の撰《せん》）によると、南方の楚で発明されたものだという。楚という多分に東南アジア民族の要素の濃いこの地方では、他の文化は中原《ちゅうげん》より遅れていたが、どういうわけか青銅冶金《やきん》が発達していた。

劉邦の演説がおわったとき、灌木のなかで弩機が鳴り、独特の太い矢が飛んだ。矢のさきに重い石がついている。

劉邦の胸に命中した。

かれはこの日、格別ぶの厚い革《かわ》を重ねた鎧《よろい》で上体を覆《おお》っていたため胸を砕くまでにいたらなかったが、激しく転倒した。

（やった）

項羽は、たしかに劉邦の最期を見た。

——劉邦を殺す。

というただその一点にしぼっていたかれの作戦はみごとに成功し、確認し終えるとゆっくりと背をかえし、径《こみち》をのぼりはじめた。

が、ふりかえると劉邦がゆるゆると体を持ちあげる気配を示している。

（まだ動いているのか）

項羽は劉邦が即死しなかったことをふしぎに思った。しかし半刻《はんとき》も保《も》つまいとおもった。

「よくやった」

弩の射手たちをねぎらい、楼上の床几《しょうぎ》にもどった。床几に腰をおろすと、さすがの項羽も体のなかの気が抜けてゆくようで、しばらく虚脱してしまった。

劉邦は痛みで、胸郭を動かすこともできない。意識がともすれば遠くなった。

(起きあがらねば、全軍が崩れる)

と思ったが、どうにもならない。左右が、劉邦をかついだ。死体のようであった。

しかし、へらず口はたたいた。

「虜《えびす》めが、わが足の指に中《あ》ておったわい」

あたったのは足の指だ、というのである。そのように全軍に伝えよ、ともいった。そのまま気が遠くなった。

この日の午後、項羽ははじめて広武山《こうぶさん》を降りた。

成皐城《せいこう》にゆき、宦官《かんがん》をよび、

「虞姫《ぐき》に沐浴《ゆあみ》させよ」

と命じたあと、陽が落ちるのに一刻も間があるというのに夕食を命じ、食前の酒を飲んだ。

項羽は王であるために、食事のときは楽《がく》が奏せられる。背後で湧《わ》くように金属楽器が鳴ったとき、

「やめよ」

と、命じた。気分が浮き立たなかった。酒は角《つの》の酒器に満たされている。酒は後の世のものにくらべればうまいといえるほどのものではなく、黍《きび》を粥《かゆ》にし、それへ麴《こうじ》をくわえて醸《かも》したもので数日でできあがるのである。あまくて、多量には飲めない。

「楚の酒が」

飲みたいものだ、と項羽は給仕人にいった。滎陽・成皋といった黄河文明の地には楚のような米の酒がない。項羽は米の酒が醸されるときの香ばしいにおいが鼻の奥でよみがえった。楚へ帰りたいとおもった。

食後、夕陽の射す廊下をわたって、寝所に入った。剣を外して枕頭《ちんとう》に置き、戎衣《じゅうい》をぬぐのは孺童《じゅどう》たちにまかせ、寛衣《かんい》に着かえるのは侍女たちにまかせた。それらが去ったあと、帳《とばり》のなかに入った。

部屋は、窓が閉められているために暗い。

やがて扉がひらき、小さな灯が近づいてきた。侍女が去り、虞姫がのこった。虞姫は手燭《てしょく》をひたいのきわにかざしつつ帳に近づいてくる。項羽は肺に息を入れ、その燭を帳のなかから吹き消した。

「風のような。――」

と、虞姫が笑ったほどに項羽の息はすさまじかった。

項羽は虞姫を抱きあげて夜具のなかにうずめた。

「もはや、戦いはあるまい」

あとの日々は、そなたと暮らすために明け暮れるのだ、といったのは、項羽の本心であった。さすがの項羽でさえ戦いがこの広武山で果てることを望むようになっていた。兵は疲れ、民は餓えている。項羽もこの段階になると、なにもかも捨てたいと思う瞬間さえあった。

項羽は疲れていた。眠りが浅く、夢に劉邦の動く姿をみた。目がさめるたびに、

「酒を。——」

と、虞姫に命じた。そのつど虞姫は宮殿の廚室《ちゅうしつ》までゆき、樽《たる》の中の酒を汲《く》んで角《つの》形の觥《こう》に満たした。こぼれぬように両掌にはさんで寝室にもどり、項羽の口もとに近づけてふちを触れさせた。觥はその基部がとがっているために置くことができない。項羽が飲み干すまで虞姫は両掌《りょうて》に挟んでいる。虞姫の掌の温《ぬく》みが薄い角をとおして酒をもあたためるのである。

飲み干すつど、項羽は虞姫を抱いた。

劉邦の胸部の打撲傷は、ひどかった。かれは峰の上の寝室で横になると、動けなくなった。張良は多少医学にも通じていたから仔細《しさい》に調べた。

(死ぬかもしれない)

とおもったが、この場合、劉邦を励ますほうが大切であった。

「この種の傷《いた》みは、あすのほうが大変です。あすはとても起きあがれないでしょう」

やや冷淡な調子で言い、きょうわずかでも動けるうちに、軍中を一巡なさることです、で

なければ士卒は陛下が殺されたとおもって、収拾のつかぬことになりましょう、といった。

劉邦はやむなく人にたすけられて衣服をつけ、輿《こし》に乗った。輿が峰々を上下するあいだ劉邦は歯がみして激痛に堪えた。ついには両眼が昏《くら》くなり、前へのめったが、そのつど輿わきの張良が手をのばして劉邦の背筋を立てさせた。

「子房《しぼう》（張良）」

聴きとれぬほどに弱い声で、わしはこのまま死ぬのではあるまいか、と問うた。張良ははじめこそ励ましていたが、あとはきこえぬふりをして歩いた。張良をもってしても、劉邦のこの事態ばかりはどうすることもできなかった。

弁士往来

秦《しん》末、彭城《ほうじょう》（いまの徐州）の町でのことである。

この時代、この町は黄河《こうが》の本流に面していた。黄河へ流れこむ幾筋かの細流が城内では両岸を石垣で堅牢《けんろう》に護岸されている。路《みち》に柳が植えられ、両岸に商舗がならび、水面には物産をのせた小舟が、たえず往来していた。

この町にはさまざまな商人があつまる。金が落ちる町だけに、酒楼や妓楼《ぎろう》が多く、また諸国からのあぶれ者たちもここにわらじをぬぐことが多かった。

懐ろぐあいのわびしい者のために漿《しょう》をかめに入れて飲ませる軒店も多い。漿とは酒ではなくおもゆのことで、こんにちでは米湯《ミータン》とよばれている。

「これに満たしてくれ」

と、漿の店で大きなひさごを出した者がいた。

無名時代の蒯通《かいとう》である。

のちに韓信《かんしん》の謀臣になる男だが、この時代、諸郡諸県の豪傑を訪ねる一方、地理を見、人情を察するために旅をつづけていた。酒を買わずに漿を買うというのは、路銀につまっているためである。

服装は乞食《こじき》にひとしい。大きな頭の鉢《はち》がひらき、顔にぬめっぽく脂《あぶら》が浮いてしかも小ぶりな胴をもっているあたり、ある種のきのこを思わせた。

「これに満たしてくれ」

と、別の旅の者が横あいから大きな土の鉢を出した。よく煮えた漿が満たされると、その男は大切そうに両手にかかえ、こぼれぬように歩いてゆく。しゅんのすぎた土筆《つくし》のようにひょろりとしていて、長身であるだけにどこか滑稽の感じのする男であった。

両人は、知りあいではない。

が、偶然、小さな目的がおなじだった。

漿を売る軒店からほんのちかいところに二階家があり、横が細い露路になっている。両人ともその石畳に腰をおろし、漿を飲みはじめた。階上から、瑟《しつ》の音《ね》がころころと降り落ちてくる。

この階上に、歌妓《かぎ》が住んでいる。旦那がきているらしく、しきりに瑟を掻《か》きならしているのである。この場合の瑟は二十五弦で、打楽器のように明晰《めいせき》な音階を楽しませてくれるかと思うと、嫋々《じようじよう》として音がとぎれず、波とともになぎさにあそぶような気分をおこさせてくれる。

階上ではいかにも大商人といった中年男が、枕をひきつけてねそべっている。枕は、玉《ぎよく》を

小さな薄板にして布のようにしたものをかぶせてある。手もとに肴《さかな》をのせた台があり、小女《こおんな》が箸《はし》で商人の口に運び、ときに、

「酒」

と、商人がつぶやけば、小女が觴《さかずき》に満ちさせて口に運ぶ。

歌妓は、横たえられた瑟の前で片ひざを立て、背をのばし、手を弦に落としたかと思うと、鳥が舞いたつように手をあげた。音もさることながら、女の表情や手のうごきを見ているだけでも倦《あ》きない。

ときに曲が歇《や》む。

すると露路から男ふたりの声が立ちのぼってきて、いまの弾瑟《だんしつ》のできばえ、曲についての感想をこもごも話すのである。

商人はその評に感心し、窓から露路を見おろして人体《にんてい》をたしかめると、小女に、

「この席へおまねきせよ。鄭重《ていちょう》に申しあげるのだぞ」

小女が降りて行って伝えると、土筆《つくし》のほうが、小女を追った。小女が逃げごしになってさらにいうと、土筆は、

「商人《あきうど》ふぜいがわれらを招くのに小女を使いによこすとはなにごとか」

車駕《しゃが》をよこせ、といわんばかりであった。

返事をきいて商人のほうが恥じ入り、男どもに酒肴《しゅこう》をもたせてみずから露路に降り、両人にさかずきを献じた。

年上の蒯通《かいとう》がまず飲み、次いで土筆が飲んだ。

「おそれながら両先生の席のはしを汚させていただくわけには参りますまいか」

商人がいうと、蒯通が土筆をみて、

「この人がよしといえばよい」

といった。土筆はあらためて蒯通を見て笑《え》み、うなずいた。

商人は自分の名を名乗り、蒯通に名を洩《も》らしてもらった。次いで土筆が、

「侯公《こうこう》」

と、名乗った。

「方士《ほうし》さまでございますか」

商人もおどろき、蒯通も内心おどろいた。かれは先刻出遭《であ》ったばかりのこの瘦《や》せて長身の男の名をまだきいていなかったのである。

始皇帝《しこうてい》は神仙を好み、とくに侯公という方士を近づけているという話はこの彭城あたりまできこえている。

「ちがう」

侯公は、にがい顔でいった。

「別人だ」

「では、同姓同名でございますか」

商人は、きく。侯公はわずらわしそうに、

「人《にん》がちがって姓も名も同じだとなれば同姓同名ということがわかりきっている。わかりきったことに言葉を費消するということほど愚はない」

侯公の思想がよくあらわれている。

商人は蔡鮮《さいせん》という男で、貨殖にかけては何でもあつかう。

「商人は多弁なものでございます」

「お前が多弁なのだろう」

侯公は、あいまいをゆるさない。定陶《ていとう》には某という豪商がいて三日にひとことしか口をきかないが、千里のあいだの物の値を知り、上下する値幅で利を得ている、と侯公は言い、人はさまざまだ、商人もさまざまである、自分が多弁であるからといって商人を代表することはよくない、といった。

「先生は、多弁であられまするな」

商人は、おどろいた。

「先刻は言葉を吝《お》め、とおおせられましたのに」

「たれも吝めとはいっていない。言葉というものは言って意味のある場合にのみ使えといっているだけだ」

「平素は無口であられますか」

「用がなければ百日でもだまっている」

「先生は、何をもって世に立とうとなされております」

「弁《べん》だ」

つまりは弁士だというのである。横できいていて、蒯通は内心おどろいた。自分とおなじではないか。

「なにを願っておられます」

「乱だ」

商人は、噴きだした。なるほど治世では縦横《じゅうおう》の弁というものの出る幕があるまい。

このように飲み食いしているあいだも、階上から瑟の音が降りおちてきている。商人は二人のためにそのように心遣いしたのである。

「お見うけするところ、お二方はお顔やお姿こそちがえ、匂いがじつに似ていらっしゃいます。古いおともだちでございますか」

「いまこの露路でともに腰をおろしたばかりだ」

蒯通は、侯公への好意をこめていった。

「するとあの瑟が」

「左様、この階上から洩れてくる瑟の音に魅《ひ》かれ、おなじ聴くならば酒でもとおもったが銭はなし、せめて漿《しょう》をと思って買いもとめていたところ、おなじ思いでこの人《じん》もやってきて、そのあとは形と影のように一つ動作になってここにすわった。生涯でこのような偶然は二度とあるまい」

「諸郡諸県のお話がききとうございます」

これが、蔡鮮の本音であったかもしれない。いろんな地方の政情、人物、民情をきくことは商《あきな》いにとって必要なことであった。

「では、あの歌妓を抱かせるか」

ただで聴くなどとんでもない料簡《りょうけん》だといわんばかりに蒯通はいった。とくに好色というほうではなかったが、とりあえず代価をもとめたのである。

「おおせに従います。侯公先生のほうはなにをおもとめになります」

「一晩肩をもんでくれ」

「わたくしが揉《も》むのでございますか」

やや難色を示した。

「人は自分の得手《えて》をもって他人を利すべきものだ。蔡さんの手の指を見ていると、壁にはりついているやもりの手のように先端《さき》が大きい。そういう指で肩を揉まれたら、吸いつくようで気持がよかろう」

「階上へおあがり願えますか」

「あがる」

侯公がいった。

蔡鮮《さいせん》は席をきよめ、酒肴をにぎやかにして大いにもてなした。

両人の話は得るところが多く、あとで蔡鮮はこのときの話からいくつもの想《そう》を得て大いに儲《もう》けた。両人とも虚《むな》しい言葉は一語もなく、聴き方によってはすべて商いのたねになった。

「なるほど、弁士とはそのようなものでございますか」

蔡鮮は手を拍《う》ってよろこんだ。弁士とは人の代理人になってかけあいにゆく能弁家のことだと思っていたが、事理に通じ、世情にあかるく、その観察は商人の功利感覚をゆさぶるものがある。

(歌妓をあてがうなど、やすいものだ)

と思い、蒯通《かいとう》にはそれをもってむくいた。

侯公《こうこう》に対してはながながと臥《ふ》せさせ、その体を揉んだ。揉みながらさらに話をひきだすべく何度も質問をしたが、しかし侯公は鑰《かぎ》をかけてしまったように口をとざしている。

(吝むのか)

蔡鮮は思い、揉む手を怠ろうとすると、侯公はすばやく、

「代価だけ揉め」

と、叱《しか》った。侯公は気持がよかったらしく、ついに眠った。蔡鮮は救われたように手を離し、逃げ出そうとしたが、侯公はめざとい男だった。薄目をあけて蔡鮮をじっと見、

「お前は盗賊か」

と、するどくいった。代価を半ば支払って逃げるのは盗賊だという。ひょろ長くてどこか飄逸《ひょういつ》な味のある男だとおもっていたが、蒯通とはちがい、とぎすました匕首《あいくち》のような面のある男だった。

蔡鮮はついに夜ふけまで揉まされ、「そこまで」といって解放されたときは、腕も手もこわばり、腰が泥板《どろいた》になったように動かず、しばらく立ちあがれなかった。

侯公は蔡鮮の顔を薄刃で切るような言いかたで、

「蒯通もそうだが、わしも天下をへめぐり、ときに餓え、ときに足が萎《な》えて雪の中でうごけなくなったこともある。そのあげくの話を、お前の利益のために先刻してやったのだ。弁士というのは自分のことばに命を賭《か》けているのだ。お前はそれを廉《やす》く購《あがな》った」

不意に調子を変えて、

「くたびれたか」

はじめて笑った。瘦せて薄手《うすで》な顔のせいか唇のはしがめくれ、ひどく酷薄な男のようにも見えた。

蒯通と侯公はそのあと共に旅をした。遍歴しつつ毎日語りあううちに、思考法から表現まで似てきた。十日ばかり前に侯公が語ったことを、蒯通が自分の意見として当の侯公に語ったことがあった。

「それは先日、私が言ったことではないか」

侯公がなじった。二人のうち、侯公のほうが独創性においてややまさっていたし、当人もそう思っていたから、愉快ではなかった。

(そうだったかな)

蒯通は思ったが、そうでもないような気もする。

「まちがいない。私は歩々《ほほ》記憶するたちだ。十一日前の昼すぎ、淮陽《わいよう》（河南省）をすぎて果留《かりゅう》という小さな村はずれの瓜畑《うりばたけ》で農夫に会い、瓜を乞うた。蒯通よ、お前はその農夫に瓜が多くなる方法を教えたではないか」

「教えた」

「農夫は瓜を四つくれた」

「おぼえている」

「それを五里東へ行ったところのどろ柳の下で食ったが、そのときにわしが言ったのだ。南の空に犬のような形の白い雲がうかんでいた」

「すべておぼえている。そのときわが脳中にもおなじ考えがあり、言葉としては口から出ずにいた。侯公よ、君の言葉によってわが脳中の言葉がことごとく起きあがったのだ。私が語ったのとおなじなのだ」

「別れねばならないときがきたようだ」

侯公は、深刻な顔でいった。

似てしまえば二人が一人になるというより、侯公の思想でいえば蒯通も侯公もともにこの世にいる理由がなくなる。ここで別れ、たがいによき者を見つけてその者を天下の覇者《はしゃ》たらしめるように互いのこの三寸不爛《さんずんふらん》の舌を使おうではないか、といった。

「もっともだ」

蒯通も侯公に友情を感じつつ、思った。

泗水《しすい》のほとりの小さな村にさしかかったときであった。二人は近くの店から漿《しょう》を買い、一椀《わん》を飲みわけたあと、立ちあがった。

「おたがい、舌を剣《つるぎ》だと思わねばなるまい。百万の兵をも殺傷するが、同時におのれの身を突き刺すことにもなる。自戒しよう」

と蒯通はいい、侯公もふかくうなずいて、わかれた。

その後、乱世がやってきた。

どちらも何度か主人を変えた。それぞれ流転《るてん》し、やがて侯公は劉邦の幕営に入り、蒯通は韓信の謀臣になった。

世間では、

――蒯通が韓信をあやつっている。

とおもっている。

蒯通自身、そうはおもっていない。あやつりたくとも、韓信には蒯通の理解しがたい意地があって、思うようにならないのである。

(韓信は、贛人《かんじん》――正直のあたまに馬鹿がついた男――だ)

かれはそう思わざるをえない。

韓信には稀代《きたい》の軍才があり、戦えばかならず勝つ。もともと淮陰《わいいん》城下の無名の書生にすぎなかったこの男の名は、とくに項羽麾下《こううきか》の名将竜且《りゅうしょ》がひきいる楚《そ》軍を濰水《いすい》（山東省）の河畔でやぶってからというものは、天下に喧伝《けんでん》された。

（劉邦はもとより、項羽をもしのぐのではないか）

蒯通はおもうのだが、はがゆいことに韓信自身、自分の軍才によって得た巨大な名声をどう思っているのか、いささかも利用しようとしないのである。

――估《う》るべし、估るべし。

せっかくの名声を天下に売りつけねばなにもならぬではないか、と蒯通は機会あるごとに韓信にいったが、韓信は自分の蔵に充ちた財宝に気づかず、相変わらず日銭《ひぜに》かせぎにかけまわっている職人のような顔をして、

――それは自分の財宝ではない。

と言い張るばかりであった。

政治や外交のわからない韓信は、蒯通を必要とした。しかし自分が戦場で一功をたてるごとにその名声をたねに奇術的な外交機略を編み出す蒯通がこわくなりはじめていた。

（この男の言いなりになっていれば、途方もないことになるのではないか）

たとえば韓信は趙《ちょう》の五十余城を一年あまりで攻略したあと、斉《せい》へなだれをうって侵入してたちまちその七十余城をくだしたが、そのことがよかったかどうか、いまだに疑問を感じている。

（むしろ趙でとどまるべきであった）

とさえ思い、後悔することもある。

あのとき、劉邦が特派した儒生酈食其《れきいき》が斉王に説いた雄弁によって漢・斉の同盟が成り、斉はそれを信じ、七十余城の臨戦態勢を解いた。そのすきを韓信が伐《う》った。すくなくともそういう結果になった。

韓信の側にも言いぶんがないわけではなかった。かれもまた劉邦から斉へゆくべく命ぜられていた。命ぜられたどころか、劉邦は韓信の尻を蹴《け》りあげるようないきおいで、かれを発足させた。その劉邦自身が気を変え、酈食其の策を採用し、平和裡《り》に斉を同盟国にすべく酈食其をゆかせた。相異なる方式の命令を二者に対してくだした劉邦の罪である。しかしともかくもいち早く斉に到着した和平の使者のほうが成功した。ただ韓信への命令も、劉邦が取り消さなかったために生きており、その点においては韓信の武力征服は漢の軍令に違反していない。しかし韓信は斉の国境付近まできたとき、和平が成ったことを知ったのである。知った以上は開戦すべきでないであろう。

——兵を返そう。

それが斉への信義というものであった。韓信はそう思い、いまも気持のどこかで軍を返したほうがよかったと思っている。しかしあのとき、平原津《へいげんしん》（山東省）の水をのぞみつつ蒯通が韓信に説いた雄弁に負けてしまった。

いまも蒯通の鼓《こ》を打つような言葉のリズムと精妙な論理をありありとおぼえている。

将軍よ、武とはつらいものでございます。士卒は故郷を離れて山野に臥《ふ》し、戦って生還することはむずかしく、まして戦って勝つことはなお困難でございます。しかし乱を撥《おさ》めて正しきに反《もど》すのは古来武によるしかありませぬ。文によってその地域で一時の和を結んだところで後日かならずそむき、乱の種子《たね》をのこすことになります。将軍よ、あなたの不世出の才をもってしても趙の五十余城をくだすのに一年あまりを要しました。武の困難さはこのようなものでございます。いま酈食其という一介の儒生が、車の横木に寄りかかったまま三寸の舌をふるって斉の七十余城をくだしたのでございます。一枚の舌に、年余の武功が及ばぬというのは、どういうことでございましょう。

あのとき、蒯通《かいとう》はこのほか、さまざまのことをいった。しかし、

「車の横木に寄りかかった一介の儒生の舌に武が及ばぬ」

という言葉に韓信《かんしん》の心はつき動かされた。酈食其への友情もわすれ、世間が後日、斉人をだまし討ちにした、という悪評をたてるであろう危惧《きぐ》も、心の棚《たな》からころがり落ちた。韓信は鞭《むち》をあげて全軍に進撃を命じてしまった。

そのおかげで、斉王になった。

もっともこの斉王であるのも、劉邦の弱味につけ入って強要したものであった。ときに劉邦は滎陽城で項羽と対峙《たいじ》して苦戦していた。いま韓信の機嫌を損じてそむかれればすべてをうしなうと思い、ともかくも斉王に封じたのである。これも、蒯通の案であった。

（漢《かん》王は、ひそかに根にお持ちになるのではないか）

韓信はふとおもい、その旨、蒯通に洩らすと、

「小事でござる」

蒯通は言下にいった。かれにすれば眼中に劉邦の気持への気づかいなどはない。韓信には決して言わなかったが、劉邦などは亡びてゆく存在であり、むしろ積極的に滅ぼさねばならぬと思っている。蒯通は以下のことも決して韓信に洩らさなかったが、この男を天下のぬしにしたかった。かつぎあげた人間を天下人《てんがびと》にせずして弁士たる者の真価はない。すくなくとも半生のあいだ露にぬれ、雨にうたれて天下を遍歴し、この大陸をわが手でまるめてものに仕上げようと思ったことがむだになる。かれは漢の一将軍――韓信――の家来になるつもりで韓信を輔《たす》けているのでは決してなかった。

韓信は自分のそばに、かれ自身が思いもよらぬほどの大構想をもち、想念のなかでは天下を一個のだんごのようにまるめあげている男がいようとは夢にも思っていない。韓信にとって蒯通はかれの足らざるをおぎなう一介の外交係にすぎなかった。小事でござる、という蒯通のことばも、韓信は小さく解釈し、

（こだわらずともいい、ということか）

と思い、安心した。

酈食其が、漢の裏切りを憤った斉王広《こう》によって烹《に》殺《ころ》されたとき、韓信はふかく悼んだ。しかし蒯通は声をはげまし、

「弁士たる者、その美《び》を済《な》したのでござる」

と、いった。弁士の舌というのはときにその身を殺すことがあるのだ、それが弁士たるものの誉《ほま》れではないか、というもので、蒯通自身、弁士であるだけに、このことばは韓信の心を打った。

「そうか、酈生《れきせい》をあわれまずともよいのか」

「まかりまちがえば、この蒯通の運命でもありましょう」

と、この男はいったが、韓信はその意味がよくわからなかった。韓信は外交がにが手なだけにその重要さが十分にはわからず、蒯通を珍重しつつも、この男がやっている仕事をどこか走り使いのようなものだと思っていた。走り使いが、なにを大げさなことを言うかと思ったが、ともかくも蒯通ほどに事理に通じた男から、酈生の死は美であるといわれたことで、心がやすらいだ。

項羽の将竜且が公称二十万の兵をひきいて深く斉に入り、濰水のほとりで韓信と会戦して惨敗し、みずからも死んだという報ほど項羽を動揺させたことはない。

——韓信を伐つべきか。

伐つとなれば、項羽自身が軍をひきいねばならない。楚軍は項羽に直接ひきいられるときにかぎって百戦百勝するのである。しかし項羽の前面には劉邦がいて両軍の戦線はたがいに膠《にかわ》のなかに足を踏み入れたように動きがとれなくなっている。

そのうち韓信の斉（いまの山東省）における勢威は日に日に大きくなり、ついに斉の全土を平定して、その国境を項羽の勢力圏（重要な根拠地はいまの江蘇《こうそ》省）に接してしまった。

項羽自身は現在の河南省にいて劉邦とむかいあっている。後方の江蘇省がともすれば彭越《ほうえつ》のゲリラ隊にあらされているというのに、韓信という大勢力が北から圧迫を加える結果になってしまった以上、前線の項羽軍は根も茎も断ちきられてしまう形勢になった。

項羽は、窮《きゅう》した。

（劉邦をたたきつぶしさえすれば）

問題はなかった。しかし広武山《こうぶさん》の一峰を要塞《ようさい》化している劉邦は積極的に足をあげて出て来ようとはせず、このため叩《たた》こうにも叩けないのである。

「いっそ、韓信を漢からきりはなして楚と同盟させるようになさればいかがでございましょう」

と、上申する者があった。

項羽は、おどろいた。

「韓信づれと？」

思いもかけぬことであった。韓信はかつて楚に属し、一介の郎中《ろうちゅう》にすぎなかった。背の高い男だったことはおぼえているが、なにやら途方もないことをしきりに献策してきては、人の嘲笑《ちょうしょう》を買っていた男である。そういう男に対し項羽のほうから働きかけて同盟しようなどという下手《したで》の姿勢は、項羽の美的感覚には適《あ》わなかった。

（韓信《やつ》のほうから憐《あわ》れみを乞うためにやって来るべきだ）

項羽はおもっている。憐れみを乞えば、かつての鴻門《こうもん》の会《かい》のとき劉邦でさえゆるしてやった。項羽はそういう男であった。武についての誇りが高すぎる項羽にとって、自分にあわれみを乞うた弱者に対しては利害を越えて寛大なところがあった。

しかし斉にいる韓信は弱者でもなければ窮してもいない。その点、項羽の右の尺度に適《あ》いかねる相手であった。

「わしに従え、とでも言わせるか」

項羽はいった。かれは外交など弱者の小細工だと思ってきたし、これを用いるのははじめてであった。しかしこの場合、項羽は韓信をひき入れなければ劉邦に対する勝利どころか、この広武山上の楚城で、草が枯れるように枯れほろんでしまうおそれさえある。

「よき弁士はいるか」

「武渉《ぶしよう》という者がおります」

この人物は盱眙《くい》（安徽《あんき》省）の人で、若いころの韓信をよく知っているということを、ちかごろ自慢しはじめている。元来、縦横《じゆうおう》術（外交術）を学び、それを用いるために項羽の吏僚になっていたのだが、項羽が外交を好まないために出る幕がなかった。

出発にあたり、項羽は、

「楚の威信を傷つけるな」

と、咆《ほ》えるようにいった。

かれは車騎を美々しくし、とくに千人という多すぎるほどの供をつけてもらって斉《せい》へ出かけた。

韓信《かんしん》は斉の首都臨淄《りんし》(山東省)で項羽の使者武渉に会った。

「あなたをよく知っている」

武渉はなれなれしく笑いかけたが、韓信は覚えがない。よくきくと、淮陰《わいいん》で貧窮していたころの韓信と市《いち》のそばの酒屋でしばしば一緒になり、ともに天下を語りあったという。

「私に似た者ではないか」

韓信は貧士であったころ、ひとと天下を語るなどということを一切しなかった。

「いや、あなただ。あなたの母君《ははぎみ》が亡くなられたときも、私は葬式に行っている」

「私は母の葬式ができなかった」

韓信は、不意に涙をあふれさせた。かれの父は早く死に、母だけがのこったが、その母が死んだときに銭がなくて葬式もできなかったのである。

「ただ墓域だけは、里《り》の父老《ふろう》にたのみ、区劃《くかく》してもらった」

「その墓も私は知っている」

武渉は、狎《な》れきった笑顔をつづけていった。

「墓は、築いていない」

韓信は、また泣いた。かれは気付いているのかどうか。かたわらの蒯通《かいとう》が項羽の使者を見たところ、弁士というよりも世間師にすぎない。

「すると、ちがう墓に私は詣《もう》でたのか」

武渉は、まだ言っている。

韓信はそういう武渉に悪意をもっている様子はなかった。たとえ別人と間違えられていようとも、故郷の淮陰の町をこの項羽の使者が知っていることにはかわらない。懐しいことだ、と韓信は何度もつぶやいた。

(韓信には、わからないのか)

と、蒯通は思った。相手のげびた顔、図々しそうにみえてときに窺《うかが》うように韓信を見る目つきひとつを見ても、この人物の質がわかるはずであった。

(やはり韓信は根っからの武人にすぎない)

蒯通はそういう面の韓信が好きであったが、同時に、武人として傑出しすぎていながら他の面で欠けた人物が、古来数多く終りを全《まっと》うしなかったことを思うと、韓信のためにいよいよ不安になるのである。

(項羽も項羽ではないか)

敵のために歯ぎしりしたくなるほどに惜しんだのは、項羽の運命の岐路ともいうべきこの時期に、この程度の男をよこしたということであった。

武渉は、本題に入った。

かれは項羽の威を背負っているために、斉王である韓信と、すべて対等もしくはそれ以上の物言いで語った。

「漢王劉邦ほどわるいやつはいない」

と、まず倫理論を展開した。

武渉は、いう。かつて秦《しん》がほろんだとき、項王は諸将に地を分け、あるいは王にし、また侯伯にして天下を安んじさせたのに劉邦のみは兵をおこして他人の領を侵し、すすんで項王に挑《いど》んだ。このため天下はみだれ、民は戦いの災禍に苦しんでいる。しかし漢王劉邦はその欲望を満足させるまで兵をやめようとはしない。項王はときに劉邦の生命も運命もともに掌中ににぎったことがあるが、相手をあわれみ、つい鳥を逃がすようにして逃がされた。漢王はそれを恩にも着ず、危機を脱すると、また戦さを仕かけてきた。こういう人間を信用できるか、と武渉はいう。

「あなたも漢王についているかぎり、行く末は縛《いまし》められて虜《りょ》として引き出されるだけだ」

さらに、

「漢王には項王というおそろしい敵がいる。だからこそ漢王はあなたの武を必要とし、あなたを殺さない。あなたは項王によって生かされているようなものだ」

ともいった。

「あなたの生きる道は、一つしかない。漢に反《そむ》いて楚《そ》と提携し、天下を三分してその一を得ることである」

ともいう。武渉は自分の言葉に酔い、卓をはげしく搏《う》った。

「休息なさいますか」

蒯通は、韓信にいった。即答せず、休息して武渉が持ちかけたはなしを慎重に検討する必要があるのではないか、という意味をふくませていったのだが、韓信はその必要をみとめず、

「おうけできなくて残念なことである」

と、結論からいってしまった。

「なぜだ」

武渉も、相手のあまりの単純さにおどろいた。

「私は項王のおおせを畏《かしこ》み、千里の道をこのようにしてやってきた。であるのに、一考もせずに即座にお断りになるとはどういうわけだ」

「理由《わけ》か」

韓信の感情がにわかに激してきたことが、その大《おお》ぶりな横顔に散るように血色がひろがったことでもわかる。

「私は、項王がきらいなのだ」

「きらいとは、これは婦女子のような言葉を」

武渉も、狼狽《ろうばい》している。

「なぜお嫌いなのです」

武渉のことばが、丁寧になった。

「私を用いなかったからです」

韓信は、自分が楚の軍営にいたとき、身分は郎中《ろうちゅう》にすぎず、しごとといえば宿衛のときの番士にすぎなかった、といった。

「進言、献策、一つとして用いられたことがない」

「項王がお忙しかったからでしょう」

「当時、忙しかったのは、項王だけではない」

敗者にちかい漢王はそれ以上に多忙だった、と韓信はいう。

「では、漢王については、如何《いかん》」

武渉は、問うた。

「好きです」

「理由は？」

「私を用いてくれたからです」

それだけだ、と韓信は言い、袖《そで》でもって目の前の卓子を拭《ぬぐ》いはじめた。韓信が考えごとをしているときなどの癖で、丹念に拭《ふ》き、さらにふき、顔が映るほどにみがきあげてしまう。拭いている所作は、これだけの男でありながらどこか怨《えん》をふくんだ婦人のような印象がある。

「士というものは、そういうものだ」

韓信は、しずかにいった。

「漢王は私に上《じょう》将軍の印綬《いんじゅ》をさずけ、みずからの軍を割《さ》いて幾万という兵をあたえてくれた。

それだけではない。ときに自分が着ている衣をぬいで私に着せ、ときに自分が食べている食物を押して私に食べさせた。さらにはわが進言を聴き容《い》れ、わが計画を用いてくれた。それがなければいま斉《せい》の地に韓信という人間が存在していない。あなたは項王の使いとして千里の道をきた。以前の韓信に会うためでなく、現在の韓信に会うためだが、その韓信ができあがったのは項王によるものかどうか」

さらに、

「渉《しょう》とやら」

と、よびかけた。

「あなたは以前の私を知っているという。以前の私なら、項王の使いとしてあなたはやってきたかどうか」

「つまりは……」

武渉は言いかけたが言葉をうしない、いたずらに汗を流しはじめた。むやみに頸《くび》のふとい男だった。その頸が、栄養の足りた肩のなかに沈んだようになり、顔が汗のなかでぶらさがっている。交渉は失敗におわりそうであった。かれは項羽への言いわけを考えはじめていた。

「項王を憎んでおられるわけだな」

「なにを憎むことがあろう。ただ用いてもらえなかったということだけだ」

韓信は、笑顔にもどっている。

「よくわかった」

べつに理解できた顔つきではない。武渉はすがるような顔つきになり、

「いま伺ったことは、水に流してもらって」

と、いった。

「流せないのだ。忘れることができても、流すことはできない。過去というものが積みかさなってこんにちの韓信というものがある。流せということは韓信そのものを流せということだ」

「そこを」

武渉は手を拱《こまぬ》き、たかくかかげて韓信に拝礼して、

「なんとかなりませぬか。旧知の武渉がこのようにしてあなたを拝《おが》んでいる。そこのところを、なんとか考え直して……」

「私は死んでも漢王に対する節操は変えない」

韓信は言いきってしまい、

「項王によろしくお伝えねがいたい」

と結んだ。

交渉は、終った。

韓信は武渉との席では酒肴《しゅこう》すら用意していなかった。

武渉をかえしたあと、さすがに疲れてひとり部屋にこもった。韓信は独り居ることを好み、

作戦を考えるときも部屋をしずかにして独居し、軽い酒を爵《しゃく》という酒器にみたしてすこしずつ飲みながら思案した。

蒯通《かいとう》はその癖をよく知っていた。女孺《こむすめ》に命じて爵をもたせ、自分は酒壺をもって部屋に入った。韓信は茫然としている。爵を左手に持って酒をつがせたが、目はうつろであった。

女孺は去ったが、蒯通はのこった。

「君《きみ》よ」

と、蒯通は韓信に対し、あまり例のない尊称でよんだ。

「なんだ」

韓信はそこに蒯通がいることに驚き、

「蒯先生か。なにか事でもおこったか」

と言いつつも、その目は他のことでさまよっている。じつのところ、韓信は項羽から誘いの使いがくるほどの自分になっていることに新鮮に驚いていたが、その実感に重心をつけてうまく精神の底に沈めることができずにいた。あの答えでよかったかというたぐいの迷いではなかった。自分のあらたな実像をつかんで懐ろにねじこむだけの処理をしておかねば、このさき乱世での日常を送ることができない。

蒯通は、韓信の心理がよくわかっていた。

（いい男だ）

と思う反面、いらだたしかった。これでは天下はとれまい。

「何の用だ」

言いつつも韓信の目はあらぬことでゆれうごいている。

「用があれば、言え」

「おしずかに」

蒯通は数歩ひきさがって韓信を見た。さらに数歩さがり、遠霞《とおがすみ》みに霞む山でもながめるような目つきで韓信を見つつ、

「私は若いころ観相術を学んだことがございます」

「相《そう》？」

韓信の関心がはじめて蒯通に吸い寄せられた。

「平素、ひそかにわしの相を観ていたのか」

「まことにふしぎな相をなさっておられます」

といったが、むろん蒯通の大うそである。

「いやなことをいう」

韓信は観相も好まないし、この種の話柄《わへい》もきらいだった。

「申しあげてよろしゅうございますか」

「ききたくもないが」

しかし結局は坐《ざ》を正して聴く姿勢をとってしまっていた。

「言え」

「お顔を拝しておりますと、失礼ながら、君《あなた》さまはせいぜい封侯《ほうこう》どまりでございます」

「………」

韓信は、いよいよ愉快でなかった。

「ところが背がふしぎでございます。背のみを拝見しておりますと、たとえようもなく尊貴で、かような相を観たことがございませぬ」

「分裂しておるというのか」

「まさしく」

蒯通はうなずいて、

「いったんは天下を三分してその一を保有する大王になられるということでございます。そのあとのことはどのようになられますか、おそらくその尊貴な背によって天下のぬしにでもなられるしか仕様のないものだと存じます」

「顔はどうなる」

せいぜい封侯どまりというではないか。

「天下を三分なさったときに、その相は消えましょう。おそらくは背の尊貴さがお体のすべてを覆《おお》うのではありますまいか」

「蒯先生」

韓信は、聡明《そうめい》な男だった。

「先刻の武渉のいうとおりにせよというのか」

「漢に反《そむ》けという点では、武渉のいうところに近うございます。しかし楚と同盟せよ、ということではありませぬ。両者に対して不即不離、斉《せい》に拠《よ》ってたかだかと独立の勢いを示し、黄河流域における両者の死闘を観望せよということでございます」

「独立」

「さよう、独立」

斉王韓信自身が楚漢ばなれして独自の世界構想をもてということであろう。

「君にあってはその構想をお持ちでないがためにお顔が封侯どまりということでございます。お顔よりも背に従われませ」

「……それは」

韓信の表情が急に小さくなって、

「漢王に謀叛《むほん》せよということだな」

と、つぶやいた。

(謀叛などという区々《くく》たる小事をいっているのではない)

蒯通はいらだったが、韓信の顔はすでにそのことにとらわれている。

「こういう俚諺《りげん》があるのをご存じか」

と韓信がこのとき引用したのは、

食人之食者死人之事（人ノ食ヲ食セシ者ハ人ノ事ニ死ス）。

というもので、はるかな後世、日本の静岡県興津《おきつ》の清見寺《せいけんじ》境内にこの文句を刻んだ碑がのこっている。徳川幕府がほろんだとき、旧幕海軍が新政権に抵抗し、そのうちの咸臨《かんりん》丸が船体をいためた、抗戦不能のまま静岡県清水港に入った。咸臨丸は白旗をかかげたのだが、政府軍がこれをゆるさず、船内にいた者はほとんど殺された。その二十余人の死体は海中にすてられたが、その後腐爛《ふらん》し、船舶の出入にもさしつかえたため、土地の俠客《きょうかく》清水次郎長がひきあげて向島という土地に葬り、一本の松を目じるしとした。土地の人は「土左衛門松」とよんだが、のち「壮士墓」と刻まれた墓碑もたち、記念碑もできた。記念碑の碑面に、かつての旧幕艦隊の長であった榎本武揚《えのもとたけあき》が、旧幕の壮士の死が義によるものであることを一言であらわすために韓信《かんしん》が引用した右の俚諺を刻みつけた。咸臨丸の死者たちの場合の「人」とは徳川将軍家のことである。食を分けあたえられた者はその人のために死すべきものだ、という「人」とは韓信の場合、劉邦《りゅうほう》であった。劉邦のためならば死なねばならない、と韓信はいう。この大陸の戦国時代がつくりあげた「俠」という激越な倫理はこのみじかいことばのなかで凝縮《ぎょうしゅく》している。

が、蒯通《かいとう》は感心しなかった。かれが韓信に望んでいるのは「よく人をあざむく」という底《てい》の英雄であった。この時代の英雄とは幾十万、幾百万の生民に食をあたえる者を指している。つまりは食人之食者死人之事ということばでの「人」にあたる。

多数の生民を食べさせるという巨大な機能そのものを英雄というために、英雄は人をあざむくこともゆるされ、義や俠という倫理的拘束からもときに解放されている。

(韓信は所詮《しょせん》は壮士か)

蒯通は失望しつつも、屈しなかった。ここでくじければ韓信ともどもほろびてしまう。

声をはげまし、

「義も俠も忠も信も、いまの君《あなた》にとっては身をほろぼすもとだ」

といった。

「なにをいわれる」

韓信のほうが、言葉づかいを丁寧にした。

「乱を撥《おさ》めるということは、天下に道をおこなうということではないか」

「道などということは乱を撥めてから言われよ」

蒯通はつづけて、

「あなたは、ばけもののようになってしまった」

といった。わずか一年半で、魏《ぎ》、趙《ちょう》を征服し、さらに斉《せい》を得て、その領域の広大さは劉邦や項羽をしのぎ、その武、その才、その勇、その略、ことごとく主《しゅ》である劉邦を凌《しの》いでいる、という。

言いおわると蒯通は即席で警句をつくった。

勇略主《しゅ》ヲ震《ふる》ハス者ハ身危《あやう》ク、功天下ヲ蓋《おお》フ者ハ賞セラレズ。

勇略も功業も主より上という者は身があやうく、また決して賞せられることがないものだ、ときいております、と蒯通は言い、その実例をいくつかあげた。

次いで、たたみこむように警句をのべた。

「猟師というものは山野に野獣をとりつくしてしまうと、それまで走らせていた猟犬を烹《に》て食ってしまうものです」

野獣已《すで》ニ尽キテ猟狗《りょうく》烹ラル。

越《えつ》王勾践《こうせん》における家老の范蠡《はんれい》の運命をみよ、と蒯通はいう。

「君よ。あなたは漢王に対して忠《まじめ》であり、信《まこと》であろうとする。しかし張耳《ちょうじ》・陳余《ちんよ》の例をおもいだしてください。あのふたりは不遇時代に人もうらやむ仲で、たがいに刎頸《ふんけい》のちぎりを結んだものでしたが、それぞれが相《しょう》になり将《しょう》になってから反目し、張耳は漢王劉邦の武力をかりて陳余を攻め、これを殺し、頭も手足もばらばらに斬りきざんだのです。乱世における忠信がいかにはかないものであるか」

蒯通は、さらにいった。

「あなたは、とほうもなく大きな存在になってしまったのです。そういう存在であるあなたが、漢に帰したところで漢人たちはおそれるだけであり、楚に服したところで楚人たちも信用いたしますまい。……そのあげくのはてが」

「先生」

韓信はさえぎった。蒯通のことばに圧倒され、顔色をうしなっていた。

「しばらく説《い》うことを休《や》められよ。自分も考えてみたい」

ひとまず蒯通をさがらせると、臥床《ふしど》に頭からたおれこんだ。

(数日、韓信は自分をよばないだろう)

蒯通《かいとう》は宿舎にかえり、臨淄《りんし》の市で買った少女に入浴の支度をさせた。

少女は裏庭に浴槽《よくそう》をすえ、そのまわりに菅《すげ》で織ったむしろと蒲《がま》で織ったむしろを敷いた。湯はべつの場所で沸かして浴槽にそそぐ。

まず髪をあらった。少女は米の汁を湯にしたものを蒯通の髪にそそぎ、両手でかれの大きな頭を揉《も》みつぶすように揉んだ。

「喃《なん》よ」

少女のよびなである。

「商人は、うそをつかなかったな」

洗髪の世話がうまいというので、買った。そのぶんだけ他の女奴隷よりも高直《こうじき》だったのだが、頭をさしのべていると、まことにこころよい。

からだは、浴槽のなかで布をつかって洗うのである。

(侯公《こうこう》は、どうしているのか)

ふとおもった。劉邦のそばにつかえているはずだが、いっこうに名がきこえないところをみると、ろくにしごともないのではないか。

浴槽を出て、萱むしろの上でたんねんに足の裏やかかとをこすった。さらに足だけ浴槽につけて垢《あか》をおとし、ついでやわらかい蒲むしろを踏んだ。足の裏から快感が湧《わ》きあがってくる程度にこそばゆい。

「酒」

言いつけたが、少女はすでに用意していた。浴後の酒というのはこの時代のひとびとの大きなたのしみであった。

「喃よ、わしは数日後に気がくるうかもしれぬ」

少女は、肉のうすいまぶたをあげて蒯通を見た。喃《おしやべり》という名をたれがつけたのか、およそ声を発するということがない。

「狂うたとみたら、お前はその旨をわめきながら陣中を駈《か》けぬけてどこへなりともゆけ」

金もくれてやる、わしはもともと乞食をして里から里へ歩いていた、金などもはや要らぬわい、というと、喃は涙を溜《た》め、かぶりをふった。

「いやか」

「…………」

うなずいている。

「言うとおりにせい。わしのいうとおりにさえしていれば、諸事うまくゆくのだ」

ふと韓信のことをおもった。

数日たって、韓信からよびだされた。

韓信は先日とはちがい、眉の下が青くみえるほどにすずやかな顔をしていた。

「蒯生《かいせい》よ、私は漢王を裏切れない」

と、この書生じみた斉王《せい》がいったとき、蒯生は天が落ちてきてそのあたりで微塵《みじん》になったような感じがした。

(万事、おわった)

あとは危難を避けねばならない。

すでにこの舌のさきから韓信に謀叛をすすめることばを出した以上、いつかひとに知れてわが胸を刺す刃《やいば》にならぬともかぎらない。

蒯通は、佯《いつわ》って狂った。

顔に自分の糞《くそ》をぬりたくって陣中をのし歩き、知人に出あうと、馬糞《ばふん》を入れた壺をさしだし、

——韮《にら》とはじかみの塩づけでござる。

といって、嗅《か》がせようとした。

韓信も蒯通の発狂を知り、

——かれはあのときすでに狂っていたのだろう。

とおもい、その論説の内容そのものを忘れようとした。

数日して蒯通は逐電《ちくてん》した。喃がそれを追ったが、韓信はあえて追わなかった。

後日、韓信は漢の帝室からおそれられた。かれは劉邦によって楚王になるが、つねにかれの謀叛をうわさする者があり、ついに密告者があって劉邦自身の討伐をうけるはめになった。韓信はむじつながら単身劉邦に拝謁してわびを入れ、いったんは囚虜《しゅうりょ》になりつつも、往年の大功によってゆるされ、淮陰《わいいん》侯に格さげされた。

「わしは信をあわれむ」

と、劉邦は韓信に同情的だったが、呂后《りょこう》を中心とする勢力が韓信を排除しようとし、さまざまの策を弄《ろう》した。このため、つねに針をふくんだ衣服を着ているように韓信の状況を安定させなかった。

韓信が思案のすえに謀叛をくわだてたときは、それを成功させる条件はとっくのむかしに去っていた。なかばで露《あら》われ、とらえられて斬刑《ざんけい》に処されるのだが、斬られるとき、

むかし、蒯通《かいとう》がわしに説いたとおりの結果になった。あのときあの男の言葉どおりにしておればこういうばかなはめにならずに済んだろう。

といった。ついでながら韓信を挑発し、謀叛にふみきらせたのは呂氏の謀略であったといってよく、その刑殺も、彼女の息のかかった吏僚の手でおこなわれた。

韓信が刑殺されるとき、劉邦は鉅鹿《きょろく》の大守の謀叛を討伐に行って不在だったが、帰ってき

てこの天才の死を知り、おどろきあわれみ、

——死にのぞんで韓信はなにか言わなかったか。

と、問うた。劉邦には、うしろめたさがあった。韓信ほどの男が、あの乱世のなかでまがりなりにも劉邦に忠信をつくしてきたことは、この時代の人間現象としては奇跡にちかく、そのことはたれよりも劉邦自身がつよく感じていた。

が、刑吏が韓信の死の直前のことばを告げたとき、劉邦はとびあがって怒った。というよりも韓信に対してはじめて公然と怒りうる自由を得た。

——あいつは、早くから叛心《はんしん》を抱いていたのか。

劉邦は、うしろめたさから解放された。

「蒯通という名が出たな」

かれはすぐさまその追捕《ついぶ》を命じた。やがて小ぶとりの蒯通が縛られて都に曳《ひ》かれてくると、劉邦自身が尋問した。

「おのれが、韓信に謀叛をすすめたのか」

と問うたとき、蒯通は劉邦の顔をなめるように観察してから、そうです、とうなずき、さらに声を大きくして、

「私が教えたのです」

と、くりかえした。蒯通は覚悟していた。弁士が戦士よりもはるかに危険な世渡りであることをかれは知っていたし、すでにその当然の運命が眼前にある以上、せめて自分の名をひ

とびとの記憶にのこしておきたかった。

「しかしながら、かの豎子《じゅし》」

韓信を小僧よばわりし、地につばを吐いた。

「わしの策を用いなかった」

「なぜだ」

劉邦は、問う。

「韓信は、一個の小僧」

「小僧はわかった」

「その小僧の内部《なか》に不世出の軍才が宿ってしまった。雀《すずめ》の体に天山を征《ゆ》く鷲《わし》のつばさがついたようなものです」

劉邦はかつて韓信が最初の謀叛の容疑でかれの前にひきだされてきたときのことを思いだした。

あのとき劉邦は韓信をいたわってさまざまの問答をした。話題がたまたま軍才のはなしになった。かつて死んだ将たちや、生きて栄爵を得ている将たちの能不《のうふ》（有能、無能）を双方が採点して、やがて劉邦が、

「このわしはどうだろう。

と、韓信にきいた。韓信は一笑して、

陛下はせいぜい十万人程度の将でしょう。それ以上の兵力だと、とてもむりです。

といった。劉邦はそうかと思い、しかしうれしくなく、奇妙な気持をごまかすように両手で顔を何度もこすった。やがて手をおろして韓信に、ではお前はどうだ、ときいた。韓信は平然と、

多《た》多《た》益《ますます》善《よ》キノミ（兵力が多ければ多いほどよい）。

といった。劉邦はもっともだと思いつつも、それほどの韓信が、劉邦の前に擒《とりこ》としてひきだされているのが滑稽で、ふしぎでもあった。百万、千万の将であるお前がなぜわしの前に曳きだされているのか、ときくと、韓信はいった。

陛下は兵に将たる能力はおありではありません。しかし将に将たる能力がおありだから私がかような姿で陛下の前にひきだされているのです。陛下の場合、天授であって、人力ではございません。

このことばは、韓信がくやしまぎれに劉邦の才能――というよりも人間そのもの――の奇妙さをことさらに表現したもので、本心から出たものであるかどうかはわからない。本心はただ陛下は御運がよかっただけです、とでも言いたかったのではないか。

劉邦は往時をおもい、眼前の蒯通を見ている。蒯通は韓信をはげしくののしって、

「あの小僧は、陛下に対して忠信すぎたのだ。わしの策を用いなかった理由はただそれだけだ。かれは自分のつばさの飛翔《ひしょう》力が、もはや雀の忠信を必要としていないことを知らなかったのだ。私はそれを説いた。なぜ鷲であることをおもわないのか、と。なぜ陛下へのくだらぬ忠信をもちつづけるのか、と」

(あの当時、韓信はわしを裏切るに忍びなかったのか)

劉邦の心に韓信への愛のようなものがよみがえってきた。

「もし漢《かん》の帝国ができたところで、椋鳥《むくどり》や鵯《ひよどり》のむれのなかに鷲がまじれるか。鷲はかならず中傷されて殺されるだろう」

「おまえ、そう言ったのか」

劉邦も椋鳥や鵯のなかまになるではないか。

「いや、わしが思っているだけのことだ。しかしあの小僧の胴は雀であったためにわしの策をついに用いず、わしも後難をおそれ、佯狂《ようきょう》して逃げてしまった。もしあのときあの策を用いていれば……陛下」

と、蒯通が弁士らしく威儀をただし、言葉もあらため、あなたもまたここにいま在《おわ》しませ

ぬぞ、といったときは劉邦もさすがに腹が立ち、

「要するにお前は人のいい韓信に悪智恵をつけ、わしにそむかせようとしたのだ。おまえの反逆、まぎれもない」

と、いった。蒯通は、ちがう、といった。

「烹殺《にころ》せ」

と、劉邦は大声で刑吏に命じた。刑吏たちはすばやく裏庭へ走った。大きな青銅の釜《かま》を前庭へもち出すためであった。

蒯通は狂ったように、

「この舌の動くところを聴け」

と、叫び、烹よ、どのようにも烹よ、ただ陛下がこのわしを理に適《あ》わぬことで烹ようとしていることだけはこの世で弁じておかねばならぬ、といった。

「陛下。秦《しん》末、諸豪がむらがりおこってたれもが天下を望んだ。陛下もまたそのひとりでござった。いま陛下はさいわいに天下を獲《と》られたが、このときにあたり、かつて天下を望んだ諸豪のすべてを反逆の罪によってこの釜にほうりこもうとなさるか」

「せぬ」

劉邦はこたえた。この無邪気とも正直ともつかぬ人の好さがこの男の身上であった。

「この蒯通は兵もなく武もなかったが、武をもつ韓信に天下をとらせようと思い、八方画策《かくさく》した」

「おまえもまた群雄のひとりだったというのか」

劉邦は、小柄な蒯通のみじかい手足をみて、愛嬌《あいきょう》を感じた。

「おまえは何人の兵をもっていたか」

「舌がある」

舌はときに剣よりもつよい、と蒯通はいった。劉邦ははじめて声をたてて笑った。蒯通の警句に感心したわけではなく、手足、くびに枷《かせ》をはめられて身動きもできないこの小男が、ただ舌だけを動かし、ときに顔から突きだして見せ、ひっこめては喋《しゃべ》り、まことにせわしない様子がおかしかったのである。

「まだ喋ることがあるか」

「烹られるまで喋るだろう。陛下は盗跖《とうせき》をご存じか」

「古《いにしえ》の大盗だ」

「盗跖にも飼い犬がいた。それが堯《ぎょう》（古の聖王）にむかって吠えた。その犬をもって不仁であるとし、反逆であるとされるか。犬はすべて飼いぬし以外の者には吠えるのだ」

「おまえは、盗跖の犬か」

「小僧の犬だ」

蒯通がいったとき、劉邦は一笑して刑吏に蒯通の枷をはずさせ、郷里まで帰る旅費もくれてやるように命じた。

蒯通は、庁舎を出た。門前に喃《なん》が待っていた。

「死んだほうがましだった」

地に洟《はなみず》を投げすて、天下を動かすために弁論を学んだのに、たかがおのれの命をすくうために役立っただけだ、とつぶやいた。

平国侯《へいこく》の逐電《ちくてん》

弁士侯公《こうこう》という背のひょろ高い男は、依然として劉邦《りゅうほう》のもとに身をよせている。

身分は、客であった。

客とは、むろん郎党《ろうとう》ではない。功名によってまれに王侯にとりたてられるほどの褒賞《ほうしょう》にもありつけるが、平素たいていの客は階級外の存在である。階級外だけに封地《ほうち》もなく禄《ろく》もなく、本営の経費のなかで食っているから、実際には食客《しょっかく》であった。懐ろにありあまった金があるわけではなく、侯公もそうであったが、洟《はなみず》など垂らして下級士官よりも貧乏たらしい者が多い。

顧問ということであろうか。

この大陸では戦国のむかしから斉《せい》の孟嘗君《もうしょうくん》の例でもわかるように勢力家のもとにそれぞれの才を持った客があつまり、そのあるじから対等以上の礼を受けた。客が数万人といわれた孟嘗君の例でいえば、かれはその客と自分に差を設けず、食事などもおなじものを供した。客のなかには学者、論客、弁士、旅行家、政情通などあらゆる専門家がいたが、孟嘗君の場合、狗《いぬ》のなきごえをまねるのが上手なこそどろと鶏のなき声の名人までいたという話は有名である。

主人は客に対し、謙譲と手厚い礼儀をもって遇せねばならない。

「先生」

とよぶ。あるいは、生《せい》とよぶ。かれらが、自家の郎従《ろうじゅう》でもないのに自分のために得がたい才智を提供してくれるからである。もし主人の言葉づかいがわるく、自分を低くみたということがあれば、さっさと立ち去ってしまう。その点、客たちは忠誠心というものに拘束されていなかった。

ついでながら、この慣習はごく近年まで残った。この大陸が軍閥の割拠《かっきょ》でみだれていたとき、軍閥の首領のもとに多数の顧問というものがごろごろしていた。獣医の免状一枚だけで顧問になっている場合もあり、侵略をする側の日本の軍部から送りこまれた正規軍人がそういう存在である場合も多かった。

劉邦にも、客が多かった。

ふつう主人は客に対し、へりくだってあいさつをする。とくに教えを乞《こ》う場合、相手を師《し》賓《ひん》として上座《かみざ》に置き、つつしんでその話を聴くものであった。しかし劉邦はぞんざいで、行儀がわるく、ときに客を馬鹿あつかいにしてかかることが多かった。かつて老儒の酈食其《れきいき》が劉邦の客になろうとしたとき、同郷の高陽《こうよう》出身の劉邦の士官が、

「沛公《はいこう》（劉邦）の客にだけはなりなさるな」

ととめた。

「なにしろやることが無茶なのです。儒冠《じゅかん》をかぶっていた客の冠《かんむり》をとりあげてその中に小便をしたような人です」

この劉邦の挿話《そうわ》は、この大陸の伝統のなかで異例といっていい。

もっともそういう劉邦といえども、客を自分の郎従なみにあつかうということはなかった。であるために、侯公は陣中でほどよく礼遇されている。ただ弁士として驚天動地の功名をたてる機会がなかった。

激戦の日も、行軍中の大休止のときも、他の客を相手にむだばなしをしている。

「わしという人間は、小さな用には役立たんのだ」

と、つねに仲間にいっていた。客のなかには、単にそこが出身地だというだけで、犬のように駈《か》けだして軍の道案内をしたりする者もいる。小まめに気働きして小さな官職にありつこうというわけであった。

侯公はそういうこともせずに、毎日飯だけを食い、ひまがあればまわりの景色を飽きることなく眺め、ときに、

「劉邦さんも、やきがまわったな」

などと、大声でいったりする。

「しっ、ひとにきこえたらどうするのだ」

と、他聞《たぶん》をおそれる者があったりすると、

「お前、それでも客か、客なら客に徹しろ」

劉邦に召しかかえられているのではないぞ、と叱りつけたりした。侯公にいわせると、古来、客というものは何を論じ、誰を誹謗《ひぼう》してもかまわないものだという。そういう自由があってこそ客の言説が冴《さ》え、ひいては主人の利益になる、ともいい、劉邦のひげのちりを払うのが客のしごとなら女子供でもできるではないか、ともいったりした。

侯公は、客哲学というべきものを持っていた。

仲間の客たちが、小功のたねを漁《あさ》ってちっぽけな官職にありつこうとしていると、

「死ね」

と、罵倒《ばとう》したりした。

「それでも客か」

ふたことめには、こうであった。侯公によると、客たる者は、構想、気概ともに天下を覆《おお》うべきもので、そういう客の精神の場からみれば劉邦などは古水《ふるみず》にわくぼうふらのようなものだ、という。

「ぼうふらは、ひどかろう」

仲間のひとりがたしなめたことがある。

「項《こう》王も同じくぼうふらのいっぴきとして上下している。そう思わぬかぎり、客としての精神の高みが保てず、それが保てぬかぎり大構想は思いうかばず、思いうかばねば結局は主人

の飯をむだに食っているということになる」

つまりは主人に損をさせる、という。

「もっともだ」

侯公を囃《はや》す者もあれば、一方、侯公の哲学のたけだけしさにへきえきして、

「侯公、あなたは間違っている。われわれが客になっているのは、他日功をたてて多少の官爵を得たいと思っているからで、客であることは過程にすぎない。あなたの話をきいていると、客であることが目的のようではないか」

という者があると、侯公は、

「目的だ」

と、いう。客として劉邦を誤らしめず、劉邦に天下をとらせることによって蒼生《そうせい》を安んずる、それだけが目的だ、眼前の栄爵にくらむようでは智恵もなにもうかばぬ、客というものは、もし劉邦が天下のぬしとして不適当であればこれをひきさげて他の者を立てる、そこまでの毒を持っている者を言うのだ、とまで極言した。

侯公は心からそう思っている。

さらには仲間たちに客としての気概を持たせるべく教育したつもりであったが、客たちは侯公がいった「劉邦を余人に代える」という言葉を忘れず、あいつは叛臣《はんしん》になるのではないか、とひそかにささやいた。むろん客は臣ではないから直ちに叛臣にはならないが、もし官職を得た場合そうなるだろうというのである。

陸賈《りくか》という客がいた。

楚《そ》の人である。

生国《しょうごく》からいえば項王に従いそうなものだが、項羽が客を好まないために劉邦の陣営の食客になっていた。

専門は、弁士であった。

大きく秀《ひい》でた額《ひたい》と涼やかな目を持っている。歩いているだけで風を巻くような堂々たる体《たい》軀《く》のもちぬしだが、声は優しく、挙措《きょそ》動作が礼儀にかない、ひとびとは陸賈をながめているだけで言い知れぬ快感を持った。

「なぜ将軍になられないのですか」

と、問うた者がある。

「陸下の思召《おぼしめ》しがないからです」

謙譲にこたえたので、ある者が劉邦に推薦《すいせん》した。馬上の陸賈を遠くから仰ぐだけで士卒は心を安んずるのではないでしょうか、というのが推薦の辞であった。劉邦ももっともだと思った。客に対して無作法な劉邦もこの陸賈という白皙《はくせき》の偉丈夫に対してだけはつねに丁寧な辞儀を用いていた。

「あなたを将軍にしましょう」

劉邦がいうと、陸賈はその恩を謝し、しかし自分は将軍に適《む》きませぬ、理由は決断心に富まないこと、難戦のとき兵が苦しんでいるのをみると心が弱くなり、はやばやと自殺してしまうかもしれないということを挙げた。さらに、

「将軍たる者は、稀有《けう》な資質が要《い》ります。まず、高貴な愚鈍さというものがそれでございます」

それとは逆に野卑な賢《さか》しさというべき資質の者は将軍に適かない、と陸賈はいった。さらに、自分は野卑ではないつもりでございますが、愚鈍ではございません、ときに風に草がそよぎ、つかの間に日が翳《かげ》ったりしてもいちいち感じやすく、それがために雄渾《ゆうこん》な作戦活動をするには遠うございます、と言い、

「やはり、しばらく陛下の客として過ごさせて頂きとうございます」

と、いってことわった。

ひとびとは陸賈の謙譲をたたえ、

「なんと無欲な男か」

といった。

陸賈は、仲間の客たちから格別の敬意をこめて立てられていた。食事のときなど陸賈が箸《はし》をとらぬかぎり顔を俯《ふ》せて空腹に堪えている者もあり、また陸賈が口をひらくと、まわりの者が雑談をやめた。戦国以来、客はすべて同格という慣習があったが、しかし陸賈は別格で、かれに師礼をとっている者もいた。

ただひとり侯公《こうこう》だけが、陸賈に冷淡であった。陸賈が将軍職を拝辞したときも、

「卑しいやつだ」

と、べつの評価をした。

仲間たちは陸賈にはたかだかとした気韻《きいん》があると思っていただけに、

「なぜ、陸賈が卑しい」

と、侯公に突っかかった者がいた。

「陸賈が将軍を拝辞した言葉を繰りかえし唱えてみろ。すべてあの男の肚《はら》の中の下卑《げび》た一物《いちもつ》から出ていることがわかる」

つまりは保身だ、と侯公は吐きすてるように言った。将軍というのは敵に敗《ま》けた場合死を賜わることが多い、ときに兵卒に下げられたりする、そういう危険な職につけと劉邦に二度と言わせぬよう自分の欠点を挙げつらねたのだが、かれがあげた自分の欠点を裏返してみると、自分は他日文功を樹《た》てるべき男です、ということを言っているのだ、と侯公はいう。しかも客のままでいたい、とは言っていない。「しばらく客のままでいたい」といっているわけで、これらの言葉を一枚ずつ磧《かわら》の石をめくるようにめくってみれば、要するに、いずれ高位の文官に任命していただきとうございます、それをお待ち致しております、といっているのと同じではないか。

「陸賈とは、そういうやつだ」

侯公はいった。

(侯公は、陸賈の人気を嫉《そね》んでいる)

ひとびとは思い、その旨陸賈に告げる者があった。

陸賈はおどろいて見せ、

「侯公さんは私などとけいたのちがった才人だ。賢者が愚者に嫉妬《しっと》するはずがない」

と、言下に打ち消した。

(保身家め)

侯公はあとでこの話を聞いておもった。ただしけいたちがいの才人と言われたことは、陸賈が侯公の耳に入ることを計算した上での言葉とはわかっていながら、うれしくなくはなかった。

後日の陸賈《りくか》についてふれておきたい。

陸賈はのちそこそこの官禄を得た。

つねに高祖《こうそ》(劉邦)に侍《じ》して物語などしたというから、後世の日本の豊臣《とよとみ》期の御伽衆《おとぎしゅう》のような役割をしたかと思われる。

——馬上天下を得ても、馬上で天下を治めることはできない。

という有名なことばを残したとされる。

事は、ある日、陸賈が高祖の前に出たとき、『詩経』や『書経』を説き、その内容をたたえ、暗に天下人《てんがびと》である高祖に治世の道がそこにあることを知らせようとして、高祖からどなられたことからはじまっている。

高祖がののしって、

――このわしは馬上で天下を取ったのだ。『詩経』や『書経』によって取ったのではないぞ。

そんな書が何の役に立つか、と言うと陸賈はしずかに前記のことばをのべ、

――馬上天下を得られたこんにち、文武をあわせ用いて行かれてこそ、陛下の天下を長久に保つゆえんでございましょう。むかし呉《ご》王夫差《おうふさ》が武を用いすぎたために亡んだということを陛下はご存じでございます。あの秦《しん》が、なぜあれほどみじかい期間でほろびましたか、それは刑法一点ばりで天下を治めようとし、民を法網にかけては処刑してそのうらみを買ったためでございます。もしあの強秦が、刑法万能主義をとらず、先聖の道をもって天下を治めておりましたならば、陛下の御手《みて》に天下などまわって来なかったでございましょう。

――それはそうだ。

高祖の愛嬌《あいきょう》は道理だとわかればひどく従順になることで、その配下からみればかれの魅力はこのあたりにあったのにちがいない。

かれは前言を愧《は》じ、

――いっそどうだろう。

と、陸賈の機嫌をとるようにいった。むかしの興亡した国々のことや、秦がなぜ天下をうしない、わしがなぜ天下を取ることができたか、ということなどを、このわしにわかるよう

に書いてくれないか。

これによって陸賈は『新語』を書き、秦がなぜほろび、漢《かん》がなぜ興《おこ》ったかを、自分が実見した事実に即して述べた。一編を書きあげるごとに高祖の前で朗読したが、そのつど歴戦の群臣がよろこび、何度も万歳をとなえたといわれる。『新語』は十二編といわれるが、いまはほとんど亡逸《ぼういつ》している。ただし司馬遷《しばせん》が『史記』の楚漢のくだりを書くときに取捨《しゅしゃ》して参考にしたといわれるから、後世のわれわれは陸賈のはなしを司馬遷の文章によって読んでいるくだりも多いはずである。

この点においては、陸賈は侯公よりも学問があり、文章家であったかもしれない。

かれは韜晦《とうかい》の術も心得ていた。

やはり後年の話だが、高祖の死後、その妻の呂后《りょこう》とその一族が大いに力を得て古い功臣をしりぞけはじめたとき、首都を去って好畤《こうじ》という土地に隠棲《いんせい》しようとし、田地を買った。好畤は文字どおり土地の肥えた地方であった。

隠退するとき、かねて蔵してあった財宝をとりだして千金で売り、五人のこどもに二百金ずつ平等にわけあたえた。

この財宝は、高祖在世時代、遠く南方の蛮地に使いしてそこの王を高祖の命によって説得し、漢帝国へ参加させたとき、その蛮王から貰ったもので、むろんこの種のことは当時は汚職にならなかった。しかしそれにしても乱世の弁士として世に立ちながら治世になれば家政をととのえた理財家でもあり、しかも保身に巧みで、子孫もかれの力で安定したことを思うと、陸賈はこの当時の大陸の人々が理想とした像にややちかい。

陸賈は、弁士としても無能ではなかった。

呂氏《りょし》一族が勢力を得て高祖の血統の劉氏を圧倒したとき、陸賈はその火の熾《さか》んな時期には身を避け、機をみてひそかに反呂勢力をまとめて呂氏の勢力を大いに殺《そ》いだ。しかも陸賈自身はめだたなかったから、呂氏一族から睨《にら》まれるということもなかった。

陸賈とは、そういう人物である。

かれは侯公に対しても悪声を放ったことがなかった。ただ二度だけ軽い批評をもらしたことがある。

「侯公先生は、死士に似ている」

死士とは死を賭《と》して一瞬に事を決しようという者の謂《いい》で、侯公の客道は死士のように栄達や保身の感覚をこそげおとしている、と陸賈はいうのである。

侯公はこれをきいてかえってよろこび、

「客だけではない。弁士たる者はいよいよそうあらねばならぬ」

といった。

陸賈は、また言う。

「侯公先生は、戦国の孟嘗君《もうしょうくん》、平原君《へいげんくん》、春申君《しゅんしんくん》などのまわりにいた客を理想としていまの客を律しようとしている」

つまりはドン・キホーテだ、と後世の西洋でならいわれるところであったが、しかしこの大陸での文明は古《いにしえ》に価値をもとめ、古伝承のなかに倫理的人間の典型をもとめる力学があったために、陸賈のこのことばは侯公をほめているのである。

げんに、

「高雅掬《きく》すべきである」

と、陸賈はいう。

ただ陸賈はつけ加えた。

「戦国は一個の強秦のために他の六国《りっこく》が圧倒されつづけていた時代で、ひとびとの見通しは暗く、六国の側の勢力家もその客たちもどこか絶望のにおいがあった。いまはすでに天下を得る者は項王か漢王かにしぼられている。漢王に身を寄せるわれわれはただ明日、漢王とともに太陽の光りを浴びるべく懸命に努めればよいだけのことだ。戦国の客のように悲壮になる必要はない」

このことばを侯公がきいたとき、唾《つば》をはげしく地にたたきつけ、

「陸賈とはそういうやつだ」

といった。栄達と保身で囚《とら》われた思想は、脚に小石を結びつけられた鳥とおなじだ、ともいった。地をばたばたとはねまわるばかりで天空を翔《と》ぶことができない、陸賈もそうだ、というのである。

劉邦《りゅうほう》にとって広武山《こうぶさん》の時期が、失墜《しっつい》してゆく運命の底の、さらに底の暗い隅を這《は》いまわっ

たときといっていい。

（とても項羽《こうう》にはかなわない）

と、かねて思いつづけていたことが、このときほどはなはだしかったことはない。

広武山のふたつの瘤《こぶ》を楚漢《そかん》それぞれが占拠している。楚漢ともにその瘤に石垣を積み、ぼう大な量の材木を組みあげ、山容を変えるほどの工事をかさねて胸壁、城楼を築き、すきまなく旗を押したて、山風を華やかにいろどっていた。

両軍の兵力と財力をここに結集させきったといっていい。

秦《しん》末以来つづいてきた乱が、さまざまに流動しつつ項羽と劉邦の対立にしぼられ、やがてそれもこの山上での決戦で雌雄《しゆう》が決せられるかのようにおもわれた。

この二つの瘤が、後世、土地の杣人《そまびと》たちから、楚城、漢城とよばれたことはすでにのべた。二つの瘤のあいだが、深い澗《たに》になって切れこんでおり、この澗があるためにただの弓では矢もとどきにくい。

漢城のほうの利点は、秦の遺産である官倉をかかえこんでいることであった。広武山の山中の土を広く深く掘って穀物をおさめたこの倉のむれは、毎日漢兵を飽食させていた。

楚城の不利は、その大兵站《へいたん》基地がはるか後方にあり、蟻《あり》の列をなすようにして兵糧《ひょうろう》を運びつづけねばならないことであった。その補給線を、かつて遊俠《ゆうきょう》の親分だった老彭越《ほうえつ》のゲリラ軍にたえずおびやかされており、それを護衛する兵力をつねに割《さ》いておかねばならなかった。

「劉邦は飯櫃《めしびつ》をかかえて山上に居すわっている」

項羽は相手の怯懦《きょうだ》をわらったが、しかしかれの楚城のほうはかすかながら餓えの色が出はじめており、この現状を打破するには干戈《かんか》を執《と》っての決戦しかなかった。

が、劉邦は乗らなかった。

「劉邦の臆病者」

という罵詈《ばり》雑言《ぞうごん》を、項羽は断崖《だんがい》に掛けた楚の胸壁から漢城にむかって浴びせかけていたが、しかし劉邦は挑発に乗って来ず、もはや臆病であることが劉邦の大戦略かとおもわれるほどの段階になっていた。

項羽の不利は、斉《せい》（山東省）の地で急成長して「斉王」を称した韓信《かんしん》の勢力が、楚軍のやわらかいわき腹に鉾《ほこ》を突きつけたかたちになっていることであった。

――いっそ漢にそむき、楚に味方せよ。

と、弁士武渉《ぶしょう》を派遣したが、説得に失敗した。

以上のように列挙すると、項羽をめぐる戦略的情勢はかんばしくないかに見える。

が、戦術的には圧倒的に優位を示していた。項羽という、勇猛さと戦い上手にかけては古代以来この地上にあらわれたことのない男にひきいられた楚軍は、兵は勁《つよ》く、馬は騰《あが》り、士卒のはしばしにいたるまで項羽を神のように崇《あが》め、その勝利をうたがいもしなかった。これにひきかえ、漢軍の士卒には勝利への確信などなかった。

――戦えばかならず負ける。

という劉邦にひきいられ、つねに項羽におびえ、敵の陣頭に項羽があらわれたときくとないだれを打って逃げるのが漢軍の習性のようになっていた。

（漢兵は、その日ぐらしだ）

と、弁士侯公などはおもっている。漢軍に身を寄せて一日一日の糧《かて》が得られればよく、このはてにたとえ漢が負けようともそれはどうでもよかった。

（楚軍は、旗のいきおいからしてちがう）

侯公は、潤むこうの楚城をみて、毎朝おもうのである。風のなかで小気味よくなびき、楚兵の動作も機敏で、その英雄的な主将のつよい磁気をどの兵もうけており、どの兵も堂々としていて、かれら一人で漢兵の十人でもとりひしぎそうであった。

その上、楚軍の有利な点は、劉邦の実父の太公《たいこう》と妻の呂氏《りょし》をいけどりにしていて、その生殺与奪の自在をにぎっていることであった。このことは敵の漢兵の士気をどれほど殺《そ》いでいたか測りしれない。漢兵にすれば自分たちがたとえ働いたところで、主将の劉邦が実父を犠牲にしてまでこの戦いを勝利にもってゆくはずがなく、やがては項羽に和を乞うにきまっている、と思っていた。この大陸の倫理習慣では孝が何にもまして絶対価値をもっている。その父を犠牲にしてまで戦うというのは勇者とされておらず、かえって劉邦がひとびとの信望をうしなうということを士卒たちは知っていた。

この情勢下で、劉邦は負傷した。

——漢王が殺された。

とっさに漢兵たちは思い、このとき漢城の旗がいっせいに萎《な》えた。

これより前、項羽が澗《たに》ぎわの崖《がけ》まで出てきて劉邦と応答し、この上は卿《あなた》と一騎討ちで勝負をつけ、天下万民のために戦乱のたねをのぞこう、といった。これに対し劉邦は拒否し、そのかわり項羽に毒づいた。劉邦は行儀のわるい男ではあったが、ふしぎなほど下卑《げび》たところがなかった。このとき澗ごしに長広舌《ちょうこうぜつ》をふるって相手を罵《ののし》った苛烈さは、この男の生涯で前例のないことであった。ともかくも、武において項羽に劣っている。項羽に毒づく以外に漢軍の士気の低落をふせぐ手はなかったのであろう。

が、劉邦は項羽がその背後に弩《ど》をかくしていたことを知らなかった。弩が弾《はじ》かれ、矢が大きく澗の上を飛んで劉邦の胸に命中した。劉邦は、転倒した。

幸い、矢は堅甲《けんこう》をつらぬかなかったが、その胸にはげしい打撃をあたえた。劉邦はあやうく気をうしないそうになったが、懸命に手をのばして足の指をひねり、

——足に打ちあておったわい。

と、味方にきこえるように言った。やがて介抱されてひっこんだということのくだりはすでに述べた。

侯公《こうこう》は、この現場ちかくにいた。劉邦が倒れたとき、

(ああ、漢もしまいか)

と思い、山を降りてゆく自分のうしろ姿が見えた。侯公は想像力にめぐまれていた。とい

うよりかれの脳髄《のうずい》からわきあがるこの気体のようなものはかれ自身をさえその想像世界でしばしば殺した。漢軍という巨大な屍体《したい》が大陸に横たわって、その屍《しかばね》からぞろぞろと虫が出てゆくのが見えた。虫のいっぴきが、侯公自身であった。爆《はじ》けるようにつぎつぎとひろがってゆく想像の光景のために劉邦の死を悲しんでいるゆとりなどなかった。

やがて劉邦が、張良《ちょうりょう》のすすめで陣中を巡視したとき、

(生きていたのか)

と、思った。劉邦の顔色が死人のようであった。

その後、劉邦は、山上の陣営で臥《ふ》せていた。

――胸の骨が折れたらしい。

と、ささやく者もいた。

侯公は、劉邦の齢《とし》をおもった。すでに初老であり、もし噂《うわさ》どおりとすればそのいたでに堪えられるかどうか。

劉邦はひそかに山から降りた。

この時期、ふもとの成皋《せいこう》城は漢軍のものになっていた。項羽は成皋城に戦略的価値をみとめず、守備兵を撤収して他の方面にむけたのである。

劉邦はしばらく成皋城で傷をやしない、やがて癒《い》えたが、どうにも広武山の対決場裡《たいけつじょうり》にもどる気がしなかった。

（もう、どうなってもいい）

とさえ思った。劉邦の受けた傷は、弩《ど》によるものよりもさらに深刻なものがあった。しきりに沛県《はいけん》の豊邑《ほうゆう》での少年時代が想いだされ、そのころの野や空の色、路傍でしゃがんでいる老人、飛んでいるとんぼ、小川に棲《す》む小魚のひれの動きまでが鮮かによみがえってきて、現実《げんじつ》このように項羽と争っているほうが淡い夢であるかのように思われてきた。

（わしには、むりだった）

天下を望むような器量でないことは、自分がいちばん知っている。ただやたらと人が随《したが》ってきて推しあげられるままにこんにちに至ったのだが、天が人をとりちがえたのだ、と思ったりした。

——たれか、自分に代わる者がないか。

と、おもった。以前もこのことを思い、張良にそううちあけて一笑に付されたのだが、いまこそ張良にでも代わってもらいたかった。

張良は、山上にいる。

劉邦は自分に代わって総指揮をとってくれているあの痩《や》せた亡韓《かん》の旧貴族の出の男に、使いを出した。

「しばらく関中《かんちゅう》に帰る。あとをよろしくたのむ」

と言い、変装して成皐城を出た。

この決戦の時期に、主将が関中に帰ってしまうなど、常識では考えられぬことであった。

しかも病みあがりの身で、ながい道中は決して体のためにはならない。しかし劉邦にすればこれほど気落ちしてしまっている身を、決戦場やその近くで横たえているということに堪えられなかった。

(関中で死のう)

と、おもった。

関中を得て以来、このゆたかな台上の国を守って項羽と戦いはじめた最初から漢軍の補給を終始安泰なものにし、百戦百敗ともいうべき劉邦をそのつど起《た》ちあがらせてくれた蕭何《しょうか》の顔もひさしぶりで見たい。蕭何がむしょうになつかしかった。

(蕭何がいなければ、漢軍などはとっくのむかしに消えていた)

それに、子にも会いたい。

太子《たいし》などとよばれているあのひ弱で凡庸な子については、

――あいつはおれの子じゃない。

と、劉邦はこぼしてきた。むろん呂氏《りょし》とのあいだにうまれた嫡子《ちゃくし》にはちがいないが、秋口の蚊のように頼りない感じの少年で、とても劉邦には自分の血をうけたとは思えない。他に、陣中に連れている楚《そ》のうまれの女で戚《せき》姓の女に、如意《じょい》という男子ができている。いっそこれと取り代えたいと思うほどであった。

それはともかく、太子に会い、あとの心得などをさとしておきたかった。あとというのは何のあとであるか、劉邦は自分でもはっきりせぬままに、しきりにあとのことというのが雲のように頭の中を去来している。

函谷関《かんこくかん》をくぐってやがて関中の台上に出ると、田園はすでに秋の収穫を終えていた。ことしは稔《みの》りがゆたかであった。

関中のひとびとは、劉邦をあたたかく迎えた。関中はむかしの秦《しん》の地であり、ひとびとはすべて秦人だが、かれらは秦の世を忘れたように漢の世をよろこび、劉邦を慕っていた。

この大陸は古来徴兵制であった。戦死者に対してはぞんざいなものであったが、蕭何は前線で戦死した士卒の死体は丁寧に故郷に送らせ、官費で棺と死に装束《しょうぞく》をととのえて葬儀をさせた。

一方では蕭何は兵役にとられない十五歳から五十六歳までの人民に軍役銭として百二十銭を課したが、そういうことについての不満がまったく見られないほどにかれの政治はうまく行っていた。

この時期、関中における漢の政都は櫟陽《れきよう》におかれていた。いまの陝西《せんせい》省臨潼《りんとう》県の東北にあり、かつての秦都咸陽《かんよう》にくらべると郡都程度の規模にすぎない。

劉邦は櫟陽に入ると、太子にも会い、蕭何にも会った。

蕭何は相変わらずきまじめで、愚鈍とさえ思えるほどに平凡な貌《かお》をしていた。劉邦が沛の町をごろついていたころ蕭何は沛県の属官としていつみても木簡《もっかん》をナイフで削ってはなにか書きものをしていた。当時、秦法は苛烈で、劉邦のような男は何度もつかまりかけた。そのつど蕭何がごまかしてくれた。

蕭何にすれば、法網のこまかい秦の法に苦しんでいるひとびとに対し運用の面で網の目をひろげていたにすぎないが、ひとびとは蕭何の徳であるとした。たしかに蕭何にはふしぎな徳があり、秦末、地方がみだれて県ごとに自立したとき、沛の父老《ふろう》はごろつきの劉邦よりも蕭何を首領として推戴《すいたい》──蕭何はことわったが──しようとしたほどで、そういう出発点からいえばいま蕭何が劉邦に代わってもさほどのふしぎさはなく、すくなくとも劉邦は蕭何の顔を見たときそうおもった。

夜、劉邦は蕭何と二人きりで酒を飲んだ。蕭何には安心して泣きごとをいうことができた。

「いっそ、お前さんと代わってもらい、わしは沛のあたりに隠棲《いんせい》したい」

劉邦がいったとき、蕭何は音をたてて盃《さかずき》を置き、一見愚に見える貌に赤黒い怒りをさしのぼらせつつ、

「陛下、天命をおわすれ遊ばしましたか」

といった。

劉邦がこの地上の唯一者《ゆいいつしゃ》になるというのは天命である、天はさまざまの奇瑞《きずい》をあらわしてその意思をひとびとに知らせている。この劉邦が天の意思をうけているという奇瑞宣伝は初期劉邦グループがひろめたものであったが、当の蕭何自身が本気で信ずるようにあるいはなっていたのかもしれない。

「天命など、あるかよ」

劉邦は、頭をかかえた。

「蕭何」

頭をあげた。

「あのさまざまな奇瑞は、そこもとたちがひろめたのではないのか。みなが囃《はや》すままにわしまでが躍ってしまった。わしはただの沛の遊び人にすぎなかったのだ」

「疲れていらっしゃる」

蕭何はやさしく言った。疲れた者はときに狂者と同様、なにを言いだすかわからないことをこの平凡な男は知っていた。

「いっそ、休戦を項羽に提議なさればいかがでしょう」

兵に休養をあたえ、劉邦自身もしばらく疲れを癒やせば、往年、あれほどの敗戦をかさねながらすこしも気根に異常のなかったこの男の奇妙さを回復することができるのではあるまいか。

「蕭何よ、あなたは戦場から遠ざかっているので項羽のすさまじさがいまひとつわかっていないのかもしれない。あの男が休戦に応ずるはずがあるものか」

「やってみないかぎり、わかりませぬ」

劉邦も、その気になった。

かれの関中での滞在はわずか四日にすぎなかった。蕭何がそうせよと勧めたことであったが、この四日のあいだに首都櫟陽の父老をあつめ、酒宴をひらき、手あつく慰問した。もともと父老というのは人民の自治組織の代表者にすぎず、いわばわけ知りの爺《じい》さんたちというにすぎない。こういうひとびとに対し漢王みずから酒をすすめてまわるというのは、すくなくとも秦の時代にはありうべからざることであった。しかし現実の問題として前線に壮丁《そうてい》を送りだす主体が父老である以上、劉邦としてはかれらに感謝せざるをえない。さらには今後ともよろしくたのむと言わざるをえなかった。

そのあと、劉邦は蕭何に見送られて函谷関を出、黄河《こうが》沿岸の前線へ帰った。

広武《こうぶ》山《さん》上にもどって張良《ちょうりょう》をよび、蕭何《しょうか》が出した休戦という案について意見をもとめると、張良はお試みになることはわるいことではありませぬ、といった。

張良も、項羽《こうう》ははねつけるだろうと思っている。張良が項羽でも、この最終決戦ともいうべき段階で、漢《かん》軍のすきを見て力攻し、漢城をたたき割ってその食糧さえ奪《そ》えば楚の兵気はいよいよ奮《ふる》い、一気に項羽の天下は確立するだろう、と踏む。

「弁士には、たれがよいか」

「やはり、陸賈《りくか》でしょう」

劉邦も、異存はない。ただふと、

「あの、変な名の男はどうだ」

「変な名の男とは？」

「秦《しん》の始《し》皇帝《こうてい》が信用していた方士《ほうし》と同姓同名の男だ」

「侯公《こうこう》でございますか」

張良は、笑いだした。

「まことに奇士でございます」

「いかんか」

「まず陸賈のほうが無難でございましょう」

侯公は劇薬のようなもので、瀕死《ひんし》の病人に与えるにはときにいいかもしれないが、こういう場合にはああいう男を差しむけるべきでないと張良はおもっていた。が、むろん他人への誹《ひ》謗《ぼう》になるため張良は言わなかった。

「陛下、陸賈は陛下が好きでたまらぬという男でございます」

「わかっている」

「陛下のためなら、項羽の陣営で殺されても悔いを持たない男でございます」

「しかし」

劉邦は、迷った。

「侯公も死士の気概があるというではないか」

「同じく死を軽《かろ》んずるといっても、両者のもとが違います」

「なにを言いたいのだ」

「陸賈がたとえ空しく帰ってきても、お叱りになりませぬように」

張良は、陸賈のために劉邦に釘《くぎ》をさしておいた。

劉邦の使者として陸賈が楚城にやってきたとき、項羽の態度は冷ややかだった。天下の楚軍らしく城門を入ったときから軍士たちの礼儀は折目ただしく、兵糧不足というのに兵気がさかんで、堵列《とれつ》しているどの兵の目も豹《ひょう》のような野気《やき》を宿して光っていた。

「わたくしも楚人でございます」

陸賈が、項羽に親しみを感じさせるためにわざわざ生国《しょうごく》をいったのに、項羽は返事をしなかった。

——楚人が、なぜ劉邦のもとにいるのだ。

項羽の目が、そのように反問している。

陸賈は、雄弁家であった。先聖は戦争を好まず、戦う場合はただひとつ民を苦しみから解放する場合のみであった。戦って民を苦しめるようなことは王者の道ではないということをまことに博引旁証《はくいんぼうしょう》、古典から言葉を引き、事実を援用し、決して流暢《りゅうちょう》ではなかったが、その誠実な話し方は、並みいる楚の重臣たちの心をその論理と叙述と描写の世界に魅《ひ》き入れた。この大陸の文化は話題として倫理的課題を好む伝統があり、ひとびとはながい戦乱のなかでその種のことに餓えていた。

——陣中、このような話が聴けるとは思わなかった。

項伯《こうはく》などは、かたわらの人をかえりみてささやいた。

「陸賈よ」

項羽だけが、別な表情でいた。

「それだけか」

「されば休戦をし、民を……」

「そのことは先刻、聞いた。そこもとはわしに何を望むのか」

「休戦でございます」

「劉邦はすでに先聖の道を踏んでいるのか」

「民を安んずるために休戦をしようと提案する以上、漢王は先聖の道に立っているといえましょう」

「いったな」

「確かに申しました」

「その論法でいえば、劉邦の申し出を断ればわしは悪逆の王になる」

項羽の眉間《みけん》に怒りが溜《た》まっている。

「それほど傲慢《ごうまん》な言い方があるか。そこもとは頭から劉邦を聖王としている」

「……いいえ、漢王は」

陸賈は、狼狽《ろうばい》した。かれの論法は劉邦が先聖の道を先唱して項羽を随《したが》わせようとした以上、論理としては項羽のいうとおりである。

「帰れ」

項羽は、怒りをおさえて言った。

「帰って漢王に伝えよ。戦禍という民のわずらいを取り去るには一日で足りる。漢王が漢軍

を ひきい、城門をひらいて打って出てくればいいだけのことだ。直ちにわしは漢王の首を成《せい》皋《こう》城の城門に掛けてやろう。天下の蒼生《そうせい》はその日から戸をあけて眠ることができる」

陸賈は事成らずして漢城にもどってきた。

劉邦の前でいきさつや項羽とのやりとりをつぶさに報告したあと、

「わがことをいうのは烏滸《おこ》がましゅうございますが、君命だけははずかしめなかったつもりでございます」

「そうだろう」

劉邦はうなずいた。陸賈のように挙措典雅で才学のゆたかな男を劉邦が客にしているだけでもみばえのいいことであった。

「項羽にわしのことをほめてくれたのだな」

「陛下は、ほめられるに値いする御人《ごじん》でございます」

「ありがたいことだ」

劉邦は、鼻で笑った。

(だから儒者はきらいだ)

劉邦には考えられない。わざわざ敵の王をほめに項羽のもとに行って、かんじんの外交は成功しなかったが君命だけははずかしめなかったというおどろくべき形式主義こそ儒教の本質だと劉邦はおもっている。

(やはり、侯公《こうこう》か)

劉邦は侯公がどんな男か、ほぼ知っている。こんなやつを使うのは九死に一生を得たいという破れかぶれのときだけだと思っていたが、もはやその段階ではないか。漢城をあげて項羽を恐れ、滞陣がながびくほど士気は墜《お》ちてゆく。漢の全軍が広武山の山の上にあがってしまって降りるに降りられぬということのばかばかしさから、劉邦自身が抜け出したかった。

「侯先生をおよびせよ」

侯公がやってくると、劉邦は席をあたえ、対等の位置をつくって、項羽のもとに使いしてもらえまいか、とたのんだ。

「休戦をもちかけるのでござるな」

侯公は、むずかしい顔を作った。

「項羽と陸賈との応答をうかがいたい」

侯公は、師賓《しひん》としてことさらにぞんざいな言葉をつかう。劉邦が事実をもって告げると、侯公は笑いだし、ついには卓子をたたいて笑った。

「なにがおかしい」

劉邦は、不愉快になっている。

「物を買うのに銭も持たずにゆく馬鹿がござろうか。その上、相手の店先で道を説き、物をただで呉《く》れねば先聖の道にそむくことだなどという買い手がもしいたら、陛下はどうなさる」

「笑う」

「陸賈がそれでござる」

侯公はいった。この瘦せてあごのとがった男には薄あばたがあって、大まじめになると、虫食いの長瓜《ながうり》が物を言っているような顔になる。

「しかし陸賈は、君命をはずかしめなかった、と言ったぞ」

「君とは、陛下のことでござるか」

「あたりまえのことだ」

「すると、君は銭無しで店の物を買って来いとおおせられたわけでござるな。君命とはつまり銭を持たずに……」

(なんと、いやなやつだ)

劉邦はおもったが、いまはこの男を頼るしかなかった。

「侯先生、あなたがゆけばかならず成功するか」

「この広武山から両軍がまちがいなく撤収しましょう。もしそうでなければ、この侯公の体を膾《なます》にしてくださってもよろしゅうござる。ただしそれには陛下のお覚悟をうかがっておかねばならぬ。陛下はそれほど休戦を望まれるか」

「望む」

「もし陛下の面目を損《そこな》わず、陛下の士卒を一人も傷つけず、さらには御父君と御后《おんきさき》を項王からとりもどすということならば、あとはどういう条件を提示してもよろしゅうござるか」

侯公が劉邦に述べたのは、天下を漢と楚で二分することであった。

「その境界を鴻溝《こうこう》とします」

鴻溝とは、このあたりの滎陽《けいよう》(河南省)の付近を流れている運河のことである。滎陽城の東方にあり、黄河の水をひいて東南流し、途中曲折しつつ淮河《わいが》にそそいでいる。

侯公の案は、この鴻溝から西は漢とし、その東を楚とするというもので、なたで叩き割ったように大ざっぱな境界の設定の仕方だが、いまの場合、この極度の過熱状態を打開するには、かえって精密でないほうがいい。

——どうすべきか。

劉邦がこのあと張良に相談すると、張良は内心それが最良の案とおもったが、しかし領土をきめるのは劉邦そのひとであり、幕僚といえども口出しできないことだと思い、

「地を割ることについては陛下がお決めあそばさねばならぬことでございます」

一家における父権が庖丁《ほうちょう》をとって肉を家族に頒《わ》ける権であるように、大地に成立する王権は土地を配下にわける権なのである。いまこの大地に項王と漢王がならび立っている。この両者がそれぞれの領域をきめるのは両者のみに付せられた権で、余人が口出しすべきでない、と張良はいうのである。

「この案が、わしにとって損か得かときいているのだ」

「大きに、陛下のお得でございます」

その理由は、この案では、滎陽、成皋《せいこう》、広武山という、亡秦《しん》以来、穀物の一大集積地が漢

のものになっている。他日の戦いにふたたび御役に立ちましょう、と張良はいう。

「項羽が固執すまいか」

「この穀倉《こくそう》について項王は在来執着が薄うございました。項王にも執着があったなら、とっくに陛下に勝っていたにちがいありませぬ」


侯公は、出発した。

出発といっても、漢城の前面に出、断崖《だんがい》に急設された梯子《はしご》をおりて澗《たに》の底に出、急流の中の岩から岩へ架けられた板の上をわたり、楚城の側が架けおろした梯子をつたって登るのである。

漢王の使者という容儀をととのえるため、陸賈《りくか》のときもそうであったが、着飾った供を二十人ほど従えており、副使をふたり連れていた。

楚城に入ってゆくとき思ったことは、楚兵がみな痩せ、どの兵も身動きがにぶく、精気をうしなっていることであった。陸賈の報告では「なお兵は英気にみちている」ということであったが、わずか十日のあいだにこうも変化するものであろうか。

もっとも楚兵の側は、侯公を見て、

（変なやつがきた）

と、たれもがおもった。さきの陸賈は漢王の使者らしくその風姿は典雅であったが、侯公は畑泥棒のように野卑で、図々しそうであった。

項羽とそのまわりの者も、

（こいつは、まったくちがった男だ）

と、おもった。さきの陸賈の背後には劉邦が立っている感じがしたが、こんどの侯公はなにやら独自の男で、楚城に物でも売りにきた男のようにも思われた。

「陛下、楚城にてゆっくり致しとうございます」

と、侯公はのっけに言ったのである。一つの意味は会談《はなし》をいそがずにやろう、ということであったが、いま一つの意味は、俺という人間をゆっくり見てくれ、それから話しあおうではないか、ということであった。

項羽は、陸賈のときとはちがい、酒肴《しゅこう》を出させて、配下の者たちに接待させた。

侯公は大いに飲み、大いに食った。

「人間、長生きをせねばなりませぬ」

といって、なにやら秘伝めかしい導引《どういん》を披露した。

五体をのろのろと動かしつつ体じゅうのあらゆる関節に動きをあたえつづける運動で、同時に呼吸術を兼ね、大気を体内に導き入れては吐き、この間、心気を鎮《しず》め、欲を制するのである。

導引はこの時代、わりあい行われていたらしい。『史記』に散見し、「衰《すい》ヲ助《さき》ヘ、老ヲ養フ」と書かれている。また張良《ちょうりょう》は晩年導引に凝《こ》ったともいうが、いずれにしても世界最古の体操といっていい。

老子《ろうし》の哲学に裏打ちされているというこの体操は全体が円運動で、右股《もも》をあげたかと思うと顔は左をむき、同時に左腕がゆるやかな弧《こ》をえがき、右腕は背後に動いているというものであった。その間《かん》、呼吸術が加わっているために、表情は大気のなかに溶けて痴呆《ちほう》のようになっている。

「なんともはや」

項羽の配下のなかには、笑いだす者もいた。

(憎めぬやつだ)

たれもが思い、さらには戦場にきて養生法に熱中している男に、なにやら戦闘者離れのした精神を感じさせられたりした。

「漢王の言い分をきこう」

ある日、項羽が侯公をよんで、本題に入ろうとした。

ところが、侯公は窓外に黄葉しはじめている樹々を指さしつつ天地自然の理を説きはじめ、項羽を変に雄大な気分にひたらせてしまった。が、項羽もおもしろがってはおれず、

「漢王はどう言っておるのか」

とかさねてきくと、

「漢王のことなど、小そうござる」

といって、吹きわたっている風をつかまえるようにして、風の話をしたりする。

「侯先生は、老荘《ろうそう》の徒か」

たまりかねてきくと、侯公は自分には思想上の主人はない、風や陽や土や火がわが主《あるじ》であり、友であり、下僕《しもべ》でござる、という。

侯公が狙《ねら》うところは、項羽の印象の中の自分を透明にしてしまうことであった。項羽が漢王の使者としてのみこの侯公を見るならば、侯公が何を言ってもそれは漢王の利益のために謀《はか》っていると思い、虚心に聴こうとしないであろう。できればこの侯公は天地と運命の代弁者で、漢王への小さな忠誠心などはないのだ、という印象をもってもらいたかった。

「漢王など、どうでもいいのです」

とまで極言し、副使としてやってきている者に目を瞠《みは》らせた。

「この侯公は、いわば天と地と人の代理人です。漢王に対し、忠でも不忠でもないということがおわかり頂けるでしょうか」

「わかるような気がする」

項羽は、おもしろがって手をたたいたりした。

侯公がそのあげくに分割論をもちだし、それには鴻溝《こうこう》の一線がよろしい、といったとき、ごく自然に項羽も了承した。

いつ、どのようにして両軍が撤兵するかという具体的なことについては、侯公は項羽の配下と自分の副使にまかせ、あとは閑々として項羽をつかまえては諸国の地理、奇談のたぐいを物語ったりした。項羽はこの種の男を見るのがはじめてであったから大いに愉快がり、

「いっそ、わしに仕えぬか」

と、いった。

「陛下に？」

侯公は驚いてみせ、

「私は漢王にも仕えておりませぬのに」

「だからわしに仕えよというのだ」

「いやはや」

侯公は大笑いして、風や陽や樹木に仕えている者が項王にお仕えしたところで何の御役にも立ちませぬ、漢王の客として兵糧の余りを食っているのが何よりものんきでござる、という。

「いったい、何が愉《たの》しみで生きているのだ」

「項王を仕合せにして差しあげるのが愉しみでございます」

「言うわ」

項羽は侯公の肩をたたいて笑った。

やがて侯公は楚城を辞した。

楚城で演じてみせたかれの思想、語った言葉は、すべて侯公の本心ではなかった。要するに項羽を安心させるためであり、談判を成功させるための演技にすぎなかった。侯公がみずからを賭《か》けて摑《つか》み取ろうとしたのは、弁士としての成功だけであり、他の相手ならばかれは他の自分と思想を演出したにちがいなかった。

劉邦は、飛びあがるようにしてよろこび、侯公の手をとって、

「卿《あなた》のおかげだ」

と、いった。劉邦が軽率なまでに——自軍の弱点をさらけだしてまでに——この種の成功をよろこんだのは、このときぐらいだったかもしれない。それほどにこの時期の劉邦は、心身ともに弱っていたともいえる。

やがて日を期して、楚軍から劉邦のもとに、かれの父と妻が送りかえされてきた。漢兵はこれをみて山をゆるがすほどにどよめき、何度も万歳を叫んだ。

劉邦のよろこびは、侯公への大きな褒賞《ほうしよう》としてあらわされた。一躍、侯公に諸侯の待遇をあたえ、

「平国侯《へいこくこう》」

という尊称をさずけた。

——これで、この侯公様も劉邦のひげのちりを払う身におちぶれたわ。

と、侯公は言いつつもうれしさを隠しえず、いつもは客館の片隅でひとりごとばかり言っていた男が、山を降りて成皐《せいこう》城で他人の車を借り、乗り心地をためしてみた。諸侯は車をゆるされる。しかし侯公は爵を賜わったばかりで車を持っておらず、借り車を乗りまわすことによって気分を味わってみたのである。

客たちは、不愉快に思った。

――なんだ、あいつ。

と、批難の声が高くなった。客たる者は栄爵を思うなとか、無私に徹せよ、とか、客はついに客であることが目的である、などとおのれひとりを高しとして他を軽侮《けいぶ》していた男が一《いっ》朝《ちょう》にして変節してしまった。

客たちは侯公を攻撃して争鳴し、ついには劉邦の側近に侯公の平素の言動を告げて、

――かれに栄爵を与えれば国を傾けるでしょう。

という者もいた。

ちょっと信じがたいことだが、侯公は賜爵《しやく》後、ほんの数日して山上から居なくなった。劉邦は人をやって成皐城内をさがさせたが、みつからなかった。逐電《ちくてん》したのである。

さすがにあの厚顔の男も愧《は》じたのだろう、という者もいたが、日を経るにつれて同情者もふえてきた。侯公の目的は人事に通じたかっただけであるという。車に乗ったのも諸侯の気分を他人事《ひとごと》のように味わってみたかっただけで、もともと長居をする気はなかった。また侯公にすれば天下を二つに分けるという大仕事をやっただけで、その才能を十分に表現できた。それだけでかれは満足しており、その結果としての授爵は余分だった。これを断れば漢王をあなどることになり、かえって身をそこないかねず、このためだまって逃げた。車を乗りまわしたのも、茶目なところのあった侯公は、成功で得た余分なものを子供っぽく愉しんでい

ただけだったというのである。

しかし、真相はどうもちがうらしい。

「侯公はその平素の思想からみて、国を傾ける男になる」

というのは、客たちの中傷以前から劉邦の耳に入っていた。劉邦はそれでもこのよろこびを授爵であらわそうとし、側近に尊称をえらばせた。

「平国侯」

というのは傾国侯ということばの裏返しにすぎない。すくなくともそのことばを踏まえてのことで、尊称そのものに劉邦のつよい警戒心と皮肉が毒のように入っていた。そのことを侯公自身が気づき、他日平和がきたときに害されることをおそれ、いちはやく逐電した、という。

もしそうであれば、蒯通《かいとう》に似ている。蒯通は韓信《かんしん》に独立をすすめて容《い》れられないとなると他日害されることを怖《おそ》れ、逃げだしてもとの放浪者にもどった。

このふたりの弁士は親友であるだけでなく、人間としての平仄《ひょうそく》がどこか合っていて、二人で一首の詩になりそうなところがあった。となると、平国侯侯公の逐電の真相は右にちかいのではないか。

漢王百敗

山上で、和睦《わぼく》が成った。

楚漢《そかん》両軍から使者団が出て、たがいに澗《たに》を渉《わた》り、調整のためにかけまわった。やがて、

——明朝、陽が昇るとともに楚漢両軍はいっせいに広武山《こうぶさん》上から撤退する。

というとりきめもできた。一カ年、両軍とも膠《にかわ》ではりつけられたような滞陣が、ようやくあすで終るのである。

「ただし油断はならない」

劉邦《りゅうほう》の謀臣張良《ちょうりょう》は、

「篝火《かがりび》を常よりも熾《さか》んにせよ」

と、諸将につたえた。万が一の用心ということで、張良も項羽《こうう》が違約して攻めてくるとはおもっていない。

夜に入って、漢城の峰は昼のようにあかるくなった。

劉邦は張良の用心ぶかさをおかしがり、

「項羽が奇襲してくるというのか」

張良にきいた。

「来ないでしょう」

と、張良。

「なぜだ」

劉邦はこういう問答がすきである。

「項王は強者です。すくなくとも自分を蓋世《がいせい》の雄だと思っています。強者というのは、自分の名誉にかけても言葉を違《たが》えないものです」

「わしはどうだ」

「陛下でございますか」

張良は、だまって微妙に笑った。

「どうだ」

劉邦もわらいながら、問いかさねた。

「おそれながら弱者におわします」

「わかっている」

項羽に対して百戦百敗してきた男が強者であるはずがない。

「そうすると項羽に信があって、わしには信がないということになる」

「陛下は私ども配下の者に対して信をもってお臨みになり、約束なされたお言葉を違えられたことはありませぬ。ひとびとが陛下につき従っているわけの一つはここにあります。しかし項王に対してはときに約束をお違えあそばすかもしれませぬ。陛下は弱者におわすからです」

「弱者は、油断ならぬものか」

「私が項羽ならば、陛下を大いに警戒します」

「今夜、この劉邦が楚城へ不意打ちをかけるというのか」

「いや、それはなさいませぬ。理由は……とても」

「勝ち目がない」

劉邦は、大きなたらいに水を張ったような無心の表情のまま笑った。

楼閣の上から、澗《たに》むこうの楚城の火がよくみえる。篝火はつねのままであり、旌旗《せいき》はうごかず、峰ぜんたいが項羽の自信そのもののようにどっしりとしていた。

「項羽は大したものだ」

劉邦は、張良をかえりみていった。

「わしはあの男に勝てなかったが、べつに悔《くや》んではおらぬ。あの男と百戦して命一つがふしぎに保てたことだけがわしの幸運であり、ひらきなおっていえば自慢のようなものだ。ふつうならば、あの男の顋《あぎと》にかけられてずたずたに引き裂かれてしまっている」

「それは、陛下がご自分を強者だとお思いになったことがないからでございます」

劉邦ははじめから自分を戦《いく》さ下手の弱者であるときめこんできたから、項羽に対して気勢《きお》いたったことがない。戦いが不利になればすぐさま遁《に》げた。張良は、それが劉邦の命をいままで保たせたもとだという。

「そのとおりだ。男としてくやしいが、こればかりはどうにもならない」

「ふしぎなことに、陛下の場合、ご自分を弱者だと思いきめて尻餅《しりもち》をおつきになっているその御人柄がそのまま徳になっておわします」

(——徳?)

わしに徳などあるだろうか、と劉邦はおもった。百姓の出らしく坐っても様子がわるく、言葉づかいが乱暴で、ときに配下の将軍や客人を小僧よばわりしてどなりつけてしまう。どなるのも尤《もっと》もな理由があるわけでなく、餓鬼大将が遊び仲間の顔に泥をなすりつけるようなあんばいに人を手荒にとりあつかうのである。このため劉邦にいいやけがさして辞めてゆく者もあり、そういう者たちが、

——漢王は能なく智なく勇なく、しかも人間が粗樸《そぼく》すぎておよそ雅馴《がじゅん》でない。まことに不徳の人である。

といっているのを劉邦は耳にしたことがある。

「陛下は、御自分を空虚だと思っておられます。際限もなく空虚だとおもっておられるところに、智者も勇者も入ることができます。そのあたりのつまらぬ智者よりも御自分は不智だと思っておられるし、そのあたりの力自慢程度の男よりも御自分は不勇だと思っておられるために、小智、小勇の者までが陛下の空虚のなかで気楽に呼吸をすることができます。それ

を徳というのです」

「徳とはそういうものか」

劉邦は、噴きだした。

「それならわしにもある」

「さらに陛下は、欲深《よくふか》の者に対して寛容であられます。乱世の雄は多くは欲深で、欲によって離合集散するのです。欲深どもは、陛下のもとで辛抱さえしておれば自分の欲を叶《かな》えてもらえるとおもって、漢軍の旗の下にあつまっているのです。漢軍の将は、十のうち八九はそのような者たちです。この連中が集まるというのも、徳というものです」

「それも徳か」

「治世の徳ではありませぬ。三百年、五百年に一度世が乱れるときには、そのような非常の徳の者が出てくるものでございます」

「それがわしか」

劉邦は、ほめられているのかどうか。

「項羽は、どうだ」

「項王にはそのような徳はありませぬ。このため范増《はんぞう》をうしなっていまは謀臣がなく、また韓信《かんしん》ほどの大器を一時は配下にしていながらその才を見ぬけず、脱走させてしまっています」

「韓信のことは、べつだ」

劉邦は腹立たしげに、顔を上下にこすった。

「韓信は、わしの手にも負《お》えなくなっている」

この広武山上の対峙《たいじ》で、もし韓信が援軍にきていれば一挙に戦況は変わったかもしれない。

「しかし韓信は楚につこうとはしておりませぬ。それだけでも陛下は多《た》となさるべきです」

「それもそうだ」

劉邦は、おだやかな顔にもどった。

張良にいわせれば、項羽は空虚ではない。天地に千万の電光を奔《はし》らせるほどに勇と才で充実している。

「すると、項羽の天下になるのか」

劉邦が顔をにわかに赤黒くして言ったが、張良はただ、

「天」

といったきりで答えなかった。劉邦の軍団がみな信じていたように天の意思は劉邦にあるというのか、あるいはすべて天の決めることだという意味なのか、よくわからない。

この和睦の条件は、項羽をよろこばせている。

この和睦で楚と漢は天下を二分したが、どう考えても楚の領域は広大であった。

境界線は、こんにちの地図、地名でいえば、この広武山の東方の鄭州《ていしゅう》市から斜めに東南へ線をひいて、中牟《ちゅうぼう》、通許《つうきょ》、太康《たいこう》、柘城《しゃじょう》、亳県《はくけん》、渦陽《かよう》あたりまで延びている。いわゆる中原《ちゅうげん》の

地をななめに切りさいたもので、これに加えて中原以南の広大な楚の地はむろん項羽のものである。劉邦の漢の領域はこの広武山、滎陽《けいよう》をふくめつつ、もともとの領地の関中《かんちゅう》台地を加える。それに劉邦の出身地の泗水《しすい》郡はむろん入るが、あとは間接統治の地になる。旧魏《ぎ》、旧斉《せい》の地がそれで、これは韓信の直轄領もしくは影響下にあるために劉邦がどれだけ自由にできるか、今後の情勢にまたねばならない。

「大王の損でござる」

項羽の側近ではそう言う者もあった。なるほど項羽は秦《しん》をほろぼし、旧主の懐《かい》王を追って弑《しい》したために、この大陸の覇王《はおう》といえばかれ以外になく、その覇王たる者が中原を折半するのは損といえば損である。

「なにをいうか」

項羽は赤い口をあけて一笑に附《ふ》した。

「劉邦にくれてやったのは仮りの領地だ。いまわしの兵も馬も食に餓えている。後方へさがり、秋の稔《みの》りを腹一杯にあたえればふたたび壮気満ち、馬は騰《あが》る。この和睦はただ食を得るためのものだ」

「あとは？」

「劉邦と漢軍を一撃にくだく」

翌朝、陽がのぼると、霧が深くなった。

両軍は旗をおろし、乳色の霧の中をくだりはじめた。楚軍は東麓《とうろく》を、漢軍は西麓のみちをたどった。項羽はその根拠地の彭城《ほうじょう》をめざし、劉邦もまた黄河《こうが》をさかのぼってはるか関中台地にもどるつもりであった。

漢軍が広武山をおりて成皋《せいこう》の町に入っていっせいに朝食をとったとき、張良は食事もそこそこにして陳平《ちんぺい》の陣へゆき、

「陛下の幕営へゆこう」

とさそった。歩きつつ、

「私がなにを陛下に献言しようとしているか、君ならわかるだろう」

というと、陳平はただ色白の友人を一瞥《いちべつ》しただけでだまっている。

「わからないか」

張良は平素とちがい、息も気ぜわしく、目が血走っていた。

「どうだ」

「想像はできるが、言えない」

陳平は小声でいった。この男は詭計《きけい》を好んでいる。ときに人非人《にんぴにん》かと思われるほどにきわどい謀略を思いつく男であったが、この想像ばかりは口に出すことを憚《はばか》るものがあったらしい。

「漢軍は、弱い」

張良は、いった。

らなかった。

「どうにもならぬほどの弱さだ」

張良の声に、兵がふりかえった。陳平は、めずらしく昂奮《こうふん》している友人の袖《そで》をひかねばならなかった。

「弱い」

張良は、かまわずにいう。漢軍の弱いのは、劉邦のせいであった。兵はその主将に神秘的な憧憬《しょうけい》心をいだいてこそ強くなるのだが、劉邦にはそういう要素がなかった。

「このまま関中に帰還して兵を休養させたところで、とても項王の叱咤《しった》する楚軍に勝てない。それとも陳平どのは見込みがあると思うか」

「とても」

陳平は、かぶりをふった。

「それでは、いまこそ千載一遇の機会だと思わないか」

「子房《しぼう》（張良の字《あざな》）さん」

陳平の声がふるえた。

「――あなたは」

「そうだ。約《やく》を破って楚軍を追撃するのだ」

「おそろしいことを。――」

頸《くび》がふとく、牛の顔のように硬い額《ひたい》を持った陳平は、身ぶるいするようにくびを振った。

「むりだ、子房さん」

あとは、ころげるように多弁になった。

「あなたが考えるより私が考えるような詐略《さりやく》だ。しかしひとたび項王との間の信をやぶればどうなるか」

おそらく泥沼のような戦いの様相になるだろう。

いまの協約を守ってさえいれば劉邦は関中に座し、その中原への前線要塞《ようさい》を滎陽《けいよう》まで張り出し、一方、泗水あたりに遊撃軍を撒《ま》き、外交上は韓信を手なずけつつ、楚とのあいだの再度決戦の機会《とき》を待てばよい。

「待つ？　待って何になる。待てば項王に勝てるというのか」

張良の顔を落葉がかすめた。来月はもはや冬である。

「待ったところで仕方がないが」

陳平の声は、力がない。

「しかし」

いま項王に対し信を破ればかれは手負い猪《じし》のように荒れくるい、漢軍としてはもはや悠長な準備期間などもてなくなるだろう、と陳平はいった。

「もっとも項王を一挙に攻め殺せればべつだが」

陳平はいう。むろんそのことが陳平にはおそろしいのである。敵の項羽が陣頭に立つだけで全軍逃げ腰になるような漢軍をひきいて、項羽を一挙に殺せるかどうか。

「子房さん、あなたにはこの追撃戦にいい見通しがあるのか」

「ない」

張良が立ちどまって、正面から陳平の目を見た。

(ないのに、やるのか……)

陳平は、おどろいた。

陳平は、張良の温雅で淡泊な性格が好きだったし、物事を計画するにあたって歯がゆいほどに慎重であることもよく知っている。その男が、負ければすべて失うといういちかばちかの大博奕《ばくち》を打とうというのである。

「成算はないが、将来《さき》へゆけばいよいよなくなる。項王が楚の地に帰って兵馬を休めたあと、戦力を充実させる。おそろしいばかりの力になるだろう」

それに項王は若く、漢王はすでに老《おい》の坂にさしかかっている、待つという時が味方するのは項王のほうで、漢王のほうではない、と張良はいう。

「いままで漢王は物事を積みあげてきた。戦えば負けつつも外交に力を用い、天下の弱者、天下の不平家、天下の欲深者《よくふかもの》を洩《も》れなく連繋《れんけい》し、それらによって広武山上の一カ年の対峙でもわかるように、ようやく項王と互角で戦えるまでになった。いまが漢軍の力の絶頂だろう」

「いまが絶頂か」

陳平は張良の分析が意外だったが、しかし同時にそのとおりだとも思った。広武山の対峙では食糧のありあまった漢軍に対し、諸地方の群小軍閥はみな魅力を感じ、徒党や子弟を相《あい》率《ひき》いてやってきては味方した。ひどい例でいえば、戦うよりも飯を食うだけの目的でやってきた者もいる。

それらが、やがて楚地で戦力を回復する項羽のほうへ奔《はし》るというのは火を見るよりもあきらかであった。

「それに、たったいまの楚軍は餓えている。山をくだってゆく兵の足どりの弱々しさを見れば、いままで百勝してきた項王にとって戦力が谷底に落ちているときであることがわかる」

「盈《み》ちたるを以《もっ》て虧《か》けたるを討つのか」

陳平の声が、わずかに弾《はず》んだ。

「そうもゆくまいが」

張良は言い、ともかくも上《しょう》(劉邦)に献言したい、事が事だけに私ひとりでは上もためらわれるにちがいない、陳平どのも同意見だということであれば上も安心して決心遊ばすだろう、といった。

劉邦は食事中に人を接見するくせがある。唇をあぶらで濡らしながら、やってきた者に、

「いいところへきた。お前も食え」

と、料理を皿にとってやったりする。

この朝、劉邦は広武山上の一カ年の対峙から解放されて町へ降りてきたときだけに、大いにはしゃぎ、席を立って二人のために肉を分けたりしたが、張良の話がすすむにつれて手が

動かなくなった。

「約を違《たが》えよというのか」

やがて席にもどった劉邦は、表情を凍らせた。

「項羽との関係も、それでしまいになる」

というふしぎな内容の言葉をつぶやいたのは、張良にはわかるような気がした。楚漢という二大勢力の角逐《かくちく》はとりもなおさず項羽と劉邦の死闘であったが、どこか両者に友情といえないまでも似たような倫理感情があった。かつて劉邦が先んじて関中《かんちゅう》に入りながら後からきた項羽に覇者《はしゃ》の席をゆずったり、また鴻門《こうもん》の会《かい》では、項羽が、「劉邦を殺せ」という范増《はんぞう》の助言を黙殺することによって劉邦の一命をたすけたりした。

劉邦は項羽を怖れながらも、心のどこかでこの敵になにごとかを感じつづけてきた。すくなくともかつて自分を裏切っていまは自分に従っている同郷の雍歯《ようし》には憎悪を感じているが、敵の項羽に対してはそういう感情はすこしもなく、かえって鴻門の会のころを想うにつれ、項羽のあの独特の人の好さと、奇妙なほどの人情深さにふしぎさを感じたりしている。

「わしは広武山上で項羽を弾劾《だんがい》した。もしいま約を違え、項羽の信をうしなえば、わしは二度とあの小僧に対して堂々たる態度を示せなくなる」

「すべては、過去のものになったのでございます」

と、張良がいった。いままでの段階では義あり、侠《きょう》あり、さらには情もある劇的なことが多かった。戦いつつもそのぶんだけ余裕があったからだが、いまはそれらのすべてが過去になった。劉邦が項羽に抱きついてその心臓を刺しつらぬくか、項羽が一刀をもって劉邦の首を刎《は》ね落とすか、どちらかしかない。

「全軍を旋回して項羽を追撃しても勝つかどうかはわかりませぬ。しかし追撃なさらねばいずれ陛下の御首が項王の前に落ちるということだけは確実でございます」

「確実か」

「陛下、陛下を救うのは御決心だけでございます」

「諸将をあつめよ」

劉邦はやにわに皿をひきよせ、肉を口へ運びはじめた。追跡と決戦というこの長時間の軍隊運動のなかであとの食事がいつ摂《と》れるかわからず、それを思いつつしきりに咀嚼《そしゃく》した。その横顔はふだんのこの男にもどっている。

項羽は輿《こし》に乗って、山径《やまみち》を降りた。

この男の体力なら踏みしめる足で石でも砕くほどの勢いで山を降りることができるのだが、楚《そ》の士卒たちはたかだかと輿の上に乗っている項羽を望み見ることを好んだために退屈ながらも輿を用いたのである。

野に降りると、急に士卒たちの様子が萎《な》えて見えた。いままで比較すべき人間を見ないために気づかなかったが、野良《のら》で働いている農夫とくらべても、顔は黄ばみ、足どりは弱々しかった。

「彭城《ほうじよう》に帰れば、腹が裂けるほど食わせるぞ」

と、下級の諸将は、兵士たちをそんなふうに励ました。途中の野にも兵糧が集積されているわけでなかったから、わずかに兵站《へいたん》が持っている食糧で食いつないでゆかねばならない。

項羽の最大の失敗は兵を餓えさせたことであった。かれらの多くは流民のあがりであり、食をもとめて故郷を流離するうちに項羽の兵になっただけで、食が尽きれば他へ移ってゆく習性をもっていた。それが離散せずにこんにちまで耐えてきたのは、ひとすじに項羽に対するつよい崇敬心があったからだといえる。

食への不満は、項羽へむかわずに、直接の諸将にむかった。

「なんのための将だ」

と、かれらは上司にきこえぬようにののしった。将であり兵であるのは、食を授受するという暗黙の契約で成り立っている。将たる者が食を与えるという職分を全《まっと》うせずに兵の上に立っていることほど滑稽で無恥なことはない。広武山《こうぶさん》上の滞陣のときも、この憎しみは、何人かの不人気な将に集中し、「何某を殺してやる」という声までささやかれるようになっていた。

――野に降りれば食糧があるだろう。

と期待して山を降りたところ、すぐさま行軍がはじまった。食は彭城で、というが、彭城は四百キロのかなたにあり、栄養が満ちている状態でも、強歩十日はかかるのである。

「なぜ野に食糧を集積しておかないのだ。何某の怠慢ではないか」

兵たちは将を名ざしでののしりあった。

群れごとに農家を襲う者もあり、この点、亡秦《しん》の官兵と変わらなくなった。この大陸では後世にいたるまで官軍が人民に乱暴をし、蜂起《ほうき》軍のほうが――多くの例外があるが――その点の節度が高いとされている。漢軍も楚軍も本来秦に対する蜂起軍であった。その楚軍も広武山滞陣の餓えと諸将への憎しみのために軍紀がにわかにゆるんだ。このことがやがて脱走につながってゆく。

項羽は野へ降りてから馬に乗りかえた。馬首を東にむけ、

「ともかくも、彭城まで急行するのだ。彭城で米にも飽き、肉にも飽け」

と、いった。そのひとことで、この事態を片付けていた。かれは楚軍の士卒の中にただよいはじめている腐臭に気づかない。

劉邦は、すでに決断した。

「項羽を追うのだ」

と、いったん西進しかけていた漢軍の頭を東へ旋《めぐ》らせてみたが、しかし鞭《むち》をあげ砂塵《さじん》を蹴立《けた》てて急追するほどの勇気は劉邦になかった。

かれの行軍は、とても戦闘行軍といえるものではない。臆病な追剝《おいはぎ》が忍び足で旅人の後ろ姿に近づくようなぐあいだった。漢兵たちはいまからなにがはじまるのか首脳部の意図がよく理解できなかった。まして劉邦の大決断で全軍が武者ぶるいをするというようなものでは

なかった。

事態はすでにごく単純な戦術的段階に入っている。

敵を急追し、これを粉砕するしかない。

しかし年来、政略と戦略とを重視してきた劉邦は、この期《ご》におよんでもなお単純な戦術行動に自軍を没入させることを避け、他の因子群との連合をはかろうとした。連合のために時間を要した。つまりは戦闘行軍が緩々《かんかん》としてすすまなかった。

他の因子としては、まず、北東の斉《せい》（山東省）の地で大勢力をにわかにつくった韓信《かんしん》がいる。韓信は劉邦の部将にすぎなかったが、斉を平定しおえると、当時広武山で手も足も出なかった劉邦の弱り目につけ入り、いわば強要したかたちで斉王になった。

王になった以上、劉邦と形式的には同格である。この間の格差論は、法理論的にはむずかしい。ただこの国の歴史のなかに「王」の上に「覇王」という者がいて、同格ながら他の王に影響力をもつという慣習がある。劉邦はこの慣習により、覇王として（項羽も覇王であったが）韓信を斉王の位置につけたのである。

斉王になった以上、法理論的には劉邦から独立している。

劉邦はこの斉王韓信に急使を送り、

「楚軍はすでに餓え、軍紀はゆるみ、項羽も昔日の勢威がない。私はいま項羽を追ってこれを撃滅しようとしている。斉王はよろしくこの戦場に会同されよ」

と申し送らせた。使いが斉の韓信の本営にたどりつくまで七、八日はかかるであろう。もし韓信が承知してすぐさま軍隊行動をおこしても戦場に到着するには十日はかかるにちがいない。そのあいだにすべての戦機が去ってしまうおそれがあったが、劉邦はこの火事場のなかで変に悠長であった。

(ともかくも大軍を集結しなければならない)

劉邦はなによりもそのことを優先した。そのくせ現在の漢軍は諸地方の雑軍で水ぶくれしているために楚軍に対してははるかに優越しているのである。

ゲリラの彭越《ほうえつ》にも急使を送った。使いには、

「予《よ》とともに項羽を撃とう。秦《しん》末以来、多年の戦乱はこの一戦でおわるのだ。会同に遅れることがないように」

という口上を啣《ふく》ませた。

しかし彭越が素直にやってくるかどうか疑問であった。

この昌邑《しょうゆう》(山東省)うまれの老賊はもともと項羽を好まず、それがために劉邦につき、以後、楚軍の後方を攪乱《かくらん》することに偏執的なほどの情熱をもっている男で、元来独立心がつよく、劉邦への忠誠心など、かけらほども無いといっていい。

そのくせその功は漢軍の諸将のそれとは比較にならなかった。つねに漢軍主力の戦域の外に出没し、楚軍の補給線をおびやかしては食糧をうばいつづけた。たまりかねた項羽がみずから大軍をひきいて彭越を撃ったことがあるが、彭越とその軍は蠅《はえ》のように北方へのがれて沼沢《しょうたく》にかくれた。項羽が本営へもどるとふたたびその後方にあらわれるというかっこうで、

結局、広武山上で楚軍が餓えるにいたったのも、半ばはこの彭越のせいといっていい。

彭越には、不平があった。

広武山上での楚漢対峙のとき、韓信が使者を送っていわば強請したために劉邦はやむなくこれを斉王にしたが、このとき彭越に対しては何の沙汰もしなかった。劉邦は彭越をも王にするなど、思いもしなかったのである。

が、彭越のほうが、根《ね》に持った。

——韓信とおれとは、功がどちらが大きいか。

(劉邦のやつは)

と、彭越はおもった。

(おのれめも野盗を働いたことがあるくせに、わしを盗賊のあがりとみて軽侮している)

元来、彭越は敵に対しては剛胆な男だが、味方に対しては傷つきやすい心を持っていた。この性格が右の一件で大きく傷口をつくってしまい、その後、広武山上の劉邦のもとに連絡員もよこさなくなってしまっている。

一説には、韓信と謀議しているといううわさもあった。韓信はこの点で消極的だったが、彭越のほうがしきりに持ちかけて、

——たがいに一致して楚漢双方から独立の勢《せい》を保とう。

と説きつづけているという。

この段階になると、韓信も彭越も自分の価値の大きさに気づきはじめている。

――楚漢は共倒れになるだろう。

と見、たとえどちらかが生き残るとしても気息奄々《きそくえんえん》としてすぐには起《た》ちあがれまい。そこを討てば天下は韓信と彭越のものになる。……

――楚漢どちらが生き残るか。

となると、韓信も彭越も、楚だとみている。劉邦の漢軍がかろうじて項羽と互角に対峙しえているのは漢の味方として韓信があり、旧《もと》の魏《ぎ》の地に彭越が跳ねまわっているためで、もしこの二本の突支棒《つっかいぼう》が外《はず》れれば漢軍など項羽の一撃でつぶれてしまうだろうと見ていた。まことにそのとおりで、劉邦や張良自身がそう思っていた。劉邦・張良が、項羽と死闘をかさねつつもしきりに戦域で項羽を牽制《けんせい》する勢力を育ててきたのは、その基本戦略といっていい。ただその基本構想によって成長した圏外勢力が、この期《ご》になって自分の意志を持ちはじめたことだけが、計算外であった。

もっとも韓信の場合、そこまで明快な意志があるとも言いきれない。かれは項羽が生きのこった場合、すかさずこれを斃《たお》すべく戦うつもりであったが、万一、劉邦が生きのこった場合、この恩義のある男と戦う自分を想像することができない。

このため、韓信は事態を観望しているといっていい。強《し》いていえば、劉邦が項羽にたおされて死ぬのを、韓信は多少の悲しみをこめて、斉の地で待っているともいえる。

項羽《こうう》は、劉邦《りゅうほう》の追尾《ついび》に気づいた。

「なんというやつだ」

と、このときの項羽の怒りは、まわりにいた数千という親衛兵がみな地に身を投げてひれ伏したほどにすさまじかった。

しかも劉邦の追尾の仕方が、気味わるいほど静かなのである。二十万近い大軍が、道路という道路を犇《ひし》めきつつ近づいてくる。

項羽という戦いの名人は、自分の激昂《げっこう》にさらわれることなく、すぐには行動しなかった。戦うならば一歩でも自分の根拠地彭城《ほうじょう》に近づいてからやるほうがいい。補給の難ということでは、すでに広武山上で手痛い目に遭ったばかりなのである。

「しばらくすてておけ」

と言いつつ、後衛の兵力を増強し、予定のように東へむかってすすんだ。

両軍の主要道路は、現在の西淝河《せいひが》（黄河南方の一支流）に沿った道で、そのあたりは一望の田園である。

固陵《こりょう》（河南省太康県《たいこう》）という町がある。そこまできたとき、項羽は彭城から急送してきた最初の糧食をひらき、大いに炊煙をあげて士卒に十分腹ごしらえさせた。

項羽は馬でもって全軍を駈《か》けまわっている。自分の猛気を士卒たちに吹き入れるつもりであり、げんに一巡するたびに士卒たちの目の光りがちがってきた。

「劉邦は、野に出た」

ようやくさまよい出てきたわ、これを幸い、一撃であの男の首をたたきおとして乱世の禍根を断つのだ、と項羽はいった。

が、このあたりは道路の両側に耕地が多く、大軍を展開して人馬をはしらせるには不むきであった。

翌日、不毛のなだらかな丘の起伏している格好の野を見つけた。ここに漢軍を容《い》れて一挙に叩こうと思い、項羽は一方では兵を部署し、一方では漢軍をそれとなく誘導した。

劉邦はその不毛の原をはるかに望んで、さすがにためらった。

「子房《しぼう》、あの原へ軍をすすめるべきか」

すすめれば、血みどろの決戦になってしまう。期待した韓信《かんしん》や彭越《ほうえつ》の援軍はやって来ないのである。北方からかれらが南下してくれれば楚軍を包囲するのにうってつけの状況であり、地形であったが、来ない以上、どう仕様もないではないか。

「大変なことになった」

劉邦は、みずからすすんで項羽に野戦を挑んだことがない。

「子房、わしには自信がない」

「それでは戦わずにお逃げになりますか」

皮肉ではない。

用意のいい張良は、敗走の場合を考え、後方の固陵城を確保し、負ければ劉邦を逃げ込ませるべく食糧を搬入させている。

「むりをなさらなくてもいいのです」

老荘家《ろうそうか》の張良は、いつもそんなぐあいである。ひとには得手不得手があると思っており、戦闘指揮の下手な劉邦に、この場だけの付け焼刃の猛将を気どらせても仕方がないと思っていた。

「陛下には、まだ機会があります。項王にとってはこの決戦が最後の機会になるでしょう」

劉邦はおどろき、

「——項羽が」

と、絶句した。項羽はそこまで状況として追いつめられているのか。劉邦はここ十日ばかりの緊張にすべてをとらわれてしまい、自他を客観的に見ることができなくなっている。

張良が諜者《ちょうじゃ》を放ってしらべたところでは、項羽軍の脱走が相次いでいるという。項羽は、兵に見かぎられつつある。

「しかも、項羽軍は孤軍です」

どこからも援兵がくるあてがない。一戦ごとに目減りしてゆき、目減りするごとに兵が動揺して脱走する。わるいほうへ相乗作用をおこしてゆく。運が尽きるというのはそういうことをいうのだと張良はおもっている。

「孤軍ということではわしもおなじだ。韓信、彭越が来ない」

「陛下にはまだ来ないという韓信、彭越がいるのです。項王は来ない者すら持っておりませぬ」

「そういう言い方があるのか」

「言い方ではなく、厳然とした事実です。事情さえ変われば韓信、彭越はやって来ましょう。それに南方では劉賈《りゅうか》、盧綰《ろわん》が活動しています」

劉賈は劉邦のいとこであり、盧綰はよく知られているように兄弟以上の仲といわれた劉邦の幼な友達であった。

かつて劉邦が成皐《せいこう》城からほとんど身一つで逃れ、黄河《こうが》をわたって北岸の修武《しゅうぶ》まで奔《はし》ったとき、頽勢《たいせい》を挽回《ばんかい》すべく遠大な作戦をたてたことがある。劉賈と盧綰に兵をあたえ、遠く項羽の出身地域である楚の地に潜入させ、城を抜き、食をうばい、兵を募るといった後方攪乱の作戦をさせた。

この当時、項羽はこれを軽視し、

——ひとの空き家をねらう卑劣なやり方だ。

とののしり、ときに討伐軍をさしむけたりしたが、本気でこれを殲滅《せんめつ》しようとは思わなかった。項羽にすれば主力決戦場で劉邦に勝ちさえすればそういう枝葉は捨てておいても枯れると思っていたのである。

ところが枝葉がしげりはじめ、かれらは地元の小勢力をかきあつめつつ、ついに楚の要地の六《りく》（安徽《あんき》省六安）や九江《きゅうこう》をおさえ、大いに兵力をふくらませて目下漢軍主力に合流すべく北上しつつある。

これらの状況からみれば、劉邦の場合、あと一戦で兵力も天運も尽きるというものではなかった。劉邦の弱者としての政略や戦略の布石が、ようやく生きはじめたのである。

「わしのほうにむしろ分《ぶ》があるというのか」

「わずか髪一筋のちがいとはいえ、陛下のほうに分がございましょう」

「わしはすでに百敗してきた」

敗れれば敗れるほど劉邦の兵がふえるというのは、張良などの苦心があったとはいえ、劉邦のふしぎな徳というほかはない。

「百敗の上にもう一敗を重ねられたところで、何のことがありましょう」

張良は、はげました。

奇妙な激励であったが、この場の劉邦に対してはそう言うほかにことばがない。劉邦は戦う前に、眼前の原にみなぎっている項羽の戦気に圧倒されていた。

劉邦は全軍を部署する一方、車のなかで甲冑《かっちゅう》に着更《きが》え、馬に騎《の》った。やがて戦鼓をたたかせ、進撃を命じた。いつのときでも戦いの直前というのは氷塊が体の中に入ったように寒く、血も凍るような思いのするものであったが、このときばかりは劉邦は奥歯が小きざみに鳴るのをおさえがたかった。

楚軍のほうでも、はげしく戦鼓が鳴った。

劉邦が見るうちに前方の原が消え、雲のような砂塵に化してしまった。項羽の得意とする密集突撃がはじまったのである。砂塵の中から矢が飛び、剣光がきらめき、馬も人も猛獣に化《な》ったように突撃してきた。その先頭に項羽の姿があった。

漢軍の先鋒《せんぽう》は一撃で粉砕された。第二陣もたちまち崩れ、それらが退却して第三陣になだれこみ、いっせいに逃げはじめた。楚軍がそれを追い、思うさま斬ったり突いたりした。劉邦も馬首をひるがえして逃げた。

烏《う》江《こう》のほとり

固陵《こりよう》（現在の河南省太康《たいこう》）の城は、姿を遠望するだけでも変にうらぶれた翳《かげ》があった。まわりは広闊《こうかつ》な野で、大小の河川の氾濫《はんらん》が多いせいか、郊野の村々の家屋の土壁が崩れおちていかにもさびしい。日が経ち、秋が闌《た》け、草が枯れている。むき出しの黄土の土の海のやや小高いところに固陵城がある。

城市《まち》をかこむ城壁は死人の肌のようにくろずんだ日干《ひぼ》し煉瓦《れんが》で、いつの時代に築かれたものか、城楼などは風化して半ばくずれてしまっている。

「劉邦《りゆうほう》は、窮鼠《きゆうそ》になった」

包囲している項羽《こうう》は、士卒を励ますためにそのように言った。逃げ上手の劉邦が、ついにはこういう田舎《いなか》の小城にもぐりこんでしまった。あの狡猾《こうかつ》な男も、悪運尽きはてたしるしではないか。

「揉《も》みつぶせ」

項羽は連日陣頭を駈《か》けまわりながら、馬をとめて将をどなり、鞭《むち》を鳴らして士卒を叱《しか》った。

楚《そ》兵が項羽に感じている魅力のひとつは、日常の配下に見せるえも言えぬ甘ったるさだった。自分の配下がかぎりなく好きであるというのは、巨大な感情の量を持った——というよりも異常に愛憎のつよい——この男の性格の奥底の根から出ているものにちがいなかった。それがひとたび陣頭に立つと激しい叱咤《しった》にかわり、配下を雷電に撃たれたように物狂いにしてしまうのである。

「わが項王よ」

と、楚兵のたれもが項羽に畏敬《いけい》という以上の愛情をもっていた。その兵たちの首領に対する想いのふかさは、劉邦を首領とする漢《かん》兵たちの想像を越えるものがあった。

が、この固陵城攻撃の段階での楚軍は、すでにそうではなくなっていた。項王への叛意《はんい》こそもたなかったが、餓えと疲れのために気が萎《な》え、力をふるおうにも、鉾《ほこ》や戟《げき》を持ちあげるのがやっとという者さえあった。

城外の村々は、かつての広武《こうぶ》山対峙《さんたいじ》段階で楚軍が兵糧《ひょうろう》を徴発しきってしまったために村人の糧《かて》さえ尽きていた。村人たちはこれ以上の戦いを望まなかった。まして楚軍に対してひとかけらの好意も持っていない。

楚兵たちも、失望していた。広武山上から撤退して楚の根拠地の彭城《ほうじょう》にむかうとき、項羽が、

「いますこしの辛抱だ。彭城に帰れば飽食させてやる」

と言い、士卒たちも彭城で飽食するだけが望みであった。しかし、いま、このような田舎

城でひっかかってしまっている。

食糧が搬送されてくるあてもなかった。

城壁まぢかの前線では諸将が、

——劉邦の首をあげよ。固陵城の糧をわが糧にせよ。

と士卒をはげましているが、後方では夜陰《やいん》食をあさりに陣列を離れる者が多く、ときにそのまま逃亡する者もあった。

張良《ちょうりょう》は、当然ながら固陵の城内にいる。

城を幾重にもとりまいている楚軍の攻撃は漢兵をおびえさせていたが、張良は劉邦の運命に絶望は感じていない。ただやり方によってはこの固陵城が劉邦の墓場になるだろうともおもっていた。

張良は、元来、体が弱かった。

このながい戦いの日々のなかでも、しばしば風邪をひいて病臥《びょうが》したが、かといって重要な痼疾《こしつ》があるわけでもない。

この籠城《ろうじょう》がはじまってからも、からだの気怠《けだる》さを理由に劉邦の帷幕《いばく》から離れ、民家の一室を借りて養生していた。

「平素、食べすぎているから」

と、ときに穀物《こくもつ》を断《た》ってしまう。

日頃、過食どころか、張良に接している従者でさえよくこの程度の食事で生きていられるものだと不安がるほどに少食だった。

張良は一個の宗教を信じている。

かれが老子《ろうし》の学徒（道家《どうか》）であることは、筆者はしばしばのべた。張良の一面は書物としての『老子』に傾倒する思想人であったが、他の一面ではそれを宗教的に実践しようとする行者めかしいにおいを持っていた。

道家であることの説明はむずかしい。

この場合の道家は、のちの五斗米道《ごとべいどう》（後漢末）からおこった道教とのつながりは濃厚でない。かといって張良などよりもはるか昔に実在したといわれる老子そのひとが直接手をくだして道家の行《ぎょう》的な面を考えだしたわけでもない。

張良たちの徒は老子をもって思想上の祖としつつ、それへこの大陸固有の俗信である神仙思想が加わり、さらにはその俗信と不離の関係をもつらしい独特の養生法をむすびつけたもので、これらを混淆《こんこう》させてこの当時「黄老《こうろう》の術」とよばれていた。

黄老の術は、政治学としての性格もつよい。たとえば劉邦の配下の曹参《そうしん》や陳平《ちんぺい》も、のち漢帝国の宰相になるのだが、そのときの行蔵《こうぞう》からみて黄老派であるにおいがつよかった。

張良の場合、漢帝国の成立後もしばらく生きたが、政治に関心を示さず、栄爵をもちながら仙人のような暮らしをした。むしろ大まじめに仙人になりたかったのではないか。

「断穀《だんこく》」

などという異常な行《ぎょう》に憑《つ》かれ、帝国成立後もそれをやって衰弱し、まわりが心配するほどであったということを見ても、政治より哲学を好んだ張良の人間的ふんいきが、ほぼ想像できる。

「張良は、ほんとうに病気なのか」

劉邦は、毎日のようにつぶやいた。

「よんでこい」

と、卓が割れるほどにたたいたこともあったが、すぐ思いかえして、そっとしておいてやれ、と言い直した。

劉邦は、困《こう》じはてている。

張良と陳平が、項羽との和睦《わぼく》のあと、

「これを釈《す》てておけば虎を野に放つようなものです、軍を翻《ひるがえ》してあとを追うべきです」

とすすめたために劉邦は追撃し、一戦してやぶれ、この思わぬ籠城になってしまっている。

――どうすればよい。

劉邦は泣きたい思いだった。

あのとき、陳平と張良がこもごもいったのは、楚軍は兵疲れ食尽きています、これは天が楚を亡ぼそうとしているのです、ということだったのに、城を囲んでいる楚軍は相変わらず強悍《きょうかん》で、劉邦にすれば天が亡ぼそうとしているのは自分のほうとしか思われない。が、いまとなれば張良をよんでもしかたがないかもしれない。

そのことは劉邦もよくわかっている。のちに劉邦は張良の功をたたえ、

——籌策《はかりごと》を帷帳《とばり》のなかでめぐらして勝利を千里の外に決する男だ。

といったが、しかし張良は韓信《かんしん》のような大軍の統率《とうそつ》に長《た》けているわけでもなく、灌嬰《かんえい》のように戦闘部隊の名指揮官でもない。第一、そういうことができる体力を張良はもっておらず、そういうすべてを劉邦はよくわかっていた。いま、城壁をともすれば登ってくる楚兵をたたきおとすのは部署々々の猛将烈士がやるべきことであり、それを励まして戦意を持続させるのは劉邦自身のしごとだということも、この男は知っている。

数日して、

「張子房《ちょうしぼう》どのは、穀を断っておられるようです」

側近の者からきいて、劉邦はあきれた。

「あの男は本気でそれをやっているのか」

物しらずな劉邦でも、偽仙人《にせ》どもが断穀の行《ぎょう》をするということは知っている。断穀とは穀物だけでなく食物いっさいを断つことをいう。目的は身を軽くし、体のなかを清らかにするためだというが、多くは見せかけだけで、なかにはひそかに膏《あぶら》ののった肉を食いながら穀物だけを断って、里《さと》の者をたぶらかしているのもいる。

「本気でやっておられるようでございます」

「ばかな。死ぬぞ」

劉邦は学こそないが——むしろ学がないからこそ——儒家《じゅか》であれ道家であれ学問がもって

いる虚偽というものにはひっかからなかった。

劉邦は張良をうしなうことを怖《おそ》れた。ともかくも馬鹿な思いこみをやめさせるために、その夜、微服《びふく》して張良の宿舎に出かけた。

張良の部屋は、扉が閉まっている。扉の前に従者たちがすわっていて、劉邦を見ても入れようとしない。

「わしを知らぬのか」

劉邦はたまりかねていったが、張良の従者はいかにも張良好みの剛直な男で、かぶりを振った。

「漢王だぞ」

「王ならば、王らしき行装《ぎょうそう》をなされておりましょう」

何人《なんびと》がきても室内に入れるな、と張良から命じられているという。

劉邦はやむなく扉のすきまから室内をのぞいた。

室内は、物のかげが大きくゆれている。灯心が、皿のなかの羊の膏油《あぶら》を吸いあげては燃えているのである。この時代、この種の灯油は高価であった。焔《ほのお》がゆれるとともに、すわっている張良の影もゆれた。張良は影になってもしなやかで気品があった。

呼吸術を行《ぎょう》じているらしい。

「気だな」

劉邦は、つぶやいた。気を行《や》っている、という意味である。行気《こうき》という熟語もあった。

道家では、気ということをやかましくいう。

老子は万物の奥にある根源的なものの本質は無であるとした。無はいっさい限定されることなく、すべてに超越し、それによってすべてが生じ、すべてが動く。

無の一つのあらわれとして気がある。気は天地にみちみちている。すべての生命のもとをなし、気が衰えれば生命が萎え、うしなえば生命が消える。

人間の一個の体でいえば、内なる気を養うためには、天地に無限にみちみちている外気をたえず取り入れる。呼吸のことである。ここまでは道家の生理学といっていい。

その生理学をもとに、黄老《こうろう》の術ではとくに気を養うという行《ぎょう》をする。それを行気《こうき》と言い、あるいは胎息《たいそく》ともいう。胎息はながながと深呼吸をして外気を体のなかにとり入れるのである。

(張良めのしずかなことよ)

劉邦はあきれる思いであった。影が灯火でゆれているだけにかえって凄味《すごみ》があり、張良自身、かげろうのように気に化してしまったようでもある。

胎息というのは鼻からほそぼそと気を入れてゆき、腹の中に気がみちみちてしまうと、これを含《おし》むようにいったん閉ざし、息を詰める。心のなかで百二十をかぞえ、しかるのちにはじめて唇をわずかにひらいてゆるゆると吐きだしてゆく。

張良は、鼻さきに羽毛をぶらさげている。羽毛はうごかない。

(ばかなやつだ)

劉邦は愛情をこめておもったが、しかし室内に踏みこんで張良の行《ぎよう》をみだそうとはおもわない。

「あす、わが許《もと》に来い、と伝えよ」

と言い、足音を忍ばせて去った。

翌朝、劉邦は朝寝坊をした。起きたところで情勢が好転するわけではなく、項羽が遠くへ去ってくれるわけでもない。

劉邦が遅い朝食をとっていると、張良が足音もなく入ってきた。

「なぜ仮病《けびよう》をつかっていた」

劉邦は、わざとどなってやった。

「陛下が、朝寝坊をなさっているのと同じでございます」

こういう状況になった以上、気永《きなが》にやるしか仕方がないではないか、ということであろう。

「楚は相変わらず強勢だ」

「陛下は、わが室の灯火をご覧あそばしましたな」

「臭かった」

獣油はまことにくさい。

「あぶらは、皿のなかに入っております」

「わかっている」

「そのあぶらが尽きようとするとき、灯心を通してあぶらの気がさかんにたちのぼり焔がひときわ高く騰《あが》るものでございます。楚の天命《あぶら》もまさに尽きはてようとしています」

「それがなぜわかる」

劉邦は、箸《はし》をとめた。

張良の情報好きはいまにはじまったものではない。

この亡韓《かん》の貴族の裔《すえ》である男は、かつて韓が始皇帝《しこうてい》にほろぼされたあと私財をことごとく売って金にかえ、壮士をやとい、遊幸中の始皇帝を博浪沙《はくろうさ》に撃とうとして失敗した。以後、逃亡して下邳《かひ》（江蘇《こうそ》省）にかくれ、游俠《ゆうきょう》とまじわった。そのことはすでにふれた。そのころ游俠のなかに項羽のおじのひとりである項伯《こうはく》もいたが、かれが人を殺してお尋ね者になったとき、張良がこれを救ってやった。項伯は張良に恩義を感じ、この縁により、かつて劉邦が鴻門《こうもん》の会《かい》で項羽に謀殺されようとしたのを項羽の陣中にいた項伯が救い、かつての恩義に酬《むく》いた。そのこともすでにふれた。

項伯は、依然として項羽の陣中にいる。

——項羽は劉邦とはちがい、名門の出らしく礼儀ただしい男だ。

という印象が、この当時からあった。なみの人間よりも十倍も多量な血液をもっているかのような項羽は、怒れば虎のようにはげしく、ときに敵や敵地の人民を憎めば人のなしがたいような暴虐を働き、あるいは主《あるじ》と仰いだ懐《かい》王を追放してこれを殺すといったように粗暴、悪虐の印象をあたえがちであったが、他の一面、真《ま》っ向《こう》から矛盾するように味方には優しく、さらにその上、血縁の長者には礼をもって遇した。項羽が意外なほどに紳士であったという印象の伝承は、この面の人格がつたえられたものであろう。

あるいは、べつの言い方もできる。

項羽はあくまでも楚人であったということである。中原《ちゅうげん》からは多分に未開、異質の印象をうけている楚の地のひとびとは、古代の部族国家の時代の慣習や道徳習慣、さらには古代的な閉鎖性をその気質や思考法のなかに継承しているのか、血族を尊ぶのである。

いうまでもなく、この点、中原の人たちも変わらない。が、中原はすでに広域社会になってからの歴史がふるく、血族中心主義だけでは社会も政治もあるいは軍事もうまくゆかないことを知りすぎていた。劉邦などはむしろ血縁の者に生理的な嫌悪を感じているのではないかと思われるほどであり、心から他の才質や勇気を尊び、さらには他人の誠実を信じた。

項羽はその逆であったために、かれの唯一の謀臣であった范増《はんぞう》さえその忠誠心を猜疑《さいぎ》されて去ったのである。以後、血縁の者ばかりが、項羽の帷幕《いばく》にあつまっていた。そのなかでも項伯は、血縁の上長《じょうちょう》として項羽から疎略にされなかった。

しかし、極秘の枢機《すうき》にまで参画していたとは思われない。

ひとつは、項伯にそれほどの才略がなかったということでもあったろう。

いまひとつは、鴻門の会のとき、劉邦を謀殺しようとする范増の策を、項伯がかんじんの場面で妨害したことが、項羽やその側近のひとびとから疑われるもとになったともいえる。疑うといっても、項羽の項伯に対する場合、深刻ではなかった。

――項伯《おじ》は、義の人だ。張良に対する義を重んじたから、やむをえない。

として、項羽は項伯をじかにこのことで責めたことがない。

義とは、骨肉の情や、人間としての自然の情（たとえば命が惜しいなど）を越えて倫理的にそうあらねばならぬことをさす。

義は、戦国期にできあがった倫理ではないかと思われる。のちに儒教にとり入れられて内容が複雑になり、また反面、義という文字から儀礼の儀という文字が作られてゆくように儒教では多分に形骸《けいがい》化されて礼儀作法とか、人と人とのつきあいの仕方といったものへ衰弱してしまう。

が、この時代は戦国期からほどもない時代だけに、この流行の精神は初期のたけだけしさや壮烈さをうしなっていなかった。

義という文字は、解字からいえば羊と我を複合させて作られたとされる。羊はヒツジから転じて美しいという意味をもつ。羊・我は、「我を美しくする」ということであろう。古義では「人が美しく舞う姿」をさしたともいわれるが、要するに人情という我を殺して倫理的な美を遂《と》げる――命がけのかっこうよさ――ということを言い、この秦《しん》末の乱世では、庶民のはしばしまでこの言葉を口にした。

項羽が義ということでそのおじの項伯を不問に付したのは多分に流行思想に影響されていたということも、言えなくはない。が、もし項伯が他人ならば項羽は決してゆるさなかったろうと想像するとき、項羽の精神に流れている楚人らしい肉親縁者への甘さをおもわざるをえない。

張良は仮病中、四方に人を出しては情報をあつめていたが、項羽の幕下にいる項伯にも密使を派遣していた。

楚軍はその外容でみれば相変わらず熾《さか》んであるに似ているが、内実は空洞《うろ》ができたように鋭気をうしなっているということを、密使の報告で知った。

張良が密使をして項伯にいわせたことは、

「裏切れ」

ということではなかった。この時代、露骨に味方を不利にする裏切りというものは、ごく少数例あったとしても、結局は世の指弾《しだん》をうけてその者が終りを全《まっと》うしないということは常識になっている。張良が言わせたことは、

――鴻門《こうもん》の会《かい》のとき、漢王の命があなたの心くばりによって救われた。ひいては私も殆《あやう》きからまぬがれることができた。この恩義は子々孫々まで忘れえざるものである。いま楚漢は死闘をつづけていて、前途はどうなるか予断をゆるさない。あなたにとって楚が敗《ま》けるなどはありえないことかもしれないが、もしそうなった場合、ためらいもなしに私を訪ねてきてもらいたい。一命にかえてあなたの身の立つようにする。

という意味のことであった。

このひそかな申し出は、張良一個における、

「義」

というものであった。義はあくまで個人的なもので、相手の項伯がどう受けとり、どう思おうとかまわない。また項伯における項羽との関係なども、いっさいかまうことはない。張良としては、命をたすけられた恩義を、こんどは命をたすけることで返そうというのである。張良と項伯のあいだで結ばれている二人きりの秘密結社といっていい。

この「義」で結ばれたきずなは、それぞれのあるじの劉邦や項羽といえども喙《くちばし》を容《い》れることができないほどに、個人間の峻厳《しゅんげん》な倫理なのである。

項伯は、感動したらしい。

「楚軍は項羽ひとりで保《も》っているようなものだ。実体は自壊している」

密使に教えるでもなく独りごとのように言い、食糧の欠乏による極端な士気低下の実情をぼそぼそとつぶやいた。

この項伯の行為は、後世、儒教が倫理として整頓《せいとん》しぬいた「義」というやかましい立場からみると面妖《めんよう》というほかない。

が、この時代、のちの世のように倫理が書物の中にあるわけでなく——もしくは支配者が作って書物の形で民衆にひろめるという後の世のそれでなく——庶民が世の中で生きてゆくための必要不可欠なものとして息づいていたかたちでの「義」からいえば項伯の項羽に対する主従の義など拵《こしら》えもののように貧弱なものであった。個人のあいだで冥々裡《めいめいり》に相互扶助の密契を結んだ義のほうがはるかに大きい。

「たれから、きいた」

劉邦は、張良の主人ながら張良の冥々裡の義俠関係にふれるかもしれないこの種の質問をさしひかえたい気持があったが、いまは事態が切迫しているために、きかざるをえなかった。

「陛下もご存じの、項王の肉親にあたるお人です」

「項伯どのか」

劉邦がきいたが、本来なら張良はその人の名をあかす必要はない。が、後日、項伯の一命をたすけるべく劉邦に頼まねばならないことを思い、張良は婦人のようにやさしい顔をわずかに俯《ふ》せ、そうだ、というしぐさをした。

「項伯どののいうことなら、まちがいはない」

「項伯どのが、項王を裏切ったわけではありませぬ」

「わかっている。かの人が、身のあやうさをかえりみずにそこもとの旧恩に酬《むく》いようとしたことは、鴻門の会の一事でもわかっている。あのときの項羽のいきおいは天下を蓋《おお》うほどのものであり、わしの勢力といえばうずらの卵より弱かった。そういうわしをたすけたところで一利もなく、たすければ百害たちどころに一身に集まるというようなときだった。であるのに項伯どのはすすんでそのことをおこなった。真の義人であるとわしは思っている」

「項伯どのをたすけてくださいますか」

「子房《しぼう》」

劉邦は、くびに手刀《てがたな》をあて、

「それよりこの首があすも胴についているかどうかだ。ついていれば請《う》けあう」

と、約束した。事実、項伯はのち優遇された。劉邦がさがしだしてこれを射陽《しゃよう》侯に封《ほう》じたばかりか、項姓では諸事都合がわるかろうといって、劉姓をあたえた。

「子房よ」

劉邦は立ちあがって別室に入り、人を遠ざけて言った。このまま防戦していてあげくのてはどうなるのか、ということである。

「……それは」

ひきわけでしょう、という意味のことを張良はいった。

いまのところ漢軍は楚軍をおそれて打って出ようとはせず、栄螺《さざえ》がふたを閉じたように四方の城門をかたく鎖《と》ざし、挑発にはいっさい乗らない。

漢軍には食糧があり、籠城が少々ながびいても苦痛はなかった。一方、攻囲軍のほうが餓えているという、古来の攻囲戦とはちがったふしぎなかたちになっている。楚軍はやがて囲みを解いてしりぞかざるをえないだろうというのが張良の見込みだった。

しかし項羽が自主的に撤退して根拠地の彭城《ほうじょう》にもどればふたたび楚軍は肥えふとって以前の強大さをとりもどすのである。

「むしろ楚軍が撤退するのが漢軍の利かと申せば、そうではございませぬ。楚軍が撤退すれば、陛下が天下を得られる機会は永久に去りましょう」

「そうか」

劉邦は張良のことばに驚いたようにくびを振った。

「項羽がわしを締めあげているほうがよいというのか」

劉邦の眉《まゆ》が情なさそうにさがってきた。この男ほど表情の正直な男はめずらしかった。

「しかしわしはいま死中にある」

このままでは、いつか項羽の兵が城壁を乗りこえて城内に乱入し、劉邦の首をもぎとってしまうだろう。

「わしは、沛《はい》に居るべきだった」

劉邦はこれまで弱気になったときしばしばこの言葉を口にしてきたが、このときほど切実な感情とともに、この言葉が噴きあがってきたことはない。

「項羽の敵になるような男ではないのだ」


「陛下」

しばらくして、張良はいった。この男はいつもそうだが、このとき気味わるいほどしずまりかえっていた。

「陛下にはただ一つだけ活路があります」

「活路が。——」

「このことは、平素の陛下に申しあげてもおとりあげになりますまい。おそれながら漢軍は猟師に追われて穴に逃げこんだ熊のようで、これ以上の窮迫はないといえましょう。亡びるならばいっそ最後の手を打ってみるということでございます」

「さすれば、北方の韓信《かんしん》、東方の彭越《ほうえつ》がやってくるというのか」

劉邦は、めずらしく話の先廻りをした。

要は、そのことなのである。

多年、劉邦は項羽とたたかい、後半では現在の隴海《ろうかい》線上をゆきつもどりつして激しく死闘をくりかえした。この隴海線上での死闘のある段階で韓信は趙《ちょう》を征し、燕《えん》を屈服させ、ついに斉《せい》という大国を平定し、このあたりから死闘中の劉邦に対し冷ややかになった。

次いで、彭越も冷淡になった。

この両人とも、劉邦が広武山《こうぶさん》を降りてにわかに項羽を追跡することに決したとき、知らぬ顔をきめこんで劉邦のもとに来会しなかった。劉邦はあせり、何度も催促の使者を送ったが、いまなおやって来ないままでいる。

そのあげくが固陵《こりょう》城外での敗戦になってしまった。さらにつづいて劉邦が固陵城に遁《に》げこんで籠城するという事態になったが、両人は見殺しにするつもりか、やって来ないのである。

劉邦は、激怒してもよかった。

——あいつを拾ってやったのはおれだ。

と、韓信についてはいえる。

かつて項羽のもとから身一つで逃げてきたあの書生じみた男を、最初は兵糧方の属官程度にしていたが、蕭何《しょうか》のすすめで一躍上《じょう》将軍にした。部将もあたえ、士卒もあたえてやった。

韓信は華北一円の征服において古今まれな功をたてたが、そのもとはといえば劉邦から借りた兵力のおかげではないか。

韓信が広大な斉の地を征服しおえたとき、劉邦は滎陽《けいよう》城にすくみきって項羽の包囲をうけている最中だった。韓信は救いにくるどころか、使者を送って、

——自分を斉王にしてくれ。

と頼んできた。劉邦はおもわず錯乱してどなったが、張良と陳平《ちんぺい》にそっと合図されて怒ることの非をさとり、急に笑顔をつくってこれをゆるした。あのとき怒っていれば韓信は自立して第三勢力になったであろう。

以後、劉邦は怒らない。劉邦のような立場の男は、たとえ側近を相手に韓信のことをこぼしても、なにかのかたちで韓信につたわってしまうのである。もし劉邦の怒りがつたわれば、韓信は処刑をおそれてあっさり自立してしまうばかりか、項羽と同盟するにちがいない。

韓信が項羽と同盟していないことは、項羽が韓信を討たせるべく楚軍第一等の猛将竜且《りゅうしょ》に大軍をあたえて北上させたとき、これを濰《い》水《すい》のほとりで撃滅し、竜且を殺してしまったことでもわかる。

この当時、張良は劉邦に注意して、

——決して韓信に不満をお持ち遊ばさぬように。かれが項羽と同盟しないだけでも陛下にとって大きな利益なのです。

といったことがある。

（そのとおりだ）

劉邦は思うべくつねに自分に言いきかせてきた。韓信が項羽と締盟《ていめい》すれば劉邦などたちどころにほろびてしまうだろう。

その上、韓信は劉邦を救いに来ないとはいえ、斉の地で大軍を擁してしずまっているということは項羽にとって大きな牽制《けんせい》になっていた。劉邦はせめてこれをよろこばねばならない。そういう内外の情勢の上に劉邦の感情は成立していた。どういう心術でもって感情を政略に密着させているのか、劉邦は韓信に対していっさい悪声を放ったことがない。

牽制といえば、彭越のいままでの活動がまさにそれであった。劉邦の窮状をどれほど救ってきたかわからず、もし彭越が項羽の後方を攪乱《かくらん》しつづけなければ劉邦など、たとえば滎陽《けいよう》城の段階で敗死していたに相違なかった。

彭越は劉邦からどれほど感謝されていいかわからない。

もともと昌邑《しょうゆう》（山東省）からおこったこの盗賊あがりの老将軍は、その兵力をすべて自前で調達し、劉邦から一兵も借りていなかった。

当初、彭越は一万余の兵力をかかえつつ秦《しん》末の乱世のなかでただよい、一時項羽のもとにあったが冷遇された。やがて縁あって斉王田栄《でんえい》に属し、将軍の印綬《いんじゅ》をうけた。つまりは、盗賊でも流民の親方でもなく、いっぱしの世間体《せけんてい》ができたのである。斉の宿敵は楚《そ》であった。

彭越は斉王の命令でしばしば項羽の派遣部隊と戦ったが、一度も負けたことがない。

やがて漢に属した。劉邦はかれを魏《ぎ》王豹《ひょう》の麾下《きか》の将にした。

――なぜ、このわしが魏王の下につかねばならないのか。

と、おそらく彭越は不満だったにちがいない。

お礼のために劉邦のもとにやってきたときも、その海綿が水をふくんだような顔に、べつだんの感謝の色をうかべていなかった。

（このおいぼれ漁師め）

劉邦は、内心愉快でなかった。ついでながら彭越は若いころ昌邑の沼沢《しょうたく》で漁《すなど》りをしてくらしていたのである。

ほどなく劉邦は彭越を魏王の相国《しょうこく》（宰相）にしてやった。田舎の老賊あがりのあの男にすれば破格の名誉であるはずだと劉邦はおもっていたが、しかし彭越はよろこばず、単に使者をよこしてお礼をのべただけであった。

もっとも魏といっても、さほどに実態がない。まして相国というのは称号にすぎず、宰相としてのしごとがあるわけではなかった。実際のしごとといえば、項羽の留守をねらってはその版図《はんと》に出没して、たとえ一寸一尺でもその土地を斬りとるということであった。劉邦はこのとき、

「公《あなた》には、梁《りょう》をあたえる。存分に斬りとられよ」

と、つけ加えた。

このことだけは、彭越にとってうれしかったらしい。梁というのは、魏の異称であった。戦国末期に魏が秦に圧迫されて大梁《たいりょう》（現在の河南省開封《かいほう》）に遷都した。以後、ひとびとは魏の

国のことを「梁」ともよぶようになった。

この時代、梁という地域呼称は、まことにあいまいであった。梁をやる、といっても、亡魏の旧都である大梁付近だけなのか、それとも魏の異称である以上、亡魏の版図ぜんぶをやるというのか。

彭越はむろん、亡魏ぜんぶと解釈した。官名は魏の相国ながら、その版図は魏王の版図のすべてとみた。劉邦にとっても、そういうことはどうでもよかった。実際にはそのあたりは他人のもの——楚の項羽の版図——なのである。

「梁はおれのものだ」

ということが、なみはずれて物欲のつよい彭越にとって、目もくらむほどのかがやかしい目標になった。かれの思考も行動もすべてこの地の略取に集中された。

これが結果として項羽の後方を攪乱することになった。

榮陽包囲時期も、広武山上での対峙《たいじ》時期も、梁の地は項羽の最前線と後方根拠地彭城との中間にある。項羽の大版図の腸《はらわた》の部分にたちのわるい蛔虫《かいちゅう》が巣食ったようなものであった。彭越はゲリラでもって出没しては城をうばい、村をかじりとり、あるいは糧秣《りょうまつ》の集積所をおそって兵糧をうばった。

項羽の欠陥は、外交がなかったことであろう。もし項羽がその気になれば——つまりは彭越に魏の地をくれてやりさえすれば——かれを簡単に抱きこむことができ、これによって劉邦をごく自然に立ち枯れさせてしまうことができたのである。

項羽は、武の教徒であった。

かつて滎陽城に劉邦を囲んでいたとき、後方で彭越の軍が蝗《いなご》のように涌《わ》き、たちまち睢陽《すいよう》・外黄《がいこう》（いずれも河南省）など十七城を攻めおとした。前線の項羽は配下に本営をあずけ、みずから大軍をひきいて逆進し、彭越軍を撃ってこれを潰乱させ、十七城を回復した。彭越は北方の穀城《こくじょう》（山東省）へ逃げた。項羽が武を用いたことは徒労におわった。彭越が生きているかぎり、蝗のようにふたたび涌くのである。

——世に彭越ほどいやなやつがまたとあろうか。

と、項羽はおもったであろう。

ただ物欲だけでうごいている。

敵として尊敬すべき勇も智もいさぎよさも持っていない。もしたれかが項羽に進言して、彭越を抱きこんで魏をくれてやりなさいといっても、項羽は余人なら知らず、彭越など抱きこめるか、と怒ったにちがいない。

劉邦にしても、同様であった。

彭越の活動によってはかり知れないほどの利益をうけていながら、劉邦には彭越を重んじる気はどうしてもおこらなかった。

張良には、物事はかくあらねばならぬという儒教主義はすこしもない。

（韓信・彭越から倫理を期待してはならない）

とおもっている。

かつての韓信はたしかに好漢で、儒者酈食其《れきいき》もこれを愛していたことを張良は知っている。しかしいまの韓信が漢王をしのぐ版図と兵力を持った以上、かれを個人としてみることはできない。韓信という名は、いまやかれを押したてている無数の将卒の欲望の合印《あいじるし》のようなものであり、北方の斉《せい》のあたりにあってその欲望が黒けむりのように騰《あが》っているのである。

まして彭越にいたっては欲望以外のなにものもない。

黄老《こうろう》の術というのは、物事をそのように——ありのままに——見るのである。

「陛下は、なお儒学的でございます」

「なにをいうか」

劉邦ほど儒者ぎらいはいないというのは天下周知のことではないか。

「それでもなお、韓信や彭越に義を期待しておられます。陛下は広大な徳を持たれるがゆえに天下の半ば以上が陛下を慕い、本来ゆるされるはずのないかつての叛将《はんしょう》もふだつきの悪党といわれた男も、陛下のもとで安んじて働いております」

劉邦が、後世、中国人の典型といわれたのも、このあたりにあるであろう。

「わしはそれだけが取り柄だ」

「しかしなお、韓信や彭越に義を期待されるだけ、陛下の徳はお小さいと言わねばなりませぬ」

「べつに、両人に義は期待しておらぬ」

「かつて韓信に対し、斉王を称することを許されました」

「韓信が強要したからだ」

「お口惜《くや》しそうでございますな。配下である韓信が王などと何をいうかという口惜しさが陛下のお顔色に出ております。それは陛下が、韓信との関係を君臣という義で御覧になっているからでございます。韓信はもはや、山がそうであり海がそうであるように、一個の自然の勢力でございます」

「子房《しぼう》よ」

劉邦は、張良のいうことがよくわかっている。斉王韓信に斉王らしい実質をもった大きな領地をあたえよということであろう。

が、劉邦は立場上それはできない。

劉邦には、蕭何《しょうか》を筆頭に、旗揚げ以来、苦艱《くかん》を共にしてきた忠良な家来たちがたくさんいる。それらに対してまだ何もむくいていないのに、韓信や彭越にそれをしていいものかどうかということである。

「韓信・彭越に対しては、いまでも過賞だと思っている」

「両人は、そうは思っておりませぬ」

「なぜわかる」

「この張良の体の中に入っております玄気《げんき》でそれがわかるのでございます」

張良は、半ば冗談めかしくいった。

「陛下、天下がかたまるとき、意外な要素《もの》が添加《くわわ》ってにわかにかたまるのでございます。韓信・彭越は陛下の挙兵のときには居らず、また陛下とじかに艱難を倶《とも》にしたわけではございませぬ。しかし天下が固まろうとしているいま、この二つの要素《もの》がなければ項王に勝てず、この二つが離れれば天下どころか陛下は亡びるのでございます。この場合、二人の人格論をなさってはなりませぬ。いまの陛下に必要なのは天下が自然に成るための理を洞察なさることだけでございます。それを洞察なさるためには、陛下は無私でなければ御目が見えませぬ」

「見えてきた」

劉邦は、突如叫んだ。

「天下を、韓信と彭越に呉《く》れてやってもいいということだ」

「よくお見えになりました」

「わしは、沛《はい》に帰るのか」

劉邦の顔が、大きく笑《え》みくずれた。沛に隠退する気などはないが、それほどの肚《はら》づもりで韓信と彭越に大きなものを与えようという決心がついたのである。

彭越に対しては将来実質上の魏王——名称は梁王——にするという内意を含ませつつ、睢《すい》陽《よう》（河南省商邱《しようきゆう》の南）より北、穀城（山東省東阿《とうあ》）までのすべての地をかれの所有とした。

韓信のために割《さ》く土地はさらに広大であった。陳《ちん》（河南省太康付近）から海にいたるまでのすべてである。この大陸におけるもっとも豊かで人口の多い地の多くが、この二人に与えられることになった。

(両人は、よろこんでこれを受け、兵力をこぞって項羽を撃つべく参戦するだろう)

張良は、おもった。

ただ張良は両人がこれを受けたことによって将来身をほろぼすにいたるであろうことまでひそかに予測した。主《しゅ》を凌《しの》ぐ功をたて、主をしのぐ封地《ほうち》をもてば、天下が落ちついたあと、主である劉邦がなお寛容であるかとなると、疑問というほかない。

後日のことになるが、張良の予感は的中した。劉邦はなお寛大であったが、その妻の呂后《りょこう》はこの両人を目のかたきにした。呂后だけでなく、群臣のなかには佞険《ねいけん》な性格の者も多く、両人の異数の褒賞《ほうしょう》をよろこばず、謀叛《むほん》のうわさなどをたてて、結局は両人それぞれの運命をたどって殺され、その封土をとりあげられるにいたる。

張良は、なみはずれてこの種のことが見える男であった。

おなじく後日、劉邦が諸将の論功行賞をおこなったとき、張良の功をとくに重く評価し、三万戸という大封をあたえようとしたが、張良は固く辞してうけなかった。

——それがしがはじめて陛下に見《まみ》えましたのは、留《りゅう》(江蘇省)の町の郊外でございました。あの町一つを頂戴できれば十分でございます。

といい、ついにそのとおりになった。張良はその無欲のために漢帝国成立後の功臣や権臣の没落からまぬがれ、すべてのひとびとから敬愛された。そういう留侯《りゅうこう》張良の家でさえ二代はつづかなかった。張良の死後、その子、不疑《ふぎ》が不敬罪に問われ、封地を没収された。

（韓信や彭越の後日のことまで心配してやる必要はない）

張良はこのときおもった。両人の後日にどういう運命が待っているにせよ、この場の張良としては両人から兵力をひきだすしかなかった。相手を人間としてよりも水力や風力のような物理的現象として見据えきっておくのが、兵家の立場でもあった。

項羽《こうう》のまわりから、急に潮が退《ひ》きはじめたようであった。

「なんということだ」

固陵《こりょう》城城外の幕営で、自分の故郷の楚を守らせていた周殷《しゅういん》という将が漢の工作で寝返ったという急報をうけとったとき、小首をかしげたまま、ふしぎに怒りが湧《わ》かなかった。

項羽は、どこかにぶくなっていた。

疲れているのかもしれない。

「周殷には巣湖《そうこ》のほとりの舒城《じょじょう》（安徽省《あんき》）を守らせていたはずだ」

巣湖は長江《ちょうこう》の北にあり、日本の琵琶《びわ》湖よりやや大きい。まわりの諸水をあつめて長江にそそいでいるために水運上重要な湖で、湖港が大小三百余もあるほどであり、湖をとりまいて合肥《ごうひ》、廬《ろ》江《こう》、巣《そう》、舒城など大きな城市がいくつもある。

そのうち舒城がもっとも重要で、この城さえおさえておけば湖のまわりの平野の穀物を十分あつめることができた。

この方面に、漢将の劉賈《りゅうか》が早くから遊撃活動していたが、周殷はその劉賈から誘われたらしい。誘われただけでなく、あの付近では最大の都市である六《りく》（安徽省）を奪いとり、六のもとのぬしである九江王《きゅうこう》黥布《げいふ》をむかえたというのである。黥布が客将として劉邦のもとに身をよせていたことはすでに述べた。猛勇で知られた黥布があの付近一帯のぬしとして返り咲いたとすれば、楚のもっとも重要な地域が漢の有《ゆう》になってしまったということになる。

「いずれ、とりもどす」

項羽がいったが、声に力がなかった。

この男だけでなく楚人一般の通癖であったが、勝ちに乗じているときは燃えあがる火のようにつよいが、ひとたび頽勢《たいせい》に入ると、負けこみに耐える力がなかった。

「固陵城の囲みを解こう」

彭城《ほうじょう》にもどるのだ、と項羽はいった。彭城にもどって態勢をととのえねばどうにもならなかった。

兵たちは、よろこんだ。彭城にもどれば食糧があることを知っていたからである。

野は寒くなっていた。

撤退の朝、楚軍はながらく煖《だん》をとってきた焚火《たきび》をそれぞれ踏み消したために、無数の白煙が野にあがり、やがてその煙も消えたころ、小部隊ごとに街道へ出た。楚兵に食糧と休息をあたえてくれるはずの彭城をめざすのである。

「いそぐな」

項羽は、先頭にたえず使いをやって足が軽くなるのをいましめた。背後には敵の固陵城がある。いつ城門をひらいて追いすがって来ぬともかぎらないのである。

が、劉邦はうって出なかった。

追撃すれば、野戦になってしまう。野戦になって項羽に勝てる者など、この世にいるはずがなかった。

項羽はむろん、劉邦が追ってくることを望んでいる。追ってくれば劉邦の頭《こうべ》に大鉄槌《だいてっつい》をくだしてあの男がこまごまとやってきた細工《さいく》を一瞬で無にしてやることができるのである。要するに劉邦ひとりを殺すことであった。

(すべてはそれで済む)

項羽は、遠ざかる固陵城を何歩に一度はふりかえりながらおもった。

やがて城父城《じょうほ》(安徽省・いまの蒙城《もう》)に達した。

項羽はこの小さな城市をかねて中間の食糧集積所としてつかってきた。

その集積所の食糧もすくなくなっている。

「ぜんぶ食ってしまえ」

なぜか、項羽はそんな命令を出してしまった。以後、食糧のない城になってしまう。食糧のない城は、使いみちがなくなるのである。

「かまわん、食え」

項羽自身も、ひさしぶりで肉を皿に盛らせて食った。歯を鳴らし、あごをはげしく上下させて、城そのものを食っているいきおいで咀嚼《そしやく》した。後は項羽の領域においてこの城は無益の城にならざるをえないのだが、明日のことはどうでもいいというほどに項羽は疲れはじめていたのだろうか。

城父城で一泊して、さらに行軍をかさね、やはり項羽の中間基地である濉渓《すいけい》（安徽省）にいたったとき、城父城が漢軍に奪《と》られたということを知った。

「劉邦が固陵城から出たのか」

項羽はおもわず剣をつかんで立ちあがりかけたが、劉邦はなおも項羽をおそれてのことか、固陵城にいるという。それよりもさらにおどろくべき事実を知った。

城父城を奪ったのは西方の劉邦ではなく、南方から鉾《ほこ》を突きあげるようにして北進してきた黥布《げいふ》であるという。黥布軍には寝返り者の楚の将軍周殷《しゆういん》もまじっている。項羽の同郷の楚兵が多数いるはずであった。

（楚兵が敵にくわわったのだ）

という思いは、郷党性のつよい項羽にとって、手痛い衝撃であった。情勢というのはひとたび悪化すると何と急なことかと項羽はおもった。

この濉渓城内で朝をむかえたとき、これ以上の衝撃はありえないという急報をうけた。北方の韓信《かんしん》が三十万の兵をひきいていそぎ南下しているという。

それだけではなかった。彭越《ほうえつ》軍も降って涌いたように項羽軍の付近で動きはじめていた。

さらには、韓信と彭越のそれぞれの先鋒《せんぽう》軍が、項羽が帰るべき彭城（濉渓の北方）をとりまいてどよめいているというのである。

「そうか」

項羽はそれをきいたとき、顔に馬革《ばかく》をかぶせたように無表情になった。滝のような音をたてて潮が落ちはじめたのを内心で聴きつつ、

（もはや彭城には帰れない）

項羽はおもった。かれらしくもないこの消極的なことを、いつものこの男の素早さで決めた。

彭城という城の欠点は、広闊《こうかつ》な平野のなかにあるため防禦《ぼうぎょ》しにくいということであった。項羽の軍は、固陵攻囲のころからめだって減っていた。この濉渓の段階では十万そこそこでしかなくなっている。かつては満天下に比類ない軍容を誇ったかれの軍は、いまや南下しつつある韓信軍の三分の一でしかなかった。

この軍をひきいて彭城に突き入ったところで、彭城ほどの大きな城の防禦はむずかしいのである。

「漢軍にわが武を見せてやりたいが、この付近によい地形はないか」

項羽は部将をあつめて言い、同時に四方に探索者を出した。

垓下《がいか》という処《ところ》がある。

現在の安徽省霊壁《れいへき》の東南にある地で、大きな岩壁があり、その岩壁のまわりに集落がはり

ついていて、そのあたりを幾筋かの川が流れている。

それらの河川を濠《ほり》として防禦工事をほどこし、岩壁にも土木工事を施せば寡少の兵力をもって大軍と対抗することは不可能ではない。防戦しつつ敵のすきをみて激しく打って出ればあるいは存外な好結果が出ぬともかぎらなかった。

項羽はこの濉渓付近で軍容を張りつつ、後方にあっては垓下《がいか》の防塁工事をすすめた。

この工事に、ひと月かかった。

この間、劉邦は遠くから項羽とその軍の動静を用心ぶかく窺《うかが》っていた。楚軍はすでに天下によるべなき孤軍になり、兵力は激減し、士卒も餓えているが、項羽がひきいているかぎり、なお油断ができないのである。

すでに劉邦のもとに韓信も彭越も、それぞれの領域の兵をこぞって来会した。兵の郷国は雑多だった。趙《ちょう》兵、代《だい》兵、燕《えん》兵、斉《せい》兵、魏《ぎ》兵、それぞれ言語も異なり、風俗もすこしずつちがっている。山東半島の斉兵の体の頑丈さはどうであろう。代兵はみるからに騎乗にたくみだった。

それらはすべて漢軍の旗をひるがえした。その兵力は日に日にふえ、ついには野を覆《おお》い、城々に満ち、この大陸はじまって以来の大軍になった。

項羽軍は、漢軍という海にかこまれた小島のようにみえる。大軍に兵法なしという。劉邦はただ攻撃命令をくだすだけでよかった。

しかしこの期《ご》におよんでもなお劉邦はためらっていた。相手は項羽なのである。

(項羽は、すきを見せるだろう)

そのときに仕掛ければよい。……

劉邦は最初、

(項羽は、その郷国の長江《ちょうこう》の南へ帰るはずだ)

とおもっていた。帰って再起する、という方向が、いまの項羽のとりうる唯一つの活路ではないか。

そうなれば、長大な隊列の行軍がはじまる。遠くをめざして行軍隊形をとっている軍隊の防禦力はよわく、漢軍としては敵の弱さにつけ入ってそのしっぽを撃ち、もっとも弱い側面に横撃を仕掛け、これを間断なくくりかえしてゆけばかならず敵を崩壊させることができるのである。

(遠くてながい項羽の退却がいまからはじまるのだ)

退却軍の兵は、敵に背《そびら》をむけただけで気が萎《な》えてしまう。劉邦としては敵の退却のきざしをつかめばよい。

が、劉邦の思惑は外れた。

項羽軍の張りつめたような前面はうごかず、後方だけがしきりにうごいている。そのさらに後方に、垓下の岡がもりあがっていた。

(なにをするつもりだろう)

劉邦は思い、土地の者をつかって情報をあつめてみると、項羽は垓下の断崖《だんがい》と河川を利用して野戦築城をしはじめているというのである。

(気でもくるったか)

劉邦は、おもった。

垓下のような、項羽にとって地縁の薄い土地をえらび、海の潮のように満ちた敵のなかで穴ごもりをするとは、どういう料簡《りょうけん》であろう。

さらには、籠城《ろうじょう》戦は項羽の得意ではない。

得意の野戦を捨て、わざわざ不得意な城ごもりをしようというのは、なにか成算があってのことだろうか。籠城は、期待しうる援軍があってはじめて成立するのだが、項羽の場合、どこのたれを期待しているのだろう。

(楚の地を期待しているのか)

楚の地でもとくに故郷ともいうべき江南《こうなん》の地を期待しているのか。

(項羽は、ひょっとすると何も知らないのではないか)

楚の地は、周殷《しゅういん》が治めていた。周殷は項羽から大司馬《だいしば》の称号をもらって江南をふくめた広大な楚の地をまもっていた。それが漢に寝返り、黥布《げいふ》や劉賈《りゅうか》とともに項羽攻めの戦線に参加しているのである。

しかし、

項羽は、すでにふれたように、周殷の寝返りは知っていた。

（なんのことがあろう）

と、自分を懸命になだめていた。楚の地は広大で、かつて周殷も楚地をおさめると言いつつその威令は巣湖《そうこ》付近にかぎられ、たとえば江南まで及んでいなかった。江南へ使者をやれば奮起して出てくる者も多いのではないか。

すでに項羽は、江南へ使者を何人も派遣していた。しかし江南は遠く、さらには途中に漢兵が出没して、そこへ到着することも復命することも容易でないかもしれなかった。

急造の垓下《がいか》城ができあがったころ、楚軍はすこしずつその小要塞《ようさい》をめざして入りはじめた。主将の項羽はみずから殿軍《しんがり》となり、野にのこっている。

（やがて、戦機がくる）

項羽の戦いの流儀での戦機とは、そういうものであった。もし漢軍が追尾して仕掛けてくればすばやく撃ちかえして突き入り、劉邦をさがしもとめ、驀進《ばくしん》してこれを一刀で斬り伏せるのである。むろん項羽にはその自信があった。

ついに項羽の流儀でいう戦機に、劉邦は乗らなかった。

項羽は、野のやや小高い処《ところ》に一戸だけ建っていた小さな民家を本営にしていた。

かれは、戸外に床几《しょうぎ》をすえている。

そのそばには、天下にこれ以上の名馬はないといわれる騅《すい》がつながれていた。騅は葦毛《あしげ》（白い毛なみに黒や濃褐色のさし毛がまじっている馬）という意味で、普通名詞ではあったが、項羽はこれを固有名詞としてこの馬に名づけていた。

騅は、毛があぶらびかりするほどに美しい馬であった。それをかたわらの樹につながせ、馬丁にやすみなく脚を摩擦させていた。

天は、寒かった。

広武山《こうぶさん》上での和睦《わぼく》のときは初秋であったのに、もはや冬になってしまっている。項羽は遠い敵陣を望みつつ、首すじの大きな筋肉をふるわせて顔を振った。すべてがうまく行っていたのにあの和睦から白が黒に変わったようにわるくなった。あの弱い劉邦がなぜあのように強盛になり、かつては一喝するだけで天下を震わせ、一度も負《ひ》けをとったことのない自分がなぜこのように一軍もろともに落魄《らくはく》したのか、項羽にはまったくわからない。

(わからない)

なにか、方士《ほうし》の仙術にかかって夢のなかにたたずんでいるような気もする。

ひとつだけ項羽がわかりはじめていることがあった。自分の故郷の楚のことであった。このながい戦いのなかで、一度も故郷の父老《ふろう》をなぐさめに帰るということがなく、また、重い地位の者を代理者として帰らせ、かれらと語らいをさせるということもなかった。この点、劉邦はその領地である関中《かんちゅう》にしばしばゆき、広武山上で負傷をしたときも、膨《は》れあがってい る体を車にのせて関中へ帰り、父老と酒宴を持った。だからこそ関中の父老はその子弟を際限もなく劉邦の前線に送ってきたのだが、項羽はむろんそういう劉邦のやり方は知らない。

かれがあの負傷のあと、関中へ行ったということも項羽の知るところではない。

ただ天下のどこからも援軍が来そうにないこの事態になって、思い出されてくるのは楚のことであり、楚の父老のことであり、故郷の江南の風景であった。

楚人は魚を食う。

それだけでも、猪《ぶた》や羊を食う中原《ちゅうげん》――高燥で肥沃《ひよく》な黄土高原――のひとびとから異俗視もしくは蛮族《ばんぞく》視されていやしめられてきた。

景色も、この垓下のあたりとはまったくちがう。

たとえば楚人はコメを食う。

とくに江南の地は、イネがつくった景色であった。屋根をふくのも草でなくわらでふき、縄で帯をつくり、わらをなってわらじをつくるのである。黄河流域のひとびとからみれば、まことに異俗というほかなかろう。

江南人がイネをつくるのは、後世のように巧緻《こうち》ではない。あぜやうねもつくらず、肥料もやらない。

水と暖気にめぐまれた江南の地には草木がよく繁茂し、雑草が多く、農民たちはその草に火をつけて野焼きするだけである。そのあとにたねを蒔《ま》いてゆき、やがて稔《みの》ると穂をつみとってゆくだけであった。

冬のおわりの野焼きこそ江南の独特の風景であり、項羽はそれをおもうとむしょうに帰りたかった。

が、帰れない。

この垓下城を盾《たて》にして劉邦の大軍をくじかないかぎり、帰ろうにも帰れないのである。

項羽は劉邦にくらべ――というより誰に比しても――けたはずれに強い自己を持っていた。自己という呼称の生物といってよく、なみ外れて多食し、その太い頸《くび》を多量に通過してゆく咀嚼物《そしやくぶつ》はすぐさま力になって欲望にかわった。欲深い、というなら若いころの劉邦も世間からいわれた。

項羽はそれとはちがい、かれの体で無尽蔵《むじんぞう》につくられる生気というものがつねに炎のように噴きあがり、敵をこなごなに圧倒してしまう以外にその生気の瀉《は》け場がなかった。

この炎のために、項羽は他人の心というものが見えにくかった。このことは項羽に政略や戦略という感覚を欠かせてしまったことと無縁ではない。

さらにこのことは、馬を愛し、女を愛することにもつながった。

その愛し方ははげしすぎるというよりも、自己の延長もしくは自己そのものとして愛しているようでもあった。

項羽はつねに虞姫《ぐき》をつれていた。

かつて斉《せい》への行軍中にひろったこの頸のほそい女を項羽は片時も離さず、夜ははげしく幸《こう》した。

項羽には虞姫がその閨《ねや》に入る以前に何人かの女がいたが、みな水気をうしない、骨の髄液が涸《か》れるようにして病み、閨を去った。さらにはたれも項羽のために子を宿した者もいない。

この点、虞姫は華奢《きゃしゃ》であったが、朝になると、ふしぎによみがえった。濃いまつげにおおわれたその瞳《ひとみ》はうるおいと光りをうしなうことがなかったし、霧をふくんだ練絹《ねりぎぬ》のような肌は項羽のはげしさにつねに耐えた。

虞姫が寡欲で無口であるということも、項羽のよろこぶところであった。項羽自身寡黙な上に、人に対する好みもそのようであった。

「あいつは、鳥だ」

と、多弁な人間をみるとそういって不機嫌になってしまう。

用もないのに歯のあいだからさかんに言葉を吐きだしている人間を見ると、男女とも鳥のように見えてくるらしい。

「やあ、笑った」

項羽が虞姫とむかいあっているときに、しばしばこういってよろこぶ。人が無心に笑うのを見るのがすきであった。

虞姫は、笑顔がよかった。

声を出さず、ものが弾《はじ》けるように笑い、表情がひどく透《す》きとおってしまう。項羽は日中でもこの笑顔をみると、ときに人がいても虞姫をひきよせた。ひとびとは心得ていて、すぐさま消えた。

項羽は、ひくい岡の上の民家の前にすわっている。

吹きわたってくる風が寒く、ひげが息で白く凍った。項羽はときに大きな手をあげ、鼻下の霜を無造作にふりはらった。およそ寒さなど感じないような様子だった。

しかしこの男は、虞姫にだけは彼女がかなしくなるほど優しかった。虞姫が風に当たることをおそれ、背後の民家に閉じこめてある。民家には炕《オンドル》が焚《た》かれ、その煙が風に吹き飛んでいた。ときどき虞姫の侍女が燃料を採るためにかごを背負って戸外へ出た。そのときはいそいで戸を閉めねばならない。

「早く戸を閉めろ」

そのつど、項羽がふりむいてどなった。そのときの形相《ぎようそう》は前面に林のように展開している漢軍よりも、虞が風にあたることのほうが重大事であるようだった。

侍女が風にあたることは、かまわないのである。

侍女たちは、この敵前で、牛糞《ぎゆうふん》や羊糞の枯れたのをさがしにゆかねばならない。これらの物質は風の中で枯れかわいてしまうと、繊維状のものがまるくもつれあったようなぐあいになり、においもなにもなくなってしまう。これを燃やせば青い炎をあげてもえた。

侍女たちも、虞姫が好きであった。虞姫に思いやりがあるというよりも、侍女たちが思いやりをかけてやらねば雪のように溶けてしまうのではないかと思われるほどの、人柄のよさが彼女にあるようであった。

侍女たちは彼女を、

「虞美人《ぐびじん》」

とよんでいる。生殖をする以外に人としてのなんの機能《はたらき》も禁じられている虞姫に対してこれを美人と敬称することはあまりにもその存在の本質を言い当てすぎているようではあったが、しかしこの敬称は容姿をさすのではなく、後宮《こうきゅう》の女の階級名であった。美人は正夫人をのぞいては最高の位置にあり、漢代になると地方長官の食禄であるところの二千石の礼遇をうけ、収入もその程度の実質をもつ。

項羽には、正夫人はいない。

かれは早くに両親をうしなったために、定陶《ていとう》で戦死した叔父項梁《こうりょう》に養育された。いわば項梁の曹司《へやずみ》であったためにまだ妻を迎えず、むしろ迎えるようなゆとりもなく、戦場に出てしまった。部屋住みのまま楚軍の一将になり、項梁の死後、曲折ののち楚軍の総帥《そうすい》になるというぐあいだった。項羽がいまだ家をなさずに独身のままで天下の覇《は》を争ったというのも、この男の場合、その人柄や性格にふさわしい。

このため、虞美人が、項羽にとって妻にひとしいと言えなくはない。

やがて陽が高くなった。

漢軍が攻勢に出ないとなると、項羽はみずから殿軍《しんがり》をひきいて垓下《がいか》城に入らねばならない。日が暮れて漢軍に追跡されると厄介《やっかい》なことになるのである。

項羽は、背進しはじめた。

かれは虞姫を車にのせたが、遠くへ離れず、そのまわりを護衛するように騎馬ですすんだ。

垓下城の岡の上の本営へは、馬や車をすてて山道を歩かねばならない。道がけわしくなると、項羽は虞姫を抱きあげて左ひじにのせて歩いた。虞姫は項羽の左肩に身を倚《よ》りかからせているが、遠目でみると、項羽が小さな虹《にじ》をかついでいるようにも見えた。

夜に入って、地平線がふくれあがるほどに漢軍が多くなり、垓下の岡の根もとを流れる河のむこうの野がことごとく火になるほどにおびただしい数の松明《たいまつ》や篝火《かがりび》が燃えた。

劉邦は大規模な部署がえをおこなっている。

この攻囲戦の主軸が、韓信軍とされたのである。

項羽に対抗しうる漢将は韓信以外にないというのが衆目の一致するところであり、韓信もそのように自負していた。

韓信の軍は三十万である。

城内にいる項羽の手もとにのこされた兵力がわずか十万足らずであることを思うと、楚漢の勢力比が懸絶してしまっていることがわかる。

韓信は、士卒を夜間にうごかすことの名人であった。

かれらに同士討ちの事故をおこさせず、小部隊の長《おさ》にいたるまで自分のゆくべき場所、使用道路、現場の地形を把握《はあく》させることは至難なことであったが、韓信軍はそれを整然とやり、道路の混乱もなかった。

作戦というのは最終的には奇術的な発想や手段をつかうこともあるが、それへいたる大きなエネルギーは、実務によって整頓《せいとん》されねばならないものだった。軍隊の実経験にとぼしく、書生あがりともいうべき韓信にこれができたのは、かつて趙《ちょう》とたたかい、これをやぶって趙の広武君《こうぶくん》という練達の将軍を捕虜にしてこれに師事したからであった。この垓下《がいか》の攻囲陣においても、広武君が軍隊移動の実務面をうけもっていた。

韓信は、三十万の自軍を三つにわけ、左翼軍の司令官を孔熙《こうき》将軍（のちの蓼侯《りょう》）とし、右翼軍のそれを陳賀《ちんが》将軍（のちの費《ひ》侯）とし、みずからは中央軍をひきいて垓下城の間近くに本営をすえた。項羽が奔出《ほんしゅつ》してきた場合、すぐさまこれを絡《から》めて鞘《さや》の剝《は》げた韓信みずからの長剣でこれを斬ろうと思っていた。漢軍のなかで項羽の神秘的武勇に対して何の恐怖心ももっていなかったのは韓信ひとりだったといっていい。

劉邦も、戦《いく》さ下手《べた》のくせに、かつてのどの戦場でも陣のはるか後方にいたということはなかった。かれはつねに前線近くに立ってきたが、このときもそうであった。

韓信軍のすぐあとに本営を置いた。本営の守りは、葬式屋あがりの周勃《しゅうぼつ》将軍とそれにのちに棘蒲《きょくほ》侯になった柴武《さいぶ》将軍であった。

これらの陣形が完了したのは、翌日の午後になってからであった。

韓信《かんしん》は、逸《はや》っていた。

かれの名声はあまりに高く、さらにはこの項羽《こうう》退治にあたって寄せられている期待も大きい。その上、項羽を斬るという空前の大功をどうしても自分の手でにぎりたかった。

陣形が完了すると、かれは直率《ちょくそつ》する中軍をひっさげ、馬を駆り、旗をなびかせて垓下《がいか》の城壁にせまった。

これに対し、城兵は逼塞《ひっそく》していなかった。

かれらは城門を八字にあけてあふれ出、韓信の中軍めざして挑《いど》みかかった。そのすさまじさは撃って折れた剣や鉾《ほこ》の残片がたえず空中に飛び散るほどであり、さすがに項羽の兵は尋常なものでなかった。

城門のそばには、項羽が騅《すい》を足掻《あが》かせながら戦機のくるのを待っていた。地形が錯綜《さくそう》し、城内から一時に大軍をあふれださせるということができなかったため、馬上の項羽は味方にもまれつつわずかに進む程度であった。

先鋒《せんぽう》の楚兵の果敢さは、人間とはおもえなかった。

一方、韓信は自軍の密集のなかで動きのとれぬまま鞭《むち》を鳴らして兵を叱咤《しった》しつづけたが、やがて韓信の中軍がやぶれ、韓信ともども後退しはじめた。

この一事でみると、韓信は戦闘の猛将とは言いがたかった。かれの戦いはつねにかれの流儀で準備をし、穽《わな》を設け、敵を誘導して殲滅《せんめつ》するものであったが、この大攻囲戦にあっては寄手《よせて》はひた押しに押すべきもので、この作戦の名人も尋常な戦闘指揮官たらざるをえなかった。

楚兵が、勝った。

韓信の中軍は総くずれに崩れたち、楚兵は海の中のひとすじの潮のように直進してきた。

劉邦の本営まで動揺したこの危機は、韓信の左翼孔熙《こうき》将軍がすかさず中央へ走り、右翼陳賀《ちんが》将軍も兵を密集させて楚兵を横撃したために、かろうじて回避できた。

楚兵はひきあげたが、この後退のときに追いすがってくる漢兵のために潰滅《かいめつ》的な打撃をうけた。漢兵は楚兵を斬りつつ執拗《しつよう》に追いすがり、城門のそばに到って項羽の姿を見、おどろいてひきあげた。

項羽は、悲痛だった。

城楼からのぞんだとき、夕陽をあびて戦場に置きすてられているおびただしい死骸《しがい》のほとんどは楚兵であることを知らねばならなかった。城に帰ることができた兵も、かぞえるほどしかいない。

(最後がきたらしい)

楚人らしい気の早さで、項羽はみずからの運命の幕をひきちぎるようにして下《お》ろそうとしていた。

翌朝、項羽はもう一度突出させた。

この日も、項羽自身がじかに部隊をひきいなかったのには、いくつもの理由が、もつれた糸玉《いとだま》のようにからみあっていた。それをほぐして理由めかしく筋立てて列挙するわけにはいかないであろう。ぎりぎりの敗亡に追いこまれた将の考えることとは、日常の論理や言葉にはひき写せない。

項羽は、死を覚悟していた。

そのくせ項羽はここを脱出して江南の地で再起しようとおもっていたのである。これを同時に思った。

矛盾したこの二つを同時に決意しつつ、すこしも矛盾を感じなかったのは、こういう状況下の項羽になってみないとわからない。

項羽がこの垓下城で闘死するつもりなら、城門をひらいて出て行った部隊とともにあらねばならない。が、城楼から眺めたところ、大地をうずめつくしている漢軍の海のなかでは劉邦がどこにいるかもわからず、かれをさがしもとめるうちに兵も斃《たお》れ、馬も斃れるだろう（とはいえ項羽自身が斃れるとはこの強靭《きょうじん》な生命のぬしはすこしも思っていなかった）、徒労ではないか、とこの男はおもった。死を覚悟しつつ、一方では死にいたるために必要な行為だけを切りはなしてその行為を徒労だと思ったのである。自殺者が死をねがいつつも毒を仰ぐ行為が徒労だといっているに似ているが、しかし項羽の場合、本質としてまったくちがったものであるらしい。項羽には、自殺するつもりはなかった。この旺盛《おうせい》すぎる生気のぬしは、頭からそういう発作や考えがうかびにくい仕組みになっているのではないか。

が、死を覚悟している。その死は、闘死という儀式をともなうものらしかった。

闘死するには、雑兵《ぞうひょう》を相手にそれをしたくなかった。劉邦を真《ま》っ向《こう》から斬り下げるか、せめて一太刀むくいてその場に斃れたかった。

敵がみちみちているこの状況下では、その一太刀の闘死の条件がとうてい成立しなかった。

しかし一方では死を覚悟している。この覚悟の表現として、かれの分身である直衛部隊を城門から——死にむかって——突出させたのであろう。

さらに一方においては、項羽はこの城を脱出しようとしている。

脱出といっても、いずれは遠い将来の闘死——もしくは劉邦を討つ——という目的のための手続きで、いのちを全《まっと》うしようという心事とは遠いものであった。自分ひとりでも江南の地にたどりつけばふたたび壮士、壮丁があつまり、大軍を編成できぬともかぎらないのである。闘死の覚悟と脱出の決断は矛盾のように見えて矛盾せず、しかしこまごまとみれば相絡《あいから》みあって、ひとすじの糸として取りだせるものでもない。

項羽はこの状況下で、気狂《きぐる》いのなかにある。

が、様子はそうとも見えなかった。

かれは落ちつきはらったままの姿勢で、終日、城楼から戦いを指揮した。

しかし朝出撃した部隊は昼ごろには半分になり、夕刻には一人も見えず、夕闇《ゆうやみ》がたちこめる頃には、あたりを馳駆《ちく》しているのは韓信の兵ばかりになった。

「あすだ」

城楼から降りつつ、項羽はいつもの顔色で言った。ひとびとは、あすこそ勝ってやるというふうにその言葉を受けとった。しかし勝とうにも勝てるだけの人数がいなかった。

——どうなさるのだろう。

側近のたれもが自分一個の運命よりも、項羽の身を案じた。このように明日も知れぬ極所に追いこまれた側近たちが項羽に対してもつ心づかいというものも、日常の人間感情をよりどころにしては臆測することができない。かれら一人ずつが項羽という運命の符《ふ》を買っているのである。この時代の符——証文——は、竹か木であった。それを二つに割ってその一片ずつを後日の証拠として持ち、必要があればつなぎあわせてあかしを検《ため》すのである。料理人も親衛隊長も掃除だけを役目としている男も、みな無形の符の半片を持っていた。

他の半片は、項羽が持っている。

かれら項羽の身近の者たちにとっては、割符《わりふ》を持つことによって運命をひらこうとしたが、他の一方の項羽という割符は消えてなくなるのである。つまりは自分がもつ割符も無意味になるのだが、そのことに腹を立てるということはありえないようであった。すべてが消え、無に帰し、割符とともに自分自身の肉体も消えてしまうのだが、それは既定のこととしてごく自然にあきらめてしまうものらしい。それよりも、自分のもうひとつの割符——項羽——がどうなるのか、そのことのほうに気がかりが向くようであり、この紀元前のこういう境涯のひとびとの感情をべつの譬《たと》えでいえば、自分という水瓶《みずがめ》が倒れて項羽という水が流れ出てゆくようなものであった。かれらにすれば流れ出てゆく項羽という水のほうが気がかりでもあった。

が、項羽自身は表面は平然としている。

初更《よい》が過ぎ、項羽は虞姫《ぐき》を寝所にやった。やがて項羽も寝所に入るべく一同に背をむけたとき、肩が落ちていた。

——大王のあのようなうしろ姿をかつて見たことがない。

と、一同は青ざめる思いで、たがいに顔を見合わせた。

項羽は虞姫を抱いたまま熟睡した。

やがて乙夜《いつや》(夜九時から十一時まで)が過ぎるころ、眠りが浅くなった。遠くで風が樹木を鳴らしている。風か、と思ったが、軍勢のざわめきのようでもあった。

(あれは、楚歌《そか》ではないか)

項羽は、跳ね起きた。武装をして城楼にのぼってみると、地に満ちた篝火《かがりび》が、そのまま満天の星につらなっている。歌は、この城内の者がうたっているのではなく、すべて城外の野から湧《わ》きあがっているのである。楚の国は言語が中原《ちゅうげん》と異なっているだけでなく、音律もちがっている。楚の音律は悲しく、ときにむせぶようであり、ときに怨《えん》ずるようで、それを聴けばたれの耳にも楚歌であることがわかる。

しかも四面《しめん》ことごとく楚歌であった。

——わが兵が、こうもおびただしく漢に味方したか。

とおもったとき、楚人の大王としての項羽は自分の命運の尽きたことを知った。楚人に擁せられてこその楚王であり、楚人が去れば王としての項羽は、もはやこの地上に存在しない。

しかしこの楚歌はどういうひとびとがうたったのであろう。

垓下《がいか》城のまわりにいるのは、韓信の軍で、楚兵はいない。あるいは黥布《げいふ》、劉賈《りゅうか》、周殷《しゅういん》という楚兵をひきいる諸将が前面に出てきたのか。前面に出るとすれば部署がえがあったわけだが、すでに韓信という者が先鋒である以上、劉邦があとにしこりをのこすそういう処置をするはずがなかった。

古来、韓信が兵に楚歌をうたわせたのだという説がある。しかし韓信の作戦癖からいえばその奇想はつねに物理的着想で、このように項羽そのひとの心の張りをうしなわせるような心理的効果を考えてのいわば陰気な発想をとるとはおもわれない。

歌は、自然に湧きおこったのであろう。

しかしどういう人々が歌ったのかとなると、繰りかえすようだが、わからない。あるいは風に乗ってきこえてきた似たような音律を項羽が聴きまちがえたのかどうか。

いずれにしても項羽はこの歌によって、寝《しん》に就く前の様子とはちがった行動へ方角を切りかえたことはたしかであった。

「酒の支度をせよ」

と、命じた。

みな、倶《とも》に飲もう、そのあたりにいる者をこの帳中《ちょうちゅう》によんで来い、将も士も卒もない、みな来《こ》よと言え、帳中に入りきらねば廊下で觴《さかずき》を持て、廊下が満ちれば階段に立て、入りきらねば郭々《かくかく》であるいは立ち或いはすわって酒樽《さかだる》の酒を汲《く》め、肉もすこしはあろう、すべての者の手に肉を持たせよ、といった。

「酔うほどには飲むな、別れるために飲むのだ」

項羽は、つねになく多弁になっていた。

「飲み了《お》えればめいめいが城を落ちるのだ。運を天にまかせ、いず方《かた》なりとも血路をひらいて落ちのびよ」

項羽がまず酒をあおり、觴《さかずき》をさかさまにした。

「まだあるか」

横の舎人《とねり》にいった。

その老いた舎人が注ぐと項羽は大きな目でその老人の顔をみて、お前は会稽《かいけい》の挙兵以来わしのそばにいた、天下をとれば大夫《たいふ》太僕《たいぼく》（天子の乗物をあつかう長官）の衣冠をあたえてやろうとおもったのに、もはや何の酬《むく》いもお前にしてやることができなくなった、と言い、言いおわるとはじめて哭《な》いた。

「大王、あれから七年になります」

舎人はいった。挙兵以来の歳月のことである。

項羽はおどろき、わしには百年も経《ふ》りたかと思われるし、また思いようによっては昨日のことのようでもある、といったかとおもうと不意に感慨が突きあげてきたらしく、血脹《ちぶく》れしたような貌《かお》になって、大きな尻を床《ゆか》にすえてしまった。

「酔え。——」

酔うな、といったことも忘れ、觴《さかずき》のなかを何度も干し、ついにはその巨眼を赤くし、それでもなお突きあげてくる感情に耐えていたが、やがて巨体をわずかに前へ屈《かが》め、小さく声を洩《も》らした。声には抑揚がついている。楚歌の音律であった。激しく、かつ哀しい。

力《ちから》は山を抜き　気《き》は世《よ》を蓋《おお》ふ

時に利あらずして

と歌ったあと、拍《う》っているひざの手をとめ、不意に床をみつめた。やがて、

騅逝《すいゆ》かず

と、歌った。脳裏に敵の重囲が浮かび、手も足も出なくなっている自分の姿が、雷光《らいこう》に射《い》照《て》らされるように映じたのにちがいない。項羽の目にふたたび涙が噴きだし、そのままふりかえって背後の虞姫《ぐき》をひきよせ、

騅逝かざるを奈何《いかん》すべき

虞や虞や若《なんじ》を奈何せん

と、うたいおさめた。

力抜山兮《けい》気蓋世　時不利兮《けい》騅不逝　騅不逝兮《けい》可奈何　虞兮《けい》虞兮《けい》奈若何

兮という間投詞が、ことばが切れるごとに入っている。兮は詩の気分に軽みをつける間投詞ではなく、むしろ作り手の項羽が、兮《けい》！　と発声するごとに激情が一気に堰《せ》きとめられ、次いでつぎの句の感情にむかっていっそうに発揚する効果をもっている。項羽のこの場合の兮は、項羽のこのときの感情のはげしさをあらわしているだけでなく、最後に虞姫に対し、その名を呼ぶことにいちいち兮を投入したのは、この詩が要するに、虞姫よ、この項羽の悲運などどうでもよい、この世にお前をのこすことだけが恨みだ、というただそれだけのことをこの詩によって言いたかったにちがいない。

左右みな泣き、能《よ》く仰ぎ視《み》るもの莫《な》し、という。左右は、項羽が楚軍と自分自身の悲運をはげしく慷慨《こうがい》したこととしてみな共感したといえるが、「虞兮虞兮」と称《とな》えこまれた虞姫にとっては項羽が鉾を突き入れるようにして、彼女ひとりのために語りかけているとうけとったであろう。

つまりは、死んでもらいたいということであった。

このあと、敵の重囲を突破するにあたって虞姫をともなうことの不可能さは彼女自身もわかっている。項羽そのひとの生命もあと幾日のものか、たれにもわからない。項羽のいのちの炎のはげしさは、彼女をこの世にのこして余人の手に触れることを戦慄《せんりつ》して拒絶しているのである。

そのことは、虞姫の心に了解《りょうげ》された。

彼女は項羽の願望と自分のそれが一つであることを証《あか》すためにすぐさま立ちあがり、剣をとって舞い、舞いつつ項羽の即興詩を繰りかえしうたった。

その所作が彼女の返答であることが項羽にわかった。

彼女が舞いおさめると項羽は剣を抜き、一刀で斬りさげ、とどめを刺した。

この男はそのまま帳《とばり》をはねあげ、下へ下へと降りた。やがて騅にとび騎《の》ると、闇を蹄《ひづめ》で蹴《け》やぶるようにして城門を走り出た。

項羽の脱出は、すさまじいものであった。

途中、漢兵の陣があろうがなかろうが、頓著《とんじゃく》もしなかった。陣の篝《かがり》を飛びこえ、陣の柵《さく》を蹴やぶり、気づいて阻《はば》む者は刹那《せつな》に血けむりをたててころがった。

一陣の黒い飄風《つむじかぜ》が漢軍のなかを吹きぬけてゆくようで、古来、城を落ちてゆく敗軍の歴史のなかでこれほどたけだけしい脱出はなかった。このことがかえって漢軍の意表を衝《つ》いた。

——まさか項王ではあるまい。

と、漢軍が論議するころには、項羽とかれに従う者どもは数キロさきを奔《はし》っていた。

項羽に従う者はかれと生死を共にしようという者もあったが、なかには項羽に従っていれば脱出できると信じてともに走っている者も多かった。楚《そ》の士卒の項羽に対する信仰は敗走のときでさえ生きつづけていたといえる。項羽軍の勃興《ぼっこう》から衰亡にいたるまでかれの兵が強かったのは、この信仰によるとしか言いようがない。

まわりが明るくなってからしらべてみると、八百余騎もいた。

みな休みもなく駈けつづけている。馬が疲れて脚がにぶくなった者は置きざりにされた。

「江南《こうなん》へ帰るのだ」

と、項羽がひとことだけ洩らした言葉を、ひとびとはいつ消えるかもしれない灯のようにいたわりつつ、懸命に南をめざした。

一方、劉邦の本営では、夜が明けてから項羽が脱出してしまったことを確認した。

——項羽が生きているかぎり、天下はさだまらない。

と、劉邦はかつて無いほどに狼狽《ろうばい》し、すぐさま追跡のための手段を講じた。凄惨《せいさん》なほどの落武者狩りがおこなわれた。どこに、どういう風体《ふうてい》に化けて項羽がいるかわからないのである。

さらには、飄風《ひょうふう》のようなものが駈けすぎたという各陣の報告をつなぎあわせてみると、南の方角であるらしいことがわかった。

項羽の首に懸賞がかけられた。

「黄金千枚に加えて一万戸の封地《ほうち》」

というものであった。一介の走卒でも一躍大諸侯に列することができるのである。劉邦が項羽の生きていることをいかに怖《おそ》れたかは、この懸賞の大きさでもわかる。

特別捜索軍も編成され、すぐさま南下した。

その将は、灌嬰《かんえい》であった。

かつて劉邦の成皐《せいこう》・滎陽《けいよう》における籠城《ろうじょう》戦のときは敵陣に露呈した甬道《ようどう》を防衛し、猛勇をうたわれた男である。その後、劉邦から派遣されて韓信に付属させられ、その部将として働いていた。

かれは騎兵団の指揮にも長《た》けていた。

この男がひきいた部隊は五千騎で、歩兵が主力だったこの時代ではよほどの規模の騎兵部隊であるといえた。

項羽は南下をかさねた。

途中、自分の首に懸賞がかかっていることを知り、その褒賞《ほうしょう》の大きさをきいて多少の満足はした。

淮水《わいすい》をわたったころは、途中、討たれたり落伍《らくご》したりして、従う者は百余騎になっていた。

淮水をわたると、半ば楚のにおいがする。土地が湿潤で、沼沢《しょうたく》が多い。陰陵《いんりょう》（安徽省定遠《ていえん》県の西北）という地で、道に迷った。田の中にいた農夫に道をきくと、手をあげて左を示した。項羽は、あざむかれた。漢軍の手はすでに陰陵の農夫にまでまわっていたのである。左をとってゆくと、大沢《だいたく》のなかに迷いこみ、行くも水であり、帰るも水中の一径《いっけい》があるにすぎない。

ひっかえしてこんにちの定遠あたりに至ったが、沢中の騎走で多くは落伍し、従う者はわずか二十八騎になっていた。

漢の騎兵がせまった。

項羽が馬を立てて見るうちに、敵は数千騎になった。

「諸公よ」

項羽はそういう称《よ》び方で、従う者をふりかえった。

「わしは兵を挙げて以来、こんにちまで七十余戦を戦い、ことごとく勝った。そのわしがこんにちの窮境に立ちいたったのは天がわしを亡ぼそうとしているからである」

大沢の中に逃げ迷ったときの自分の姿が、項羽にはよほどうとましかったに相違なく、それは天の為《な》すところで、わが武勇の弱さによるものではない、という。

そのうち、漢騎が項羽たちを幾重《いくえ》にも包囲した。

「諸公のためにその証《あか》しを見せたい」

と言い、二十八騎を四隊にわけ、四方に対抗すべく円陣をつくった。さらには一戦ののち落ちあう場所もきめた。

項羽は号令をくだす前に、

——諸公、あの将を討ちとってみせる。

と言い、やがて号令をくだすとともに四方に突撃させた。項羽はそのうちの一方の先登《せんとう》を駈け、約束した敵将の一人を馬上から一気に斬りおとした。

数千騎の漢軍が散りみだれた。その漢軍のなかからのちに赤泉侯《せきせんこう》に列せられる楊喜《ようき》という将軍が馬を駆って出てきたが、項羽が目を瞋《いか》らせて一喝すると、人馬ともにけしとぶようにして数里も逃げた。

やがて落ちあう場所でも包囲された。項羽は味方につぎの場所を指定したあと、丘を馳《は》せくだって漢の一都尉《とい》を斬り、包囲環を切りやぶって疾駆《しっく》した。

一同、約束の場所にあつまったとき、この「作戦」でわずかに二騎を失っただけであった。項羽は破顔して、

「証拠は存分に見てくれたはずだ」

というと、従騎はみな馬上で一礼し、大王のお言葉のとおりでございます、と心からいった。

このことは項羽のいわば遊びにすぎなかったが、この状況下のかれにとって、これほど重要なことはなかった。生き残った二十六騎があるいは後世へ語り継ぐとき、この一事によって項羽の評価がきまるとこの男は考えたのである。

要するに、劉邦にほろぼされるのではないということであった。

――天が、楚王項羽を亡ぼしたのだ。

というふうに語られることに項羽は執着した。かれがこの世に思いのこすことがあるとすればこの一点だけであり、歴史にむかってこれを叫んだといっていい。戦国末期からこの大陸の文明にあっては、ひとびとは歴史にどう語り継がれるかということで現世での言動を意識して規正する風《ふう》が出てきている。項羽もまたそれを意識したのである。

いまの長江《ちょうこう》の北に、和県《わけん》（安徽省）という町がある。こんにちの南京《ナンキン》のやや上流にあたる。

この和県の東北に、こんにち烏江浦《うこうほ》とよばれている集落がある。項羽のころにはここに亭《てい》(宿場)が置かれ、わずかな戸数が流れの北岸に点在して、一望枯れたよしがつづいているさびしい土地であった。

項羽とその従騎が漢の騎兵部隊に追われつつこの水辺まできたとき、かれの最期がちかくなった。

以下のことは、よく知られている。

烏江《うこう》の亭長が、項羽のゆく手に立った。この老人はいうまでもなく楚人であった。楚人として項羽を敬愛してもいた。さらには項羽の思わぬ末路にはげしい同情をもっている。

「大王よ、早くこの舟にお乗りくだされ」

と、亭長はいった。さらには、このあたりに舟といえばこれ一艘《いっそう》しかありませぬ、漢軍はこの岸でとどまらざるをえませぬ、早くお乗り下され、といった。

項羽は、動かなかった。亭長のすすめとは逆に、このほとりで死のうときめた。かれは、亭長に自分に対する愛があることを知った。こういう男をさがすためにここまで南下してきたともいえる。

(この男ならば、自分のやったことと、やろうとした志をながく世間に伝えてくれるだろう)

と、おもったのである。

かれは亭長の好意を謝し、例によってこの惨状は自分の武勇によるものではなく天が自分をほろぼそうとしているのだ、と言った。さらにかつて挙兵のあと、江東《こうとう》（ひろくいえば江南）の健児八千をひきいてこの江を渡り、西へむかったころのことについて語った。

「老人よ、考えてもみよ。かつて叔父の項梁とわしを信じ、この烏江をわたって西にむかった八千の子弟はすべて死に、ひとりとして還《かえ》る者はいない。かれらを送り出した江南の父兄がわしをあわれみ、ふたたび子弟を募《つの》ってわしを王にしてくれたところで、わしにはかれらに見《まみ》える面目はない」

言いおわると、かれは、亭長に騅《すい》をあたえた。

あとは徒立《かちだち》になった。ゆっくりと鉾《ほこ》をもちなおし、漢騎が殺到してくる方向へむかった。従う者もみな馬をすて、項羽のまわりを固めつつ進んだ。

ほどなく、漢の騎兵団と激突した。項羽は鉾をまわして敵を無意味なほどに殺傷した。敵を殺傷することによって自分は漢に敗《ま》けたのではなく天によってほろぼされるのだということをあくまでも実証しておきたかったからであった。むろん後世にむかってであり、そのことは亭長が語ってくれるであろう。

ついに身に十余創を負って血みどろになったが、それでも敵の包囲環《わ》の中央で突っ立っていた。

やがて同郷の顔見知りをみつけ、

（呂《りょ》よ）

と、よばわった。呂は、項羽にすればかつて歯牙《しが》にもかけなかったくだらぬ男であった。

漢の騎司馬《きしば》（官名）になっている呂馬童《りょばどう》である。呂馬童のほうも、あれは項王だ、と項羽を指さした。

「そのとおりだ」

項羽は言い、聞くところによればわしの首に千金と万戸がかかっているという、呂よ、汝《なんじ》は同郷である、そのよしみに恩徳をほどこしてやろう、といい、言いおわると、刃を頸《くび》にあてて、みずから刎《は》ねた。

項羽の体が、地ひびきをたてて地にたおれた。

信じがたいほどのことがおこった。動かなくなった項羽の死体に無数の漢兵が爪をたててむらがり、一片でも奪おうとして争い、ついには武器をとって邪魔者を追おうとした。この同士討ちのために数十人が死傷した。

死体はこのために五つにちぎれた。騒ぎがおさまったときは、その一部ずつを呂馬童ら五人の者がにぎっていた。

懸賞は本来ひとりを受賞の対象としていた。

が、劉邦はこまかいことを穿鑿《せんさく》しなかった。一万戸を五等分し、右足しか持っていない男をふくめ、五人をひとしく諸侯にしてしまった。このあたり、いかにも劉邦らしかった。

項羽の死骸のかけらを獲《と》ることによって諸侯に封《ほう》じられた者の名前がのこっている。ついでに記しておく。これより前、項羽に一喝されて逃げた楊喜《ようき》も、破片を持っていた。かれは赤泉《せきせん》侯に封ぜられた。またこの追跡隊の隊長だった王翳《おうえい》は死体のどの部分かをひきちぎったがために杜衍《とえん》侯になった。楊武《ようぶ》という男は呉防《ごぼう》侯に封ぜられ、呂勝は涅陽《でつよう》侯に、さらに項羽に声をかけられて死体を全部もらうはずだった前掲の呂馬童は、折りかさなった味方の体の下で項羽の死体の一部を切りとり、封《ほう》二千戸の中水《ちゆうすい》侯になった。

戦場の掃除は、亭長のしごとのひとつであった。亭長は漢騎が去ったあと、激闘の跡をくまなく片づけたが、項羽の色相《しきそう》のあかしになるようなものは髪ひとすじも落ちていなかった。

以後、烏江のほとりのひとびとは、人間の欲望のすさまじさについても物語ることになる。司馬遷は二十歳のころ、史家としての生涯の基礎となる大旅行をした。その旅のおわりに楚の地に入り、この烏江のほとりにもきたかと思われる。項羽が死んで七十年あまりしか経っていない頃だけに、里びとたちの記憶もあざやかであったろう。かれらから項羽の最後をきき、さらには五人の珍奇な諸侯についてもきくことを得たはずである。晩年、かれは『史記』を書くにあたって、その諸侯たちの名をさりげなく書きとどめ、そのことによって人間の欲望という課題についての饒舌《じようぜつ》を節約した。

さらには五人の名とかれらが栄達した職名を記することで、漢楚の戦いというものの本質のひときれを象徴してみせたかのようでもあった。

劉邦についての本質も、このことは象徴していないでもない。この愚劣な五個の名前の男たちに対し、劉邦は約束どおりの恩賞をあたえた。項羽の死体と五つの名のむこうにある劉邦の相貌《そうぼう》がどういうものであったかを、このことでほのかに窺《うかが》うことができる。

項羽の死は、紀元前二〇二年である。ときに、三十一歳であった。

あとがき

このひろい地上には、文明という人間の暮らしのための普遍的体系と技術群が、集中的に興《おこ》る場所があったらしい。

古い時代の中国大陸も、そういう場所のなかの、しかも最も重要なひとつであった。

ひとつには、この大陸の場合、周辺からさまざまな暮らしの仕方を持った民族が間断なく流入しつづけたということを見ねばならないであろう。具体的情景としては、農業だけしか知らなかった民族に、牧畜を専業とする民族が接触してくると、長靴《ちょうか》を穿《は》くことや、動物の腱《けん》を干して弓の弦をつくること、あるいは干肉をつくり、乳製品を食べることなどが教えられる。むろんかれら（農民文化から見れば蛮族）は、教師団としてやってくるのではなく、戦争のかたちをとってやってくるのだが。

またべつな具体的情景としては、冶金《やきん》を得意とする民族の流入も考えられる。かれらが入りこむことにより、たとえば鏃《やじり》を金属にすることだけでも在来の狩猟生産高が変わる。またそれまで木製だった犂《すき》や鍬《くわ》に金属片をはめこむことで農業生産が飛躍的にあがり、それによって統治領域が拡大する。つまりは、広域国家ができあがる。広域を統治するために文字ができ、それを使用する官僚が発生し、文字はやがて統治の道具であることから、思想その他を表現する道具としてその場をひろげてゆく。冶金を得意とする民族とは、たとえば殷《いん》がそうであったかもしれない。青銅遺物で、それを十分想像することができる。

殷に代わって興った周《しゅう》は、もともと西方の草原にいた。かれらはその草原のぬしである遊牧民族の羌《きょう》と混住していた民族で、冶金技術は殷よりもうまくなかったが、騎馬民族の特技である戦争に習熟していた。また戦士や農民を数量的に把握《はあく》する能力があり、それを目的にむかって巧みに案配する能力も、稼業柄《かぎょうがら》、長《た》けていたかとおもわれる。古代にあっては民族は暮らし方によって形成されるもので、二十世紀の語感とはちがっていたのではないか。

右の雑談のように、文明というのは、多様な稼業ちがいの諸民族が、たがいに異質な文化を持ちこんで、それらをるつぼのなかで熔《と》かしあう条件をもった場所に興るものであったように思われる。すくなくとも中国大陸の場合は、そうであった。むろんその巨大なるつぼは、農業が基盤になければならなかったが。

ただし、筆者が属する社会は、中国文明の周辺の地域に存在していた。古代、この草木の茂った島嶼《とうしょ》は一望の未開地で、母音をながく引く言語をもった素朴な採集生活者がわずかな人数で住んでいた。

そこへ水田方式の稲作という、多数の人間を食わせることができる技術が入ってきた。非金属ながら犂・鍬などの道具類もセットとして入り、また縄、むしろ、草履《ぞうり》といった藁工品《わらこうひん》も入り、あるいは稲作儀礼もそれに付属して入ったかとおもわれる。たれでもそのセットのもとに従属すれば稲作の暮らしに入ることができるということで、それなりに普遍性をもった文明であったといえるが、中国大陸のように多様な暮らし方をもった諸民族が混入してくるという条件に乏しかったために、文化的に単一性のつよい――つまりは単純な――古代社会ができあがった。

日本に水田稲作が入ってきた早々か、あるいはそれよりすこし前の時代が、項羽と劉邦の時代である。春秋・戦国という農業生産力の騰《あが》った時代をへて、中国古代文明が、形而上《けいじじょう》的な諸思想をふくめて熟成しきったころといえる。

文明の熟成というあいまいな言葉をそのままにつかえば、そこに世界史での近代の要素さえ多量にみられる。前時代からひきついでいる形而上的な諸思想が社会に根づき、それぞれが教団をつくって人材を養成しているかのようなにおいさえある。

士という個人も成立している。日本でいう士は封建大名の家来のことであるが、中国のこの時代の士とは思想と志をもち自主的に自分の進退を考えるという個性をさす。むろん、一方においては、数ノ子のように均等性と没個性でもって部族や家族に隷属している古代的な状態が海のようにひろがっている。士とは、それらと相関しつつもその現実からわずかに離れた個性群のことをいうらしい。

中国史は、ふしぎなところがある。後代のほうが文化の均一性が高くなるのは当然であるとして、知的好奇心が衰弱することである。後漢《かん》の末ごろからいわゆるアジア的停頓《ていとん》がはじまり、その停頓が、驚歎《きょうたん》すべきことに、近代までのながい歴史のなかに居すわりつづける。が、いわゆる先秦《しん》時代からこの時期までの中国は、べつのひとびとによる社会であったかと思えるほどにいきいきしている。

秦帝国は思想の側でいえば法家《ほうか》思想の実験帝国であったが、その成立については、どこか背後にひそかな法家の結社があって宮廷に取り入り、帝国に原理をあたえ、構造をつくらせ、中央・地方の官僚組織のすみずみまで設計したのではないかと思えるほどである。

秦帝国を崩壊させてゆく力は、一にも二にも流民であった。

そのエネルギーを利用し、方向づけ、また旋回力を与える者たちの側近には老荘《ろうそう》の徒や兵家、儒家の徒、あるいは縦横家《じゅうおうか》といわれる外交技術者がいた。すくなくとも表面上法家がいなかったのは、思想の徒にとってなによりも法家主義を倒すという意識が顕在、または潜在していたからではないかと思われる。

一九七五年の五月半ばに洛陽《らくよう》に行ったとき、唐《とう》代からこの町の名物でありつづけている牡《ぼ》丹花《たんか》はすでに時期をすぎてしおれていた。

洛陽の旧市街の民家は、青灰色の磚《せん》(れんが)でつくられていて、辻《つじ》に立つと芥川龍之介の杜子春《としシゅん》が出てきそうな感じがしないでもない。鉄道線路のわきに体育館のように大きな屋根組みの建物があり、入ってみると、穀物用の巨大な穴倉が保存されていた。一九六九年、ここに工場をたてようとして土の性質を調べるべくボーリングがおこなわれていたとき、地中から一個の刻銘磚が発見された。磚には、

「含嘉倉《がんかそう》」

と、刻まれていた。さっそく発掘され、保存されたという。

穴は直径十一メートル、深さ七メートルで、ふちに立つと吸いこまれそうなほどに大きい。倉といっても建物ではなく、黄土層をふかく掘って（黄土層は水が出ない）穴のまわりを多少は固め、吸湿材その他を入れ、上から穀物を流しこむのである。穀物の多くは揚子江《ようすこう》付近の諸地方からあつめた貢米で、舟運で運ばれる。運河を通り、黄河《こうが》に入り、さらに黄河をさかのぼってこの洛陽に揚陸され、この種の穴倉に収められるのである。米なら五年、粟《あわ》なら九年保《も》つという。

むろん、この穴が一つではない。含嘉倉が発見されてから、同種類の穴が、この穴をふくめ、洛陽だけで二百六十一個も発見された。

穴のふちに立ちながら、中国的発想の即物性の凄《すご》さを感じた。

唐の玄宗《げんそう》皇帝のとき、関中《かんちゆう》台地にある長安《ちようあん》が餓え、皇帝がその家族や百官をひきいてこの洛陽までできたことがある。穀物を運ばせるよりも、皇帝以下が穴のある地まで行って食う。穴のふちまできて食うのかとあわてて思ってしまったほどに、なまなましい情景といえる。玄宗のとき、安禄山《あんろくざん》が反乱をおこした。かれは洛陽を陥《お》としてここに固執し、情勢が悪化しても、吸いついたようにここを動かなかった時期がある。十数万というかれの士卒に食を与えるためであった。

私は、大きなスリバチを埋めたような含嘉倉をのぞきこみつつ、劉邦が項羽との決戦の末期、黄河の河畔の成皐《せいこう》・滎陽《けいよう》にしがみついて動かなかった必死の形相《ぎようそう》がわかったような気がした。とくに栄陽の西北に敖山《ごうざん》という山があり、かつて秦帝国はこの山に蜂《はち》の巣のように穴を掘り、穀物を貯《た》めていたのである。敖山の穀倉を総称して敖倉というが、劉邦は項羽に火のように攻められつつもここを離れなかった。結局、劉邦の勝因を戯画的に単純化すれば、この敖倉の固執にあったのではないか。

含嘉倉をのぞきこみつつ、流民のことを思った。

中国大陸は、何百年かに一度、すさまじい飢饉《ききん》に襲われる。青いものといえば雑草一茎も見当らぬという状況のなかで、村ぐるみ流民化して他村を襲ってその食物を食い、襲われたほうの村民も村をすてて集団で流民化し、食を求めて転々とする。いわゆる英雄というのはその状況下で成立する。どこそこで五千人を食わせる人がいるときけば殺到してその傘下《さんか》に入るのである。

やがてその首領も五千人の食を保証しかねるとなると、首領は四方をさがし、五万人の食を保証する者のもとに流民ごとなだれこみ、その麾下《きか》に入る。ついには百万人の食を保証する者が最大の勢力をもつことになるのだが、こういう種類の存在を中国では英雄という。日本では、この定義のように正札のついた英雄はかつて存在したことがない。日本は降雨量が多く、山野に水が涸《か》れることがまれで、たとえ飢饉《ききん》があってもせまい地域にかぎられ、大陸全土が流民を載せて渦をまくような中国的現象というのはかつておこったことがない。

中国の政治は、ひとびとに食わせようということが第一義になっている。流民が大発生するのは一つの王朝のほろびるときであり、その動乱のなかで流民を食わせる大首領があらわれ、食わせるという姿勢をとりつつ古い王朝をたおし、新王朝をつくる。逆にいえば、食わせるという能力を喪失した王朝については、天が命《めい》を革《あらた》めてしまう。他の食わせる者に対してあらたな命をくだすのである。

食わせるということは、事実食わせたかどうかはべつとして、すくなくとも食わせることに懸命な姿勢をとりつづけることであった。同時に、その姿勢があるために、中国史はありあまるほどの政治哲学と政策論を生産してきた。

日本史においては、大流民現象がなかったために、それに見合う首領もいなかったし、従って政治哲学や政策論の過剰な生産もなかった。有史以来の最大の乱世といわれる室町《むろまち》期にあっては、政治とかかわりなく農業生産が飛躍した。このことを思うと、日本史でいう英雄とは、中国史におけるその定義にあてはまる存在ではないらしい。同時に、日本にあっては中国皇帝のような強大な権力が成立したことがないということについても、この基盤の相違のなかからなにごとかを窺《うかが》うことができそうである。

項羽は、楚人である。

楚人については、本文のなかでさまざまに触れてきたために、ここでは繰りかえさない。かれらは古くから揚子江の線で大展開していた稲作の民族であり、中原《ちゅうげん》のひとびととは言語もちがい、本文中でも触れたように、古代タイ語系であるという説もあるくらいである。

広義の楚人の一派である呉《ご》や越《えつ》という国はすでに項羽の時代には存在しなかったが、この揚子江下流の呉越文化圏のひとびとが、あるいは海に泛《うか》び、稲作を南朝鮮と北九州にもたらしたということも考えられる。ともかくも楚人の民俗、気質というものは、単に稲作文化という共通項があるせいかどうか、古い時代の日本に類縁性があるような気がしてならない。

中国の古代文明が、多様な稼業ちがいの民族の混在によって興ったという想像が正しければ、楚というのは中原に対する最後の異質文化であった。

ただしこの時期になると、文字も文章表現も中原で発生したものをつかい、その半身は中原文化に溶かされこんではいた。しかし中原とは生産社会もちがい、王朝の制度もちがい、農民の文化や気質も大いに異なっている。このような楚人が項羽にひきいられ、大氾濫《はんらん》をおこしたように黄河流域の中原にむかって殺到するのは、この時期がはじめてではなかったか。この意味において、中原文明という大きなるつぼのなかに楚人の稲作と湖沼の文化が投げこまれたといってよく、その意味において項羽の活躍とその溶けるような滅亡——情景としては楚兵がことごとく劉邦についた四面楚歌《しめんそか》——は、この大陸の古代文明の最後の仕上げともいえるし、汎《はん》中国的なものへの最初の出発ともいえるかもしれない。

項羽は、紀元前二〇二年に死ぬ。

日本に、弥生《やよい》式文化とよばれる稲作の暮らし方が、すでに海外において成熟した仕組みとして渡来してくるのも、ほぼその前後である。むろん、項羽とその揚子江沿岸の稲作人たちの敗北ということは直接かかわりのないことだが、年表として頭におくことはむだではない。

日本人が中国大陸から漢字・漢籍を導入するのははるかなのちのことになる。以後、日本社会はその歴史を記録として織りあげてゆくのだが、人間のさまざまな典型については自分の社会の実例よりも、漢籍に書かれた古代中国社会に登場する典型群を借用するのがつねであった。

このことは、ひとつには江戸末期に日本社会が成熟し、頼山陽《らいさんよう》が出て『日本外史』を書くまで自国の通史が書かれなかったことにもよる。中国文明の周辺の文化というのは自国を鄙《ひな》であるとするらしく——朝鮮やヴェトナムも同じだと思うが——通史が成立しにくい。たとえ成立しても、人間についての彫琢《ちょうたく》にとぼしい。『日本外史』にもそのきらいがあるが、それは山陽の罪ではなく、多くは日本社会の性格によるといえるであろう。中国社会の場合、すでにのべたように田園にみずからを飼い養っていたひとびとが一挙に柵《さく》を脱し、山野へ奔《はし》りだすということがあるために、そこに浮沈する人間たちは、浮沈の力学として彫琢が深刻にならざるをえない。典型ができやすいということがあり、とくに戦国から秦末の争乱にかけてはそうであった。

まだその典型たちの塚が古びていない時期に、記録者の司馬遷《しばせん》があらわれている。かれは宋《そう》代以後の学者よりもはるかにこんにち的な感覚をもち、二十世紀に突如出てきても違和感なく暮らせるほどに物や人の姿を平明に見ることができた。

かれが、二十歳のころであったかと思われる。紀元前一二六年と推定されるときに、天下をあまねくめぐる大旅行をした。この旅行で、かつて事件のあった山川草木のなかで土地の記録や民俗、伝承を耳目にした。

かれが積極的にその現地で取材したであろうことは、頻出《ひんしゅつ》する俗語で想像できる。土地の故老が言ったままの言いまわしが使われ、観念語や概念語がほとんど使われておらず、人間現象の生気をそのままに文章にこびりつかせている。

この大旅行では、漢楚の人馬が渦をまいていた番《は》県、薛《せつ》県、彭城《ほうじょう》県もたずねた。揚子江下流や江南といった楚人の根拠地ともいうべき地域にゆき、異風な家屋、風習、人情に接しつつ、それらが好きになったにちがいない。亡楚や項羽についかれの感情移入が濃厚になってゆくのは、その文章の気息でうかがうことができる。


以下、筆者自身に関して言う。

私は、文明というのは一個の光源で、その周辺から利用さるべきものであると思ってきた。逆にいえば利用され得ないものは文明といえないにちがいない。

この意味において、私は、日本の中世のある時期までの知的文化は、唐の文化の周辺化したものであると感じてきた。たとえば日本文化が、宋の政治論文がもつ観念性に影響された例はすくないが、唐の詩人たちの詩情を、あるいは現代中国人よりもいきいきと感ずる感受性をもっていることでも、そのことを傍証できる。日本は唐の制度や風習、典籍を奈良朝から平安初期まで圧倒的に導入しながら、八九四年、遣唐使の廃止によってにわかにそのことをやめ、以後、室町のある時期までほとんど正規の交渉をもたなかった。唐以後、中国文化は変遷するが、日本において、とくに漢音、建築、儀礼といったもののなかに、唐文化が凍結保存された。

そういう場から、古代中国の社会を見るとき、すでに精神的風景としては、外国ではなく自分がかつて属した文明圏のものであるという気分が濃くなる。

この作品は、そういう気安さのなかで書いた。ただ遠い時代の事態の再調査をするということは不可能で、事歴は『史記』と『漢書』に拠りつつも、人間どもを取りまく風習、共通の思考癖、倫理的習慣などについては、当時はこうであったろうというところまで、自分なりに、文献と想像のなかながら、近づいてみた。

この作品は、はじめ「小説新潮」に「漢の風 楚の雨」という題のもとで連載（昭和五十二年一月号〜昭和五十四年五月号）した。単行本にするにあたって題名を簡要にし、多少書き加えるところもあった。

原題については、劉邦に「大風の歌」という詩があるところから「風」をとった。さらには漢が本拠とする中原の黄土地帯を吹きあげる乾いた風塵《ふうじん》を連想した。「雨」は、多湿な楚の風土をあらわす基本的なものである。

当初、漢の風と楚の雨を想うことなしに、この長い作品を書きつづけることができなかった。原題にみずから恩を感じて、蛇足《だそく》ながら以上を書き添える。

（昭和五十五年八月）

解説

——史上最高の典型による人望の探究

谷沢永一

『史記』を透視する洞察

人間と政治の錯綜《さくそう》が灼熱《しゃくねつ》して発光し、その力学がもっとも露《あらわ》に展開される『項羽《こうう》と劉邦《りゅうほう》』の、激烈で痛切な劇が断弦のごとき終結に達したとき、この作品の発想をめぐって司馬遼太郎は、我が国における歴史意識の伝統を示唆する。周知のごとく「日本人が中国大陸から漢字・漢籍を導入する」に専らであったのは、文化の発展段階における極く初期の頃からであり、非常に顕著な特色としてその導入より「以後、日本社会はその歴史を記録として織りあげて」はゆくものの、しかし「人間のさまざまな典型については自分の社会の実例よりも、漢籍に書かれた古代中国社会に登場する典型群を借用するのがつねであった」のである。

すでに早くから左国史漢と呼び慣《なら》わし、『春秋左氏伝』と『国語』と『史記』と『漢書』をもって、中国の史書を代表させ必読と見做《みな》していたが、それらを単に外国の歴史であるという風には隔てをおかず、大前提としては日本人にとっての歴史そのもの、すべてを包括する人間の世界それ自体を、一般的に啓示する普遍の典籍として、尊重というより直接に親近の情を抱き、第一義の古典と評価してきた経過が特徴的である。

よく知られた例を引くなら夏目漱石は、『文学論』の苦渋にみちた序の一節に言う。「余は少時好んで漢籍を学びたり。之《これ》を学ぶ事短かきにも関《かかわ》らず、文学は斯《か》くの如き者なりとの定義を漢然と冥々裏《めいめいり》に左国史漢より得たり」と。すなわち第一級の中国史書はそのままの姿で、我が国における広義の文学をも意味したのである。

とくに近世においては中村幸彦（中央公論社版・著述集3巻16頁）が説くごとく、日本的漢詩漢文こそが性格上は思想文学として、俗文学に対する雅文学の役割を強く担っていた。その場合の題材と表現が当然のこと、漢籍に主として依拠したのは言うまでもない。そしてとりわけ典型的な項羽および劉邦の場合は、遂に漢籍の世界から外へ躍りでるに至る。元禄三年の序と同じく七年の跋《ばつ》を持つ『通俗漢楚《かんそ》軍談』が刊行され、やはり元禄年間に成った『通俗三国志』と並んで、中国軍談物の双璧《そうへき》として広く読みつがれ、明治の末には「通俗二十一史」に、大正期に入ると「有朋堂文庫」に活字化して収められた。我が国びとは長い時間をかけてこれらの登場人物に親しみ、かれらを通じて人間の歴史を考えつづけたのである。

この間の事情を圧縮して司馬遼太郎は、「古代中国の社会を見るとき、すでに精神的風景としては、外国ではなく自分がかつて属した文明圏のものであるという気分が濃くなる」と要約している。左国史漢に代表される史書はつい先頃まで、日本人にとって人間学を練るための拠りどころであった。あるいは自問自答の場を提供する鏡であった。それゆえに蒙《こうむ》った影響の大きさ深さは、おのずから長期にわたってであるだけに測り知れぬであろう。

したがって司馬遼太郎が『項羽と劉邦』を構想したとき、おそらくは重層の探求心が幾重にも脈打っていたはずである。大筋としてみずから控え目に言うごとく、「事歴は『史記』と『漢書』に拠りつつも、人間どもを取りまく風習、共通の思考癖、倫理的習慣などについては、当時はこうであったろうというところまで、自分なりに、文献と想像のなかながら、近づいて」みようとする慎重な試み、緻密《ちみつ》で含蓄にみちた洞察力の発動である。

同時にこの至難にして壮大な力技の企図は、史書として世界でもっとも卓抜な『史記』の著者、司馬遷の表現方法に対する直接の対決を意味する。すなわち司馬遷の史眼を通してその奥にある素材を透視し、『史記』の行間に躍動する多様な「人間ども」の生態を、『史記』の文体よりも手前に改めてじかに手繰り寄せ、普遍的な人間分析の照明をあてる作業であり、つまり『史記』の読みもの化や梗概《こうがい》ではない根本からの再構築として、この壮挙は司馬遼太郎より以前に先例も類似も見ないであろう。

さらには『項羽と劉邦』に充満する多彩な「典型群」は、我が国と遮断《しやだん》された無関係の外国人ではなく、かつて日本人に人間の社会とはなにかを反芻《はんすう》させ、様ざまな思考に資する「実例」の役割をつとめた。漢楚の群像は往昔の我が国びとにとって、自分たちの世界のなかの存在であったから、その「典型群」が訴えるところはなんであったかという課題を、作者は常にさりげなくしかし一貫して、目配り怠らず留意しているように察せられるのである。

自覚した個人の時代

人間の思考と行動を時代の条件から凝視してゆく司馬遼太郎は、中国の戦国期が生んだ社会の澎湃《ほうはい》とした活力を重視する。いわゆる「戦国というのは呼称こそ殺伐《さつばつ》であったが、しかしあらゆる面での社会の成熟のあらわれであるといえる」のであり、その基本的な趨勢《すうせい》は中国においてのみの特異現象ではない。ひるがえって「日本列島では多数の人口がここに住むことが遅かったため、中国大陸より七、八百年遅れて広域社会をふまえた国家ができ、このために戦国期の成立もはるかに遅れた」のであるが、「しかし歴史年代のへだたりを越えて、相似点が多い」のだと注意を促す司馬遼太郎の指摘は、形式本位の時代区分論に対する痛烈な頂門の一針であろう。

司馬遼太郎の見るところ「戦国の現出の先駆的な条件は、古代社会にくらべ、農業生産力が飛躍的にあがり、自作農が圧倒的にふえ、ひとびとは農奴的状況から解放され、それをふまえての自立精神ができあがったということを見ねばならない。これによってアジア的な意味での個が成立し、この個の成立からさまざまな思想、発明が、沸くように出てきた。戦国の前時代の春秋期をふくめて諸子百家《しょしひゃっか》がぞくぞくとあらわれ、中国思想史上、後代にもない絢爛《けんらん》とした時代を現出するのも、以上のような土壌に由来する」と考えられる。

そして「中国の戦国から秦《しん》の崩壊期に存在している劉邦とその身内の関係は、その時代なりに自覚した個人――後代の中国ではこの精神がほろびる――が、俠《きょう》という相互扶助の精神を糊《のり》として結びついているように思える」と作者は喝破する。だが「戦国期の社会で中国なりの個とその尊厳が確立していた」にもかかわらず、「その後の中国史ではこの風《ふう》が衰弱してゆく」のが顕著な特色であった。

物語の幕がおりた直後に、司馬遼太郎は最終的に概嘆しつつ要約する。「中国史は、ふしぎなところがある。後代のほうが文化の均一性が高くなるのは当然であるとして、知的好奇心が衰弱することである。後漢の末ごろからいわゆるアジア的停頓《ていとん》がはじまり、その停頓が、驚歎《きょうたん》すべきことに、近代までのながい歴史のなかに居すわりつづける」。結局のところ歴史は素朴な発展段階論では律しきれないと覚悟せねばならぬ。

一方その後代と対比するとき、「いわゆる先秦時代からこの時期までの中国は、べつのひとびとによる社会であったかと思えるほどにいきいきしている」のであって、そこに出現した「個」の「典型群」が発揮する魅力は、遂に比類するものなき存在として輝き続ける。

そして『史記』はこの時期の人間群を代表させるべく、かつて武田泰淳が『司馬遷』（講談社文庫）で論じたように、「項羽と高祖《こうそ》と云う対立する要素の運動に重点がある」ように構成した。すなわち司馬遼太郎は中国史のもっとも「いきいきしている」時期の、もっとも劇的な対決を根元まで掘りさげながら、関連する周辺の様ざまな結節点を俎上《そじょう》にのぼせてゆくのである。

その豊富で重要な検討対象のひとつ、ひろく沈思に値するのは人間が織りなす思想というものの生理学であろう。その原初的な一種である陰陽五行説に見られるごとく、「哲理は、そのあいまいさの上に成立する」と、司馬遼太郎は論理一般の構成原理を剔抉《てっけつ》する。およそ「このことは公理ともいうべきもので、証明はできず、証明ができないために、ひらきなおったように絶対の真理とされ」るのがあらゆる場合の常なのである。

広く見渡してどこにおいても「人類は、その後も多くの体系を創《つく》り出し、信じてきた。ほとんどの体系はうそっぱちをひそかな基礎とし、それがうそっぱちとは思えなくするためにその基礎の上に構築される体系はできるだけ精密であることを必要とし、そのことに人智の限りが尽された」と観察される。

すなわち「論というのは核心にうそを置かねば成立しないものではあるまいか」と見るべきであり、したがって「論というのは一本の釘《くぎ》を抜くだけで蜃気楼《しんきろう》のように消えはててしまう」事情を見抜かねばならない。そして「劉邦は学こそないが——むしろ学びがないからこそ——儒家《じゅか》であれ道家であれ学問がもっている虚偽というものにはひっかからなかった」のである。

自尊心

謀将の范増《はんぞう》は項羽の性格を縦横に検討して、「(この男には、欠陥が多い。しかし掘り出したままの璞《あらたま》のようなよさがあるとすれば、そこだ)」とみずから言い聞かせているようであるが、同時に司馬遼太郎は別の面からも測量し、「項羽は、范増が見るよりははるかにすぐれた若者であった」と評価し、「項羽の胸の肉は厚くできているらしい」と、「項羽が単に勇のみの人間でなかった」事績を重視する。「項王は、すぐれた人です。その人柄も、身内や配下に対しては決して粗暴ではなく、礼をもって諸将に接し、家来であるからといって人をあなどるということはしません」と陳平《ちんぺい》はあえて劉邦に説いた。

事実「——項羽は劉邦とはちがい、名門の出らしく礼儀ただしい男だ。という印象が、この当時からあった。なみの人間よりも十倍も多量な血液をもっているかのような項羽は、怒れば虎のようにはげしく、ときに敵や敵地の人民を憎めば人のなしがたいような暴虐を働き、あるいは主《あるじ》と仰いだ懐《かい》王を追放してこれを殺すといったように粗暴、悪虐の印象をあたえがちであったが、他の一面、真《ま》っ向《こう》から矛盾するように味方には優しく、さらにその上、血縁の長者には礼をもって遇した。項羽が意外なほどに紳士であったという印象の伝承は、この面の人格がつたえられたものであろう」と解される。

そして確かに「項羽にはその魂の巨大さを感じさせる面もある。が、その大きすぎる魂の容積のなかにはひとよりも数倍もある子供っぽさも同居し、それがときにかれを勇敢にさせ、ときにかれになみはずれて清らかな感情を表出させた。しかし子供が持っている功利性と残酷さが出てくるときには、たれもが制御できなかった」ほどの桁《けた》はずれであった。

さらに「項羽は人が勇敢であることを好みすぎている」のであり、「そのことをつねに人間の価値基準の第一に置いている」ゆえに、「項羽が功としてみとめたものはみな第一線ではなばなしく戦った勇将たちで、後方にありながらその者が居たがために諸人《もろびと》の信がつながれたというたぐいの功績というものは項羽は一顧《いっこ》もしなかった」。当然のこと「かれの論功行賞は、混乱と反乱、あるいは項羽への見限りのみをまねいたといっていい」であろう。

司馬遼太郎があざやかに指示するところ「項羽にも、愛情や惻隠《そくいん》の情があった。むしろひとよりもその量は多量であった。しかしそれは項羽自身が対象を美——あわれ——と感じねば、蓋《ふた》をとざしたように流露しなかった。項羽が美と感ずるのは、陽の洩れる板戸のすきまほどに幅がせまかった。かれ自身の自尊心が十分に昂揚《こうよう》できる条件下において相手がひとすじに項羽の慈悲にすがろうとしている場合のみであった。といって、この男は愚者ではなかった。ひとの阿諛《おべっか》にはうごかなかったから、この間の項羽の性格の機微はまことに微妙というほかない」のである。すなわち「自尊心が強すぎる者は他人がよく見えない」という原則が働き、「このことは項羽に政略や戦略という感覚を欠かせてしまったことと無縁ではない」であろう。

すなわち「世界を敵味方の黒白でしか分けることができないというのが項羽の性癖で、これに対し劉邦は世界は灰色であり、ときに黒になり、ときに白になるとおもっていた」のが対照的である。

虚心

劉邦という稀有《けう》の存在はきわめて捕捉《ほそく》しがたく、人間の魅力とはなにかという課題にとっての、容易に糸口を見出《みいだ》し得ぬほどの巨大な標本として横たわっている。『項羽と劉邦』はその奥ぶかい難問に真正面から挑んで、人間学の観察眼を煮詰め尽くしての結実となった。全篇《ぺん》にちりばめられた劉邦像への多彩な照明は、幾重にも複雑に澄んだ共鳴音を響かせ、大きく広がりのある沈んだ余韻を残す。ひとりの人物に焦点を絞ってこれほど集中的に、視点を微細に移動させてあらゆる側面から迫り続けたのは、司馬遼太郎の作品歴においても異例なのではあるまいか。
夏侯嬰《かこうえい》に向かって「あるとき蕭何《しょうか》が、なぜお前は劉邦についているのか、ときくと、嬰はしばらく考えて、〈あっしが居なければ、劉あにいはただの木偶《でく》の坊ですよ〉といった。このとき蕭何は劉邦の可愛気《かわいげ》ということに気付いた」ようである。要するに「(劉邦には徳というほどのものはないが、ちょっと類のない可愛気がある。このことは、稀有なものとして重視していいのではないか)」という評価の角度に蕭何は思い至った。つまり「可愛気が、劉邦の中で光っている。それが大きな光体になって劉邦の不徳も無能も、すべておおい晦《くら》ますほどの力をもっている、と蕭何はおもいはじめた」のである。

確かに「稀有」の例なのだが「劉邦の場合、小さな我《が》を、うまれる以前にどこかへ忘れてきたようなところがあった」し、さらには「劉邦はただ、〈おのれの能《よ》くせざるところは、人にまかせる〉という一事だけで、回転してきた」のを独得の強味としている。もとより言うまでもなく「劉邦は、土俗人ならたれでも持っている利害得失の勘定能力をそなえていたが、しかしそのことは奥に秘めて露わにせず、その実体はつねに空気を大きな袋でつつんだように虚であった」。そして「虚心は人間を聡明《そうめい》にするものであろう」こと間違いない。

劉邦は「韓信《かんしん》のみるところ、愛すべき愚者という感じだった。もっとも痴愚という意味での愚者でなく、自分をいつでもほうり出して実体はぼんやりしているという感じで、いわば大きな袋のようであった。置きっぱなしの袋は形も定まらず、また袋自身の思考などはなく、ただ容量があるだけだったが、棟梁《とうりょう》になる場合、賢者よりはるかにまさっているのではあるまいか。賢者は自分のすぐれた思考力がそのまま限界になるが、袋ならばその賢者を中へほうりこんで用いることができる」のである。

したがって「かれにはつねに献策者《けんさくしゃ》が必要だった。たれかが智恵をしぼって何かを言うと劉邦はそれを採用する。献策者が複数の場合は、良案をえらんで採《と》った。そういう選択の能力は、劉邦にあった。さらにそれ以上の劉邦の能力は、ひとがつい劉邦のために智恵をしぼりたくなるような人格的ふんいきを持っているということでもあったろう」か。

かつて若き日に「沛《はい》の町の飲屋で」「町中の劉邦好きの男や与太者たち」が自然に集まり、「彼らにすれば、劉邦に見られているというだけで楽しく、酒の座が充実し、くだらない話にも熱中でき、なにかの用があって劉邦がどこかへ行ってしまったりすると急に店が冷え、ひとびとも面白くなくなり、散ってしまう」のであったが、そのような場における劉邦の茫《ぼう》漠《ばく》たる個性に、強い複雑な印象を受けぬ者があろうか。あえて一息に要約するなら『項羽と劉邦』は、人望とはなにかをめぐる明晰《めいせき》な考察の集大成なのである。

（文藝春秋刊『司馬遼太郎全集』第四十五巻解説再録、昭和五十九年四月、文芸評論家）

この作品は昭和五十五年六～八月新潮社より刊行された。

文字づかいについて

新潮文庫の文字表記については、なるべく原文を尊重するという見地に立ち、次のように方針を定めた。

一、口語文の作品は、旧仮名づかいで書かれているものは現代仮名づかいに改める。
二、文語文の作品は旧仮名づかいのままとする。
三、一般には常用漢字表以外の漢字も音訓も使用する。
四、難読と思われる漢字には振仮名をつける。
五、送り仮名はなるべく原文を重んじて、みだりに送らない。
六、極端な宛て字と思われるもの及び代名詞、副詞、接続詞等のうち、仮名にしても原文を損うおそれが少ないと思われるものを仮名に改める。

項《こう》羽《う》と劉《りゅう》邦《ほう》（下）

新潮文庫　し－9－33

昭和五十九年九月二十五日　発行
平成四年六月二十五日　三十刷

著者　司《し》馬《ば》遼《りょう》太《た》郎《ろう》

発行者　佐藤亮一

発行所　株式会社　新潮社

郵便番号　一六二
東京都新宿区矢来町七一
電話　営業部（〇三）三二六六－五一一一
　　　編集部（〇三）三二六六－五四四〇
振替　東京四－八〇八番

価格はカバーに表示してあります。

乱丁・落丁本は、ご面倒ですが小社読者係宛ご送付ください。送料小社負担にてお取替えいたします。

印刷・大日本印刷株式会社　製本・加藤製本株式会社

ISBN4-10-115233-0 C0193